EDWARD SNOWDEN
Eterna vigilância

Tradução
Sandra Martha Dolinsky

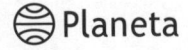

Planeta

Copyright © Edward Snowden, 2019
Copyright © Editora Planeta do Brasil, 2019
Título original: *Permanent Record*
Todos os direitos reservados.

Preparação: Amanda Fabbro
Revisão: Karina Barbosa dos Santos e Diego Franco Gonçales
Diagramação: Maria Beatriz Rosa
Capa: Departamento de criação da Editora Planeta do Brasil
Imagem de capa: Platon

DADOS INTERNACIONAIS DE CATALOGAÇÃO NA PUBLICAÇÃO (CIP)
ANGÉLICA ILACQUA CRB-8/7057

Snowden, Edward J.
  Eterna vigilância / Edward Snowden; tradução de Sandra Martha Dolinsky. – São Paulo: Planeta do Brasil, 2019.
  288 p.

ISBN: 978-85-422-1743-8
Título original: Permanent record

1. Não ficção 2. Snowden, Edward J., 1983- Biografia 3. Agentes do serviço de inteligência - Estados Unidos - Biografia 4. Analistas de sistemas - Biografia 5. Estados Unidos. National Security Agency/Central Security Service 6. Vazamentos (Divulgação de informação) - Estados Unidos 7. Vigilância eletrônica - Estados Unidos I. Título II. Dolinsky, Sandra Martha

19-1767   CDD 920.932712

Índices para catálogo sistemático:
1. Snowden, Edward J., 1983- Biografia

2019
Todos os direitos desta edição reservados à
Editora Planeta do Brasil Ltda.
Rua Bela Cintra 986, 4º andar – Consolação
São Paulo – SP CEP 01415-002
www.planetadelivros.com.br
faleconosco@editoraplaneta.com.br

A L.

SUMÁRIO

PREFÁCIO **7**

PARTE I
1. OLHANDO PELA JANELA **15**
2. A PAREDE INVISÍVEL **22**
3. O GAROTO DO BELTWAY **33**
4. CONEXÃO ESTADUNIDENSE **38**
5. HACKER **48**
6. INCOMPLETO **57**
7. O 11 DE SETEMBRO **64**
8. O 12 DE SETEMBRO **71**
9. 18 X-RAY **77**
10. LIBERADO E APAIXONADO **86**

PARTE II
11. O SISTEMA **94**
12. *HOMO CONTRACTUS* **99**
13. INDOC **108**
14. O CONDE DA COLINA **121**
15. GENEBRA **132**
16. TÓQUIO **143**
17. CASA NA NUVEM **162**
18. NO SOFÁ **175**

PARTE III
19. O TÚNEL **182**
20. O HEARTBEAT **187**
21. A DELAÇÃO **194**
22. O QUARTO PODER **206**
23. LER, ESCREVER, EXECUTAR **218**
24. CRIPTOGRAFIA **226**
25. O GAROTO **234**
26. HONG KONG **244**
27. MOSCOU **254**
28. DOS DIÁRIOS DE LINDSAY MILLS **265**
29. AMOR E EXÍLIO **275**

AGRADECIMENTOS **285**
SOBRE O AUTOR **287**

PREFÁCIO

Meu nome é Edward Joseph Snowden. Eu trabalhava para o governo, mas agora trabalho para o público. Levei quase três décadas para reconhecer que havia diferença entre um e outro, e quando reconheci, acabei tendo problemas no trabalho. E o resultado disso foi que agora passo meu tempo tentando proteger o público da pessoa que eu era antes – um espião da Agência Central de Inteligência (CIA) e da Agência Nacional de Segurança (NSA). Apenas mais um jovem tecnólogo construindo o que eu tinha certeza que seria um mundo melhor.

Minha carreira na Comunidade Americana de Inteligência (CI) durou só sete anos, o que me surpreende ao perceber que isso é apenas um ano a mais que o tempo que vivo exilado em um país que não escolhi. Mas, durante esse período de sete anos, participei da mudança mais significativa da história da espionagem estadunidense – da vigilância direcionada a indivíduos à vigilância em massa de populações inteiras. Ajudei a tornar tecnologicamente viável que um único governo coletasse todas as comunicações digitais do mundo, que as armazenasse por eras e fizesse buscas nelas à vontade.

Depois do 11 de Setembro, a CI sentiu uma culpa imensa por não ter protegido os EUA, por ter permitido que o ataque mais devastador e destrutivo ao país desde Pearl Harbor ocorresse debaixo de seu nariz. Em decorrência disso, seus líderes procuraram construir um sistema que impedisse que fossem pegos de surpresa de novo. Na base desse sistema estava a tecnologia, coisa alheia a seu exército de especialistas em ciências políticas e mestres em administração empresarial. As portas das agências de inteligência mais secretas foram abertas para jovens tecnólogos como eu. E os *geeks* herdaram a Terra.*

Se havia algo que eu entendia naquela época era de computadores, de modo que ascendi depressa. Aos 22 anos recebi minha primeira autorização *Top Secret* da NSA, para um cargo na parte mais baixa do organograma. Menos de um ano depois, eu estava na CIA como engenheiro de sistemas, com amplo acesso a algumas das redes mais confidenciais do planeta. O único adulto para me supervisionar era um sujeito que passava seus turnos lendo livros de bolso de Robert Ludlum e Tom Clancy. As agências estavam quebrando as próprias regras na tentativa de contratar talentos em tecnologia. Normalmente, jamais contratariam alguém sem diploma de nível superior ou de curso superior de curta duração, e eu não tinha nenhum dos dois. Em hipótese alguma eu deveria ter entrado naquele prédio.

Passei de 2007 a 2009 na embaixada dos EUA em Genebra como um dos raros tecnólogos sob cobertura diplomática, minha tarefa era levar a CIA ao futuro, colocando suas estações europeias on-line, digitalizando e automatizando a rede pela qual o governo dos EUA espionava. Minha geração fez mais que reconstruir o trabalho da inteligência; nós redefinimos inteiramente o que era a inteligência. Para nós, não se tratava de fazer reuniões clandestinas ou cair morto, e sim de dados.

Aos 26 anos, eu era oficialmente funcionário da Dell, mas uma vez mais trabalhando para a NSA. O emprego na Dell era meu disfarce, como era para quase todos os espiões afeitos à tecnologia do meu grupo. Fui mandado para o Japão, onde ajudei a projetar algo que representava o *backup* global da agência – uma gigantesca rede secreta que garantia que, mesmo que a sede da NSA fosse reduzida a cinzas em uma explosão nuclear, nenhum dado seria perdido. Na época, não percebi que a criação de um sistema que manteria um registro permanente da vida de todos era um erro trágico.

Voltei aos Estados Unidos com 28 anos e recebi uma promoção estratosférica; passei a fazer parte da equipe técnica que cuidava do relacionamento da Dell com a CIA. Meu trabalho era me reunir com os diretores das divisões técnicas da CIA para criar e vender soluções para qualquer

---

* Jogo de palavras feito com a canção *The Geeks Will Inherit the Earth*, da banda I Fight Dragons. (N.T.)

problema que eles pudessem imaginar. Minha equipe ajudou a agência a criar um novo tipo de arquitetura de computação – uma nuvem, a primeira tecnologia que permitia a todos os agentes, independentemente de onde se localizassem fisicamente – e da distância –, acessar e pesquisar todos os dados de que precisassem.

Em suma, a tarefa de administrar e conectar o fluxo de informações deu lugar à tarefa de descobrir como armazená-las para sempre, o que, por sua vez, deu lugar à tarefa de certificar que elas fossem universalmente disponíveis e pesquisáveis. Esses projetos surgiram para mim no Havaí, para onde me mudei, aos 29 anos, em decorrência de um novo contrato com a NSA. Até então, eu trabalhava sob a doutrina *Need to Know* – ou seja, recebia apenas a informação necessária no momento necessário –, e era incapaz de entender o propósito cumulativo por trás de minhas tarefas especializadas e compartimentadas. Foi só no paraíso que eu finalmente tive condições de ver como todo meu trabalho se encaixava, assim como as engrenagens de uma máquina gigante, para formar um sistema global de vigilância em massa.

Nas profundezas de um túnel sob uma plantação de abacaxis – uma antiga fábrica subterrânea de aviões da época de Pearl Harbor –, eu me sentava diante de um terminal do qual tinha acesso praticamente ilimitado às comunicações de quase todos os homens, mulheres e crianças da Terra que fizessem uma ligação ou usassem um computador. Entre essas pessoas havia cerca de 320 milhões de cidadãos estadunidenses que, na conduta regular de sua vida cotidiana, estavam sendo vigiados – em flagrante violação não apenas da Constituição dos Estados Unidos, mas dos valores básicos de qualquer sociedade livre.

A razão pela qual você está lendo este livro é que eu fiz uma coisa perigosa para um homem em minha posição: decidi dizer a verdade. Eu coletei documentos internos da CI que evidenciavam o desrespeito do governo dos EUA às leis e os entreguei a jornalistas, que os examinaram e publicaram para um mundo que ficou escandalizado.

Este livro fala sobre o que me levou a essa decisão, os princípios morais e éticos que a embasaram, e como eles surgiram. Isso significa que ele fala também sobre a minha vida.

O que faz uma vida? Mais do que dizemos; mais do que fazemos, inclusive. Uma vida também é o que amamos e aquilo em que acreditamos. Para mim, o que eu mais amo – e no que eu mais acredito – é a conexão, a conexão humana; e as tecnologias por meio das quais alcançamos isso. Essas tecnologias incluem livros, é claro. Mas, para a minha geração, conexão significava, em grande parte, a internet.

Antes de você recuar, conhecendo bem a loucura tóxica que infesta essa colmeia em nosso tempo, entenda que para mim, quando a conheci, a internet era algo bem diferente. Ela era um amigo, uma mãe, um pai. Era uma comunidade sem fronteiras nem limites, uma voz e milhões de vozes, uma fronteira comum a todos, que havia sido colonizada, mas não explorada, por diversas tribos convivendo amigavelmente lado a lado, sendo cada membro livre para escolher seu próprio nome, sua história e seus costumes. Todos usavam máscaras; no entanto, essa cultura de anonimato plurinominal produzia mais verdade que falsidade, porque era criativa e cooperativa, não comercial e competitiva. Claro que havia conflito, mas ele era superado pela boa vontade e pelos bons sentimentos – o verdadeiro espírito pioneiro.

Você entenderá, então, quando eu disser que a internet de hoje é irreconhecível. Vale notar que essa mudança foi uma escolha consciente, resultado de um esforço sistemático por parte de uns poucos privilegiados. A pressa inicial de transformar o comércio em comércio eletrônico levou rapidamente a uma bolha e, logo após a virada do milênio, a um colapso. Depois disso, as empresas perceberam que as pessoas que acessavam a internet estavam muito menos interessadas em gastar que em compartilhar, e que a conexão humana que ela possibilitava podia ser monetizada. Se aquilo que as pessoas mais queriam fazer on-line era poder contar a familiares, amigos e estranhos o que estavam fazendo e, em troca, saber o que seus familiares, amigos e estranhos estavam fazendo, todas as empresas só precisavam descobrir como se colocar no meio desses intercâmbios sociais e transformá-los em lucro.

Esse foi o começo do capitalismo de vigilância e o fim da internet como eu a conhecia.

Em seguida, foi a Web criativa que entrou em colapso, à medida que inúmeros sites lindos, difíceis e individualistas foram saindo do ar. A promessa de conveniência levou as pessoas a trocar seus sites pessoais – que exigiam manutenção constante e trabalhosa – por uma página no Facebook e uma conta no Gmail. A aparência de posse era fácil de confundir com a propriedade real. Poucas pessoas entenderam isso na época, mas nada do que compartilharíamos nos pertenceria mais. Os sucessores das empresas de comércio eletrônico que fracassaram – por não terem encontrado nada que estivéssemos interessados em comprar – passaram a ter um novo produto para vender.

E esse novo produto éramos Nós.

Nossa atenção, nossas atividades, nossa localização, nossos desejos – tudo que revelamos sobre nós, conscientemente ou não, estava sendo vigiado e vendido em segredo, a fim de retardar a inevitável sensação de violação que a maioria de nós só sente agora. E essa vigilância continuaria sendo ativamente encorajada e até financiada por um exército de governos ávidos pelo vasto volume de informação que obteriam. Além de logins e transações financeiras, quase toda comunicação on-line foi criptografada nos primeiros vinte anos, o que significa que, em muitos casos, os governos nem precisavam se dar ao trabalho de abordar as empresas para saber o que seus clientes estavam fazendo. Podiam simplesmente espionar o mundo sem ninguém saber.

O governo dos EUA, em total desrespeito a seu estatuto fundador, foi justamente vítima dessa tentação, e uma vez tendo provado o fruto dessa árvore venenosa, foi tomado por uma febre implacável. Sigilosamente, ele assumiu o poder da vigilância em massa, uma autoridade que, por definição, aflige muito mais os inocentes que os culpados.

Foi só quando cheguei a uma compreensão mais completa dessa vigilância e de seus danos que passei a me sentir assombrado pela consciência de que nós, o público – o público não apenas de um país, mas do mundo todo – nunca tivemos voz nem voto, nunca tivemos a chance de dar nossa opinião nesse processo. Um sistema de vigilância quase universal havia sido estabelecido não apenas sem nosso consentimento, mas também de uma maneira que ocultava deliberadamente de nosso conhecimento todos os aspectos de seus programas. A cada passo, os procedimentos variáveis e suas consequências eram escondidos de todos, inclusive da maioria dos legisladores. A quem eu poderia recorrer? Com quem poderia falar? Só sussurrar a verdade a um advogado, a um juiz ou ao Congresso seria um crime tão grave que a simples descrição básica dos fatos mais amplos provocaria prisão perpétua em uma cela federal.

Eu estava perdido, com um humor sombrio, enquanto lutava com minha consciência. Eu amo meu país e acredito no serviço público – toda minha família, toda minha linhagem, há séculos está cheia de homens e mulheres que passaram a vida servindo a esse país e a seus cidadãos. Eu mesmo havia jurado servir não a uma agência, nem a um governo, e sim ao público, em apoio e defesa da Constituição, cuja garantia de liberdades civis havia sido tão flagrantemente violada. Mas eu era mais que parte dessa violação: eu era partidário a ela. Todo aquele trabalho, todos aqueles anos... para quem eu estava trabalhando? Como eu poderia honrar o acordo de sigilo com as agências que me empregavam e o juramento que eu havia feito aos princípios fundadores de meu país? A quem, ou a o quê, era minha maior fidelidade? Em que ponto eu seria moralmente obrigado a violar a lei?

Refletir sobre esses princípios fez surgir minhas respostas. Percebi que me entregando e revelando aos jornalistas a extensão dos abusos de meu país eu não estaria defendendo nada radical, como a destruição do governo ou mesmo da CI. Isso seria a volta à persecução dos ideais declarados pelo governo e pela própria CI.

A liberdade de um país só pode ser medida pelo respeito aos direitos de seus cidadãos, e é minha convicção que esses direitos são, na verdade, limitações ao poder estatal que definem exatamente onde e quando um governo não pode infringir tal domínio de interesses pessoais ou liberdades individuais, chamados de liberdade durante a Revolução Americana e de privacidade durante a Revolução da Internet.

Já faz seis anos que me entreguei porque testemunhei o declínio do compromisso dos chamados governos avançados do mundo todo para com a proteção dessa privacidade que eu considero – e as Nações Unidas também – um direito humano fundamental. No entanto, nesse período, esse declínio só continuou, já que as democracias estão voltando ao populismo autoritário. E em nenhum lugar essa regressão foi mais aparente que na relação dos governos com a imprensa.

As tentativas dos candidatos eleitos de deslegitimar o jornalismo receberam ajuda e encorajamento de um ataque total ao princípio da verdade. Aquilo que é real está sendo intencionalmente confundido com o que é falso, por meio de tecnologias capazes de transformar essa fusão em uma confusão global sem precedentes.

Eu conheço esse processo íntima e suficientemente, porque a criação da irrealidade sempre foi a arte mais obscura da comunidade de inteligência. As mesmas agências que ao longo da minha carreira manipularam informações para criar um pretexto para a guerra – e usaram políticas ilegais e um Judiciário de oposição para permitir sequestros alegando rendição extraordinária, tortura alegando interrogatório aprimorado, e vigilância em massa alegando coleta de informação em massa –, não hesitaram, nem por um momento, em me chamar de agente duplo chinês, agente triplo russo, e pior: de *millennial*.

Eles puderam dizer tudo isso, e tão livremente, em grande parte porque eu me recusei a me defender. Desde o momento em que me entreguei, decidi jamais revelar detalhes de minha vida pessoal que pudessem causar mais sofrimento a minha família e amigos, que já sofriam o suficiente em razão meus princípios.

Foi pelo medo de aumentar esse sofrimento que hesitei em escrever este livro. Em última análise, a decisão de apresentar evidências de irregularidades contra o governo foi mais fácil para mim que a decisão de, aqui, prestar contas de minha vida. Os abusos que testemunhei exigiam ação, mas ninguém escreve um livro de memórias porque não consegue resistir aos ditames de sua consciência. Foi por isso que tentei obter a permissão de todos os membros da família, amigos e colegas que são citados nestas páginas, ou que são publicamente identificáveis.

Assim como eu me recuso a pretender ser o árbitro da privacidade de outra pessoa, nunca pensei que seria capaz de escolher quais segredos de meu país deveriam ser divulgados ao público e quais não. Foi por isso que divulguei os documentos do governo só para jornalistas. De fato, o número de documentos que divulguei diretamente ao público é zero.

Eu acredito, assim como os jornalistas acreditam, que um governo pode manter algumas informações sigilosas. Até mesmo a democracia mais transparente do mundo pode manter em sigilo, por exemplo, a identidade de seus agentes disfarçados e os movimentos de suas tropas em campo. Este livro não inclui segredos desse tipo.

Falar de minha vida protegendo a privacidade de meus entes queridos e sem expor segredos legítimos do governo não é uma tarefa simples, mas é o que tenho de fazer. É entre essas duas responsabilidades que eu me encontro.

PARTE I

1. OLHANDO PELA JANELA

A primeira coisa que eu hackeei foi a hora de ir para a cama.

Eu achava injusto ser forçado por meus pais a ir dormir – antes de eles irem dormir, antes de minha irmã ir dormir, sendo que eu nem estava cansado. Foi a primeira pequena injustiça da vida.

Muitas das primeiras 2 mil noites da minha vida acabaram em desobediência civil: eu chorando, implorando, barganhando, até que, na noite de número 2.193 – noite em que completei 6 anos de idade – descobri a ação direta. As autoridades não estavam interessadas em pedidos de reforma, e eu não tinha nascido ontem. Eu havia acabado de ter um dos melhores dias de minha curta vida, com amigos, uma festa e até presentes, e não ia deixar que isso acabasse só porque todo mundo tinha que ir para casa. Então, eu secretamente comecei a atrasar todos os relógios da casa em várias horas. O relógio do micro-ondas era mais fácil de atrasar que o do fogão – mesmo porque era o mais fácil de alcançar.

As autoridades – em sua infinita ignorância – não perceberam, e eu estava enlouquecido com o poder, galopando pela sala de estar. Eu, o mestre do tempo, nunca mais seria mandado para a cama. Eu era livre. E foi assim que adormeci no chão, depois de finalmente ter visto o pôr do sol no dia 21 de junho, o solstício de verão, o dia mais longo do ano. Quando acordei, os relógios da casa mais uma vez regulavam com o de meu pai.

Se alguém se desse ao trabalho de arrumar um relógio hoje, como saberia configurá-lo? Se você é como a maioria das pessoas de hoje em dia, arrumaria o relógio segundo o horário de seu smartphone. Mas se você olhar seu telefone, digo, olhar mesmo, passar pelos menus de configuração, verá que o horário dele está configurado automaticamente. De vez em quando, seu celular discretamente – silenciosamente – pergunta à rede de sua operadora: "Ei, você tem horas?". Essa rede, por sua vez, pergunta a uma rede maior, que pergunta a uma rede maior ainda, e assim por diante, passando por uma grande sucessão de torres e fios, até que a solicitação chegue a um dos verdadeiros mestres do tempo, um servidor NTP controlado ou referenciado pelos relógios atômicos mantidos em lugares como o National Institute of Standards and Technology (Instituto Nacional de Padrões e Tecnologia) nos Estados Unidos, o Instituto Federal de Meteorologia e Climatologia na Suíça, e o Instituto Nacional de Informação e Comunicações Tecnológicas no Japão. Essa longa jornada invisível, realizada em uma fração de segundo, é o motivo de você não ver um 12:00 piscando na tela de seu celular toda vez que o liga de novo depois de a bateria acabar.

Eu nasci em 1983, no fim daquele mundo em que as pessoas definiam as horas sozinhas. Foi o ano em que o Departamento de Defesa dos Estados Unidos dividiu ao meio seu sistema interno de computadores interconectados, criando uma rede para o uso da defesa, chamada Milnet, e outra para o público, chamada internet. Antes do final desse ano, novas regras definiam os limites desse espaço virtual, dando origem ao Sistema de Nomes de Domínio (DNS) que usamos ainda hoje – os .gov, .mil, .edu e, claro, .com –, e os códigos do país atribuídos ao resto do mundo: .br, .uk, .de, .fr, .en, .ru, e assim por diante. Meu país (e portanto, eu) já saía com vantagem. E, ainda assim, haveriam de se passar mais seis anos antes que a World Wide Web fosse inventada, e cerca de nove anos até que minha família tivesse um computador com um modem que pudesse se conectar à rede.

Naturalmente, a internet não é uma entidade única, embora tenhamos a tendência de nos referir a ela como se fosse. A realidade técnica é que existem novas redes nascidas todos os dias no aglomerado global de redes de comunicações interconectadas que você – e cerca de 3 bilhões de outras pessoas, ou aproximadamente 42% da população mundial – usa regularmente. Mesmo assim, vou usar o termo em seu sentido mais amplo, ou seja, a rede universal que conecta a maioria dos computadores do mundo por meio de um conjunto de protocolos compartilhados.

Talvez você se preocupe por não saber diferenciar um protocolo de um buraco na parede, mas todos nós utilizamos muitos deles. Pense em protocolos como linguagens para máquinas, como as regras comuns que elas seguem para que sejam compreendidas umas pelas outras. Se você tem mais ou menos minha idade, deve se lembrar de ter de digitar o http no início do endereço de um site na barra do navegador da Web. Isso se refere ao Protocolo de Transferência de Hipertexto (HyperText Transfer Protocol), a linguagem que você usa para acessar a World Wide Web (www), aquela coleção massiva de sites baseados principalmente em texto, mas também em áudio e vídeo, como o Google, o YouTube e o Facebook.

Toda vez que verifica seu e-mail, você usa uma linguagem como IMAP (Internet Message Access Protocol – Protocolo de Acesso a Mensagens da Internet), SMTP (Simple Mail Transfer Protocol – Protocolo de Transferência de Correio Simples) ou POP3 (Post Office Protocol – Protocolo dos Correios). As transferências de arquivos passam pela internet usando FTP (File Transfer Protocol – Protocolo de Transferência de Arquivos). E quanto ao procedimento de definição do horário de seu celular que mencionei, essas atualizações são obtidas por meio do NTP (Network Time Protocol – Protocolo de Tempo para Redes).

Todos esses são conhecidos como protocolos da camada de aplicação e abrangem apenas uma família de protocolos dentre as inúmeras que existem on-line. Por exemplo, para que os dados em qualquer um desses protocolos da camada de aplicação atravessem a internet e sejam entregues ao seu computador, notebook ou celular, eles precisam primeiro ser empacotados em um protocolo de transporte dedicado – como o serviço de correio comum, que prefere que você envie suas cartas e pacotes em envelopes ou caixas de tamanho padrão. O TCP (Transmission Control Protocol – Protocolo de Controle de Transmissão) é usado para encaminhar, entre outras aplicações, páginas da Web e e-mails. O protocolo UDP (User Datagram Protocol – Protocolo de Datagrama de Usuário) é usado para transportar aplicações mais sensíveis ao tempo e em tempo real, como telefonia por internet e transmissões ao vivo.

Qualquer relato do funcionamento multifacetado daquilo que em minha infância se chamava ciberespaço, Net, *Infobahn* e Supervia da Informação, inevitavelmente será incompleto, mas o que importa é o seguinte: esses protocolos nos deram os meios para digitalizar e colocar on-line praticamente tudo que não comemos, bebemos, vestimos ou habitamos. A internet se tornou quase tão essencial para nossa vida quanto o ar pelo qual viajam tantas comunicações dela. E como todos nós somos lembrados – toda vez que os *feeds* de nossas mídias sociais nos alertam para uma publicação que nos marca sob uma luz comprometedora –, digitalizar algo é registrá-lo em um formato que durará para sempre.

Sabe o que me impressiona quando penso em minha infância, particularmente nos primeiros nove anos sem internet? É que não posso narrar tudo que aconteceu naquela época porque *só* posso confiar em minha memória. Os dados simplesmente não existem. Quando eu era criança, uma experiência inesquecível ainda não era uma descrição tecnológica literalmente ameaçadora, e sim uma apaixonada prescrição metafórica de significado: minhas primeiras palavras, meus primeiros passos, meu primeiro dente que caiu, a primeira vez que andei de bicicleta...

Minha geração foi a última da história dos Estados Unidos, e talvez até da história do mundo, para a qual isso é verdade – a última geração não digitalizada, cuja infância não está na nuvem, e sim presa em formatos analógicos, como diários escritos à mão, fotos Polaroid e fitas VHS, artefatos tangíveis e imperfeitos que se degradam com o tempo e podem irremediavelmente se perder. Meus trabalhos escolares eram feitos em papel, com lápis e borracha, não em tablets em rede que registram as teclas que eu digito. Minhas espichadas não foram rastreadas por tecnologias domésticas inteligentes, e sim marcadas à faca na madeira do batente da porta da casa onde fui criado.

Morávamos em uma grande casa de tijolos vermelhos com um pequeno gramado ensombrado por *Cornus Floridas* e, no verão, forrado por magnólias brancas, que serviam de cobertura para os soldadinhos de plástico com que eu brincava. A casa tinha um *layout* atípico: a entrada principal ficava no segundo andar, acessada por uma enorme escada de tijolos. Esse andar era o principal espaço de convivência, onde ficavam a cozinha, a sala de jantar e os quartos.

Acima desse andar principal havia um sótão cheio de teias de aranha, empoeirado e proibido, usado para guardar coisas. Minha mãe jurava que era assombrado por esquilos, mas meu pai insistia que eram lobisomens vampiros que devorariam qualquer criança tola que se aventurasse a entrar ali. Abaixo do andar principal havia um porão mais ou menos acabado – uma raridade na Carolina do Norte, especialmente tão perto da costa. Lá os porões tendem a inundar, e o nosso, certamente, era eternamente úmido, apesar do funcionamento constante do desumidificador e da bomba de drenagem.

Quando minha família se mudou para aquela casa, a parte dos fundos do andar principal foi estendida e dividida em uma lavanderia, um banheiro, meu quarto e um estúdio equipado com uma TV e um sofá. Do meu quarto, eu podia ver o estúdio pela janela, que ficava onde originalmente era a parede externa da casa. Essa janela, que antes dava vista para fora, passou a dar vista para dentro.

Durante quase todos os anos que minha família passou naquela casa em Elizabeth City, esse quarto foi meu, e a janela também. Embora houvesse cortina na janela, ali não havia muita privacidade – se é que havia alguma. Desde que me lembro, minha atividade favorita era afastar a cortina e espiar o estúdio. O que significa que desde que me conheço por gente, minha atividade favorita era espionar.

Eu espiava minha irmã mais velha, Jessica, que tinha permissão para ficar acordada até mais tarde e assistir aos desenhos animados para os quais eu ainda era muito novo. Espiava minha mãe, Wendy, que se sentava no sofá para dobrar a roupa enquanto assistia ao noticiário noturno. Mas a pessoa que eu mais espionava era meu pai, Lon – ou, como era chamado no estilo sulista, Lonnie –, que requisitava o estúdio até as primeiras horas da madrugada.

Meu pai trabalhava na Guarda Costeira, mas, na época, eu não tinha a menor ideia do que isso significava. Eu sabia que às vezes ele usava uniforme e às vezes não. Ele saía de casa cedo e chegava tarde, muitas vezes com novos aparelhos – uma calculadora científica Texas Instruments TI-30, um cronômetro Casio pendurado em um cordão, um alto-falante para aparelho de som doméstico... Alguns ele me mostrava, mas outros, escondia. Você pode imaginar em qual eu estava mais interessado.

O aparelho que mais me interessou chegou certa noite, logo depois de eu ir me deitar. Eu estava na cama quase dormindo quando ouvi os passos de meu pai pelo corredor. Levantei-me, puxei a cortina e fiquei observando. Ele tinha uma caixa misteriosa nas mãos, quase do tamanho de uma caixa de sapatos, e tirou dela um objeto bege que parecia um bloco de concreto, com uns longos cabos pretos serpeando como os tentáculos de um monstro das profundezas de um dos meus pesadelos.

Devagar e metodicamente – em parte porque esse era seu jeito de engenheiro disciplinado de fazer tudo, e em parte porque tentava não fazer barulho –, meu pai desembaraçou os cabos e levou um deles pelo tapete desde a parte de trás da caixa até a parte de trás da TV. A seguir, conectou o outro cabo a uma tomada atrás do sofá.

De repente, a TV se acendeu, e com ela, o rosto de meu pai. Normalmente ele passava as noites sentado no sofá, abrindo garrafas de refrigerante e vendo pessoas correndo dentro de um campo; mas aquilo era diferente. Demorei apenas um momento para chegar à mais incrível percepção de toda minha vida assumidamente curta: *meu pai controlava o que estava acontecendo na TV.*

Eu estava diante de um Commodore 64, um dos primeiros sistemas de computadores domésticos do mercado.

Eu não fazia ideia do que era um computador, claro, e muito menos se o que meu pai estava fazendo era jogar ou trabalhar. Ele estava sorrindo e parecia se divertir, mas também se dedicava ao que estava acontecendo na tela com a mesma intensidade com que se aplicava a todas as tarefas mecânicas da casa. Eu só sabia uma coisa: o que quer que ele estivesse fazendo, eu queria fazer também.

Depois disso, sempre que meu pai entrava no estúdio para ligar o tijolo bege, eu ficava em pé na cama, puxava a cortina e espiava suas aventuras. Certa noite, a tela mostrava uma bola caindo e uma barra no fundo; meu pai tinha que mexer a barra horizontalmente para bater na bola, rebater e derrubar uma parede de tijolos coloridos (Arkanoid). Outra noite, ele se sentou diante de uma tela com tijolos coloridos de formas diferentes; eles ficavam sempre caindo, e meu pai os movia e girava para formar fileiras perfeitas, que imediatamente desapareciam (Tetris). Eu estava bastante confuso com o que meu pai estava fazendo – não sabia se aquilo era diversão ou parte de seu trabalho – quando certa noite espiei pela janela e o vi voando.

Meu pai, que sempre me deleitava apontando para os verdadeiros helicópteros da Base Aérea da Guarda Costeira que sobrevoavam a casa, estava pilotando seu próprio helicóptero bem ali, na minha frente, no nosso estúdio. Ele decolou de uma pequena base, que tinha uma bandeirinha estadunidense ondulante, para um céu noturno negro cheio de estrelas cintilantes; e logo em seguida caiu no chão. Ele deu um gritinho que mascarou o meu, mas, quando eu pensei que a diversão havia acabado, ele estava de novo na pequena base com a bandeirinha, decolando mais uma vez.

O jogo se chamava Choplifter!, e esse ponto de exclamação não fazia parte só de seu nome; também fazia parte da experiência de jogá-lo. Choplifter! era emocionante. Repetidas vezes eu vi esses helicópteros decolando em nosso estúdio, sobre uma lua do deserto, atirando e sendo atingidos por aviões e tanques inimigos. O helicóptero continuava pousando e decolando, enquanto meu pai tentava resgatar uma multidão de pessoas e transportá-las em segurança. Essa foi a minha primeira percepção sobre meu pai: ele era um herói.

A alegria que veio do sofá na primeira vez que o pequeno helicóptero aterrissou intacto com sua carga de pessoas em miniatura foi alta demais. Rapidamente meu pai se voltou para a janela para ver se havia me perturbado, e me pegou olhando para ele.

Eu pulei na cama, puxei o cobertor e fiquei completamente imóvel enquanto os passos pesados de meu pai se aproximavam de meu quarto.

Ele bateu na janela.

"Já passou de sua hora de dormir, amigão. Ainda está acordado?"

Eu prendi a respiração.

De repente ele abriu a janela, enfiou a mão para dentro de meu quarto, pegou-me – com cobertor e tudo – e me puxou para o estúdio. Tudo aconteceu muito depressa; meus pés nem tocaram o tapete.

Antes que eu me desse conta, estava sentado no colo de meu pai como seu copiloto. Eu era muito novo, e estava animado demais para perceber que o joystick que ele havia me dado não estava conectado. Só o que importava era que eu estava voando com meu pai.

2. A PAREDE INVISÍVEL

Elizabeth City é uma pitoresca cidade portuária de porte médio, com um núcleo histórico relativamente intacto. Como a maioria dos primeiros assentamentos dos EUA, ela cresceu em volta d'água – neste caso, em torno das margens do rio Pasquotank, cujo nome é uma corruptela inglesa de uma palavra algonquina que significa "onde as águas bifurcam". O rio aflui da baía de Chesapeake, atravessa os pântanos da fronteira da Carolina do Norte com a Virgínia e deságua na Albemarle Sound, ao lado do Chowan, do Perquimans e de outros rios. Sempre que avalio outros rumos que minha vida poderia ter tomado, penso naquele divisor de águas: qualquer que seja o curso específico que a água percorre desde sua origem, ela sempre chega ao mesmo destino.

Minha família sempre esteve ligada ao mar, especialmente a parte de minha mãe. Ela descende diretamente dos Peregrinos. Seu primeiro ancestral nestas terras foi John Alden, tanoeiro, ou fabricante de barris, do navio *Mayflower*. Ele se casou com uma passageira de nome Priscilla Mullins, que tinha a duvidosa distinção de ser a única mulher solteira a bordo em idade de casar e, portanto, a única mulher solteira de toda a primeira geração da Colônia de Plymouth.

A união entre John e Priscilla – no Dia de Ação de Graças – quase não aconteceu, em razão da intromissão do comandante da Colônia de Plymouth, Myles Standish. Seu amor por Priscilla e a rejeição dela a ele, e posteriormente o casamento com John, se tornaram a base de uma obra literária referenciada durante toda minha juventude: *The Courtship of Miles Standish*, de Henry Wadsworth Longfellow (ele próprio descendente de Alden-Mullins):

> *Nada se ouvia na sala além da caneta do jovem apressado,*
> *ocupado, escrevendo epístolas importantes para levar ao Mayflower,*
> *pronto para navegar no dia seguinte, ou no seguinte, se Deus quiser!,*
> *em direção à casa, atado pelas ondas de todo aquele inverno terrível.*
> *Cartas escritas por Alden, e cheias do nome de Priscilla,*
> *cheias do nome e da fama da puritana donzela Priscilla!*

A filha de John e Priscilla, Elizabeth, foi a primeira descendente dos Peregrinos nascida na Nova Inglaterra. Minha mãe, cujo nome também é Elizabeth, é descendente direta dela. A linhagem passa quase exclusivamente por meio das mulheres; porém, os sobrenomes foram mudando quase a cada geração – com um Alden se casando com um Pabodie se casando com um Grinnell se casando com um Stephens se casando com um Jocelin. Esses ancestrais, passageiros marítimos, navegaram pela costa do que hoje é Massachusetts até Connecticut e Nova Jersey – percorrendo rotas comerciais e se esquivando de piratas entre as colônias e o Caribe –, até que, com a Guerra Revolucionária, a linhagem Jocelin se estabeleceu na Carolina do Norte.

Amaziah Jocelin, também grafado Amasiah Josselyn, entre outras variantes, era um corsário e herói de guerra. Como capitão da barca de 10 canhões *The Firebrand*, foi-lhe atribuída a defesa do Cabo do Medo. Após a independência estadunidense, ele se tornou o agente da Marinha dos EUA, ou oficial de suprimentos, do porto de Wilmington, onde também estabeleceu a primeira câmara de comércio da cidade, que chamou, curiosamente, de Intelligence-Office. Os Jocelin e seus descendentes – os Moore, Hall, Meyland, Howell, Steven, Reston, Stokley – que compõem o resto da parte de minha mãe lutaram em todas as guerras da história do meu país, desde a da Revolução e a Civil (na qual os parentes da Carolina lutaram pela Confederação contra seus primos da Nova Inglaterra/União) até as duas Guerras Mundiais. Minha família sempre cumpriu o seu dever.

Meu avô materno, a quem chamo de Pop, é mais conhecido como o contra-almirante Edward J. Barrett. Quando eu nasci, ele era chefe adjunto da divisão de engenharia aeronáutica da sede da Guarda Costeira, em Washington, D.C. Ele foi assumindo vários comandos operacionais e de engenharia, desde Governors Island, em Nova York, até Key West, na Flórida, onde foi diretor da Força-Tarefa Conjunta Interagências do Leste (uma força multiagência e multinacional da Guarda Costeira dos Estados Unidos dedicada à interdição do narcotráfico no Caribe). Eu não sabia quão alto Pop estava subindo, mas sabia que as cerimônias de boas--vindas aos comandos iam ficando cada vez mais elaboradas com o passar do tempo, com discursos mais longos e bolos maiores. Eu me lembro do presente que ganhei do guarda de artilharia em uma dessas cerimônias: a cápsula, ainda quente e com cheiro de pólvora, da bala 40 mm que havia acabado de ser disparada em homenagem a Pop.

Havia também meu pai, Lon, que na época de meu nascimento era suboficial do Centro de Treinamento Técnico em Aviação da Guarda Costeira, em Elizabeth City, e trabalhava como designer de currículo e instrutor de eletrônica. Ele estava sempre ausente, deixando minha mãe em casa para criar a mim e à minha irmã. Para nos ensinar responsabilidade, ela nos dava tarefas; para nos ensinar a ler, ela colocava etiquetas em todas as nossas gavetas com o conteúdo escrito – MEIAS, CALCINHAS, CUECAS. Ela nos colocava em nosso carrinho Flyer Wagon vermelho e nos levava até a biblioteca, onde eu imediatamente ia para minha seção favorita, que chamava de Big Masheens – "grandes máquinas" escrito errado. Sempre que minha mãe me perguntava se eu estava interessado em alguma grande máquina específica, eu dizia:

"Caminhões basculantes, rolos compressores, empilhadeiras, guindastes..."

"Só isso, amigão?"

"Ah", dizia eu,"e também betoneiras e escavadeiras e..."

Minha mãe adorava me dar desafios de matemática. No K-Mart ou no Winn-Dixie, ela me fazia escolher livros, miniaturas de carros e caminhões e os comprava se eu conseguisse somar mentalmente seus preços. No decorrer de minha infância, ela foi aumentando a dificuldade, primeiro me fazendo estimar e arredondar para o valor mais próximo, depois me fazendo encontrar a quantia exata de dólares e centavos; depois, fazendo-me calcular 3% desse montante e somá-los ao total. Fiquei confuso com esse último desafio, não tanto pela aritmética, mas pela razão.

"Por quê?"

"Isso se chama imposto", explicou minha mãe. "De tudo que compramos, temos de pagar 3% ao governo."

"O que eles fazem com isso?"

"Você gosta de estradas, amigão? Gosta de pontes?", perguntava ela. "O governo usa esse dinheiro para consertá-las. Eles usam esse dinheiro para encher a biblioteca de livros."

Algum tempo depois, achei que minhas habilidades matemáticas haviam falhado quando meus totais não coincidiram com os exibidos pela caixa registradora. Mas mais uma vez, minha mãe explicou.

"Eles aumentaram o imposto sobre vendas. Agora você tem de somar 4%."

"Então, agora a biblioteca vai ter mais livros?", perguntei.

"Vamos torcer para isso", disse minha mãe.

Minha avó morava a poucas ruas de nossa casa, em frente ao Carolina Feed, o Seed Mill e uma enorme nogueira-pecã. Depois de esticar minha camiseta para fazer uma cesta e enchê-la com as nozes-pecãs caídas, eu ia até sua casa e me deitava no tapete ao lado das longas e baixas prateleiras de livros. Minha companhia habitual era uma edição de *Fábulas* de Esopo e, talvez meu favorito, *O livro de ouro da mitologia*, de Bulfinch. Eu ficava folheando as páginas, parando só para quebrar algumas nozes enquanto absorvia relatos de cavalos voadores, intrincados labirintos e Górgonas com cabelo de serpente que transformavam mortais em pedra. Eu ficava maravilhado com Ulisses, e gostava de Zeus, Apolo, Hermes e Atena; mas a divindade que eu mais admirava só poderia ser Hefesto: o feio deus do fogo, dos vulcões, dos ferreiros e carpinteiros, o deus do faz-tudo. Eu tinha orgulho de saber soletrar seu nome em grego, e de saber que seu nome romano, Vulcano, havia sido usado para nomear o planeta natal de Spock, de *Jornada nas estrelas*.

Sempre guardei comigo a premissa fundamental do panteão greco-romano. No cume de alguma montanha vivia essa gangue de deuses e deusas que passava a maior parte de sua existência infinita lutando entre si e espionando os negócios da humanidade. Ocasionalmente, quando notavam algo que os intrigava ou perturbava, eles se disfarçavam de cordeiros, cisnes ou leões e desciam as encostas do Olimpo para investigar e se intrometer. Muitas vezes era um desastre – alguém sempre se afogava, ou era atingido por um raio, ou transformado em uma árvore – quando os imortais tentavam impor sua vontade e interferir nos assuntos mortais.

Certa vez, peguei uma versão ilustrada das lendas do rei Arthur e seus cavaleiros e me vi lendo sobre outra montanha lendária, essa no País de Gales. Ela servia de fortaleza para um gigante tirânico chamado Rhitta Gawr, que se recusava a aceitar que a era de seu reinado havia passado e que, no futuro, o mundo seria governado por reis humanos, a quem ele considerava minúsculos e fracos. Determinado a se manter no poder, ele desceu de sua montanha e atacou reino após reino, vencendo seus exércitos. Chegou a derrotar e a matar todos os reis do País de Gales e da Escócia. Depois de matá-los, raspou a barba de todos e fez um manto com elas, e o usava como um troféu sangrento. Então, decidiu desafiar o rei mais forte da Grã-Bretanha, o rei Arthur, dando-lhe uma escolha: Arthur poderia cortar a própria barba e se render, ou Rhitta Gawr o decapitaria e lhe rasparia a barba.

Enfurecido com tanta arrogância, Arthur se dirigiu à fortaleza da montanha de Rhitta Gawr. O rei e o gigante se encontraram no pico mais alto e lutaram durante dias, até que Arthur ficou gravemente ferido. Quando Rhitta Gawr pegou o rei pelos cabelos e estava pronto para lhe cortar a cabeça, Arthur reuniu suas últimas forças e enfiou sua lendária espada no olho do gigante, que tombou morto. Arthur e seus cavaleiros começaram a empilhar um monte de pedras sobre o cadáver de Rhitta Gawr, mas, antes que pudessem concluir o trabalho, começou a nevar. Quando partiram, a capa de barbas manchadas de sangue do gigante voltou à brancura perfeita.

A montanha se chamava Snaw Dun, que, segundo explicava uma nota, era "monte de neve" em inglês. Hoje, Snaw Dun se chama monte Snowdon – um vulcão extinto de 1.085 metros de altura, o ponto mais alto do País de Gales. Eu me lembro da sensação de encontrar meu nome nesse contexto – foi emocionante –, e a ortografia arcaica me deu minha primeira sensação palpável de que o mundo era mais velho que eu, mais velho até que meus pais. A associação de meu nome às façanhas heroicas de Arthur, Lancelote, Guinevere, Percival, Tristão e os outros cavaleiros da Távola Redonda me provocaram orgulho. Até que eu soube que essas façanhas não eram históricas, e sim lendárias.

Anos depois, com a ajuda de minha mãe, vasculhei a biblioteca na esperança de separar o mítico do factual. Descobri que o Castelo de Stirling, na Escócia, havia sido renomeado como Castelo de Snowdon, em homenagem a essa vitória arturiana, como parte de uma tentativa dos escoceses de apoiar sua reivindicação ao trono da Inglaterra. Eu aprendi que a realidade é quase sempre mais desordenada e menos lisonjeira do que gostaríamos que fosse, mas também, de uma maneira estranha, é muitas vezes mais rica que os mitos.

Na época em que descobri a verdade sobre Arthur, eu estava obcecado por um tipo novo e diferente de história – ou um jeito novo e diferente de contar histórias. No Natal de 1989, um Nintendo apareceu em casa. Eu me apeguei de tal modo àquele console de dois tons de cinza que minha mãe, alarmada, impôs uma regra: eu só poderia alugar um jogo novo quando acabasse de ler um livro. Jogos eram caros, e já tendo dominado os que haviam vindo com o console – um só cartucho com *Super Mario Bros.* e *Duck Hunt* –, eu estava ansioso por outros desafios. O único problema era que, aos 6 anos de idade, eu não conseguia ler mais rápido do que conseguia completar um jogo. Era hora de outra aventura de hacker iniciante. Comecei a voltar da biblioteca com livros mais curtos e com muitas fotos. Enciclopédias ilustradas de invenções, com desenhos malucos de velocípedes e dirigíveis, e revistas em quadrinhos que só mais tarde descobri que eram abreviadas, versões infantis de Júlio Verne e H. G. Wells.

O NES – o genial, embora uma tranqueira, Nintendo Entertainment System de 8 bits – é que foi minha verdadeira educação. Com *The Legend of Zelda* aprendi que o mundo existe para ser explorado; com *Mega Man*, aprendi que meus inimigos têm muito a ensinar; e com *Duck Hunt*... bem, *Duck Hunt* me ensinou que só porque alguém ri de seus fracassos não significa que você pode atirar na cara dele. Porém, em última análise, foi *Super Mario Bros.* que me ensinou o que talvez seja a lição mais importante de minha vida. E estou sendo sincero; peço que você pense seriamente nisso. *Super Mario Bros.*, a edição 1.0, é, talvez, a obra-prima de todos os tempos dos jogos de rolagem lateral. Quando o jogo começa, Mario está parado, no canto esquerdo da lendária tela de abertura, e ele só pode seguir em uma direção: só pode se mover para a direita, enquanto novos cenários e inimigos vão surgindo desse lado. Ele avança por 8 mundos de 4 níveis cada, todos governados por restrições de tempo, até que chega ao malvado Bowser e liberta a princesa Toadstool do cativeiro. Ao longo dos 32 níveis, Mario existe diante do que no jargão dos jogos se chama "uma parede invisível", que não permite que ele volte atrás. Não há como voltar, só seguir em frente – para Mario e Luigi, para mim e para você. A vida só segue em uma direção, que é a direção do tempo, e por mais longe que possamos ir, essa parede invisível estará sempre atrás de nós, afastando-nos do passado, obrigando-nos a entrar no desconhecido. Um garotinho crescendo na pequena Carolina do Norte na década de 1980 tinha de obter a sensação de mortalidade de algum lugar; por que não de dois irmãos encanadores, imigrantes italianos, que gostam de comer cogumelos de esgoto?

Um dia, meu surrado cartucho de *Super Mario Bros.* não carregava, por mais que eu soprasse dentro dele. Era o que tínhamos de fazer naquela época – ou o que achávamos que tínhamos de fazer: soprar na parte aberta do cartucho para tirar a poeira, detritos e pelos de animais que tendiam a se acumular ali. Mas mesmo que eu soprasse, tanto no cartucho quanto no slot do console, a tela da TV ficava cheia de manchas e ondas, o que não era nada tranquilizador.

Analisando agora, o Nintendo devia estar sofrendo de uma falha na conexão dos pinos, mas como o meu eu de 7 anos nem sequer sabia o que era uma conexão de pinos, eu estava frustrado e desesperado. E o pior de tudo era que meu pai havia acabado de viajar com a Guarda Costeira e só voltaria duas semanas depois para me ajudar a consertá-lo. Eu não conhecia nenhum truque de distorcer o tempo nem nenhum cano para entrar – ao estilo Mario – que fizesse as semanas passarem mais rápido, por isso resolvi consertar o troço sozinho. Se eu conseguisse, sabia que meu pai ficaria impressionado. Então, fui até a garagem procurar sua caixa de ferramentas de metal cinza.

Concluí que, para descobrir o que havia de errado com aquela coisa, eu primeiro teria que desmontá-la. Basicamente, eu estava só copiando – ou tentando copiar – os mesmos movimentos que meu pai repetia toda vez que se sentava à mesa da cozinha para consertar o videocassete ou o aparelho de som – os dois eletrodomésticos que, a meu ver, mais se assemelhavam ao console da Nintendo. Demorei cerca de uma hora para desmontar o console. Com minhas mãos descoordenadas e muito pequenas, tentava usar uma chave Philips nos parafusos; mas, por fim, consegui.

A parte de fora do console era de um cinza escuro e monocromático, mas a de dentro era uma confusão de cores. Parecia um arco-íris inteiro de fios e reflexos prateados e dourados saindo da placa de circuito verde-grama. Eu apertei umas coisas aqui, afrouxei outras ali – mais ou menos ao acaso –, e soprei todas as partes. Depois, limpei tudo com um papel toalha. Então, tive que soprar no circuito de novo para remover os pedaços de papel toalha que havia ficado preso no que agora sei que eram os pinos.

Depois de concluir a limpeza e os reparos, era hora de remontá-lo. Nosso golden retriever, Treasure, devia ter engolido um dos parafusinhos; ou talvez houvesse caído no tapete ou debaixo do sofá. E acho que não coloquei todos os componentes de volta da mesma maneira que os havia encontrado, porque eles mal se encaixavam na carcaça do console. A tampa ficava saindo, então, apertei os componentes para baixo, do jeito que fazemos quando tentamos fechar uma mala cheia demais. Por fim a tampa encaixou, mas só de um lado. O outro lado levantou, e encaixá-lo só fez que o primeiro lado saltasse. Fiquei apertando atrás e na frente durante um tempo, até que acabei desistindo e liguei o aparelho de novo.

Apertei o botão Power, e nada. Apertei o botão Reset, e nada. Esses eram os dois únicos botões do console. Antes de meu conserto, a luzinha ao lado dos botões sempre ficava vermelha, mas agora até ela havia morrido. O console ficou ali torto e inútil, e senti uma onda de culpa e pavor.

Assim que voltasse da viagem com a Guarda Costeira, meu pai não ficaria orgulhoso de mim: ele pularia em minha cabeça como um Goomba. Mas eu temia mais a sua decepção que a sua raiva. Para seus colegas, meu pai era um engenheiro de sistemas eletrônicos especializado em aviônica. Para mim, ele era um cientista louco que tentava consertar tudo sozinho – tomadas, lava-louças, aquecedores de água e ares-condicionados. Eu era seu ajudante sempre que ele deixava, e ia conhecendo tanto os prazeres físicos do trabalho manual quanto os prazeres intelectuais da mecânica básica, além dos princípios fundamentais da eletrônica – as diferenças entre tensão e corrente, entre potência e resistência. Todos os trabalhos que realizávamos juntos acabavam em um conserto bem-sucedido ou em um palavrão, uma vez que meu pai jogava longe o equipamento irrecuperável e depois guardava os pedaços em uma caixa de papelão. Eu nunca o julgava por esses fracassos; sempre ficava impressionado demais com o fato de ele ser ousado e se arriscar a tentar.

Quando ele voltou para casa e descobriu o que eu havia feito com o NES, não ficou com raiva, para minha surpresa. Não ficou exatamente satisfeito também, mas teve paciência. Ele me explicou que entender como e por que não havia dado certo era tão importante quanto entender qual componente estava com defeito; descobrir o como e o porquê permitiria evitar que acontecesse o mesmo defeito no futuro. Ele me mostrou cada parte do console, explicando não apenas o que era, mas o que fazia e como interagia com todas as outras partes para o funcionamento correto do mecanismo. Mostrou que somente analisando as partes individuais de um mecanismo era possível determinar se seu design era o mais eficiente para realizar sua tarefa. Se fosse o mais eficiente e estivesse apenas com defeito, você o consertava. Mas, se não, você faria modificações para melhorar o mecanismo. Esse era o único protocolo adequado para trabalhos de conserto, de acordo com meu pai, e nada disso era opcional – na verdade, essa era a responsabilidade fundamental que você tinha de ter com a tecnologia.

Como todas as lições de meu pai, essa tinha amplas aplicações, além de nossa tarefa imediata. Em última análise, foi uma aula sobre o princípio da autoconfiança, que meu pai afirmava que os EUA haviam esquecido em algum momento entre sua infância e a minha. Em nosso país, o custo de substituir uma máquina quebrada por um modelo mais novo era normalmente menor que o de levá-la para ser consertada por um especialista, que era normalmente menor que o custo de comprar as peças e descobrir como consertá-la sozinho. Esse fato, por si só, em tese garantia a tirania tecnológica, que era perpetuada não pela tecnologia em si, mas pela ignorância de todos que a usavam diariamente e, mesmo assim, não conseguiam entendê-la. Recusar-se a se informar sobre o funcionamento básico e a manutenção de um equipamento era aceitar passivamente essa tirania e concordar com seus termos: quando seu equipamento funciona, você funciona, mas quando seu equipamento quebra, você também quebra. Suas posses possuem você.

No fim, eu devia ter quebrado uma junta de solda, mas, para descobrir exatamente qual delas, meu pai queria usar um equipamento de teste especial que tinha em seu laboratório na base da Guarda Costeira. Suponho que ele poderia ter levado o equipamento de teste para casa, mas, por algum motivo, ele me levou a seu local de trabalho. Acho que ele só queria me mostrar seu laboratório. Ele havia decidido que eu estava pronto.

Mas eu não estava. Eu nunca havia estado em um lugar tão impressionante. Nem a biblioteca era igual. Nem a Radio Shack, no Lynnhaven Mall. O que mais recordo são os monitores. O laboratório em si era simples e vazio, seguia o padrão bege e branco dos edifícios do governo, mas, mesmo antes de meu pai acender as luzes, fiquei paralisado com o brilho pulsante daquele verde vivo. *Por que esse lugar tem tantas TVs?*, foi meu primeiro pensamento, rapidamente seguido por: *E por que estão todas no mesmo canal?* Meu pai explicou que não eram TVs, e sim computadores, e embora eu já houvesse escutado essa palavra antes, não sabia o que significava. Acho que inicialmente concluí que as telas – os monitores – eram os próprios computadores.

Ele foi me mostrando um por um e tentando me explicar o que faziam: um processava os sinais de radar, outro repassava as transmissões de rádio, e um outro simulava os sistemas eletrônicos das aeronaves. Não vou fingir que entendi nem metade daquilo tudo. Esses computadores eram mais avançados do que quase tudo que havia em uso naquela época no setor privado, muito à frente de quase tudo que eu já havia imaginado. Claro, seus processadores demoravam cinco minutos para inicializar, seus monitores mostravam apenas uma cor e não tinham alto-falantes para efeitos sonoros ou música. Mas essas limitações só os faziam parecer coisa séria.

Meu pai me colocou em uma cadeira e a levantou até que eu pudesse alcançar a mesa e o pedaço retangular de plástico que havia em cima dela. Pela primeira vez em minha vida eu me vi diante de um teclado. Meu pai nunca havia me deixado digitar em seu Commodore 64, e minha experiência com telas era restrita a consoles de videogame com seus controles. Mas aqueles computadores eram máquinas profissionais de uso geral, não dispositivos de jogos; e eu não entendia como fazê-los funcionar. Não havia controles, nem joysticks, nem armas – a única interface era aquele pedaço de plástico com fileiras de teclas com letras e números. As letras eram organizadas de um jeito diferente do que eu havia aprendido na escola. A primeira letra não era o A, e sim o Q, seguido de W, E, R, T e Y. Pelo menos os números estavam na mesma ordem que eu havia aprendido.

Meu pai disse que todas as teclas do teclado tinham um propósito – cada letra, cada número –, e que suas combinações também tinham objetivos. E assim, como os botões de um controle ou joystick, se você descobrisse as combinações certas, poderia fazer milagres. Para demonstrar, ele se inclinou sobre mim, digitou um comando e apertou a tecla Enter. Algo apareceu na tela, e agora sei que aquilo era um editor de texto.

Então, ele pegou um Post-It e uma caneta e rabiscou algumas letras e números, e me disse para digitá-las exatamente daquele jeito enquanto ele ia consertar o Nintendo quebrado.

Assim que ele se afastou, comecei a reproduzir seus rabiscos na tela apertando as teclas. Sendo um garoto canhoto criado para ser destro, imediatamente achei que esse era o método mais natural de escrever que já havia conhecido.

10 INPUT "WHAT IS YOUR NAME?"; NAME$
20 PRINT "HELLO, " + NAME$ + "!"

Pode parecer fácil, mas você não é uma criança pequena. Eu era. Eu era uma criança pequena, com dedos curtinhos e gordinhos que nem sabia o que eram aspas, e muito menos que tinha que segurar o Shift para digitá-las. Depois de um monte de tentativas, e um monte de erros, por fim consegui terminar. Apertei o Enter e, num piscar de olhos, o computador estava me fazendo uma pergunta: QUAL É O SEU NOME?

Fiquei fascinado. No Post-It não dizia o que eu devia fazer a seguir, então decidi responder e apertei meu novo amigo Enter mais uma vez. De repente, do nada, OLÁ, EDDIE! apareceu na tela em um verde radioativo que flutuava na escuridão.

Essa foi minha introdução à programação e à computação em geral: uma aula sobre o fato de que essas máquinas fazem o que fazem porque alguém lhes diz o que deve ser feito, de uma maneira muito especial e cuidadosa. E esse alguém pode até ter 7 anos de idade.

Quase imediatamente, compreendi as limitações dos sistemas de jogos. Eram sufocantes em comparação com os sistemas de computador. Nintendo, Atari, Sega, todos eles nos limitavam a níveis e mundos pelos quais poderíamos avançar, que poderíamos até derrotar, mas nunca mudar. O console da Nintendo consertado voltou para o estúdio, onde meu pai e eu competíamos no *Mario Kart*, *Double Dragon* e *Street Fighter*. Àquela altura, eu era bem melhor que ele em todos os jogos – a primeira coisa em que eu era melhor que meu pai –, mas, de vez em quando, eu deixava que ele ganhasse. Eu não queria que ele me achasse mal-agradecido.

Não sou um programador por natureza e nunca me considerei bom nisso. Mas, durante a década seguinte, tornei-me bom o suficiente para ser perigoso. Até hoje, ainda acho o processo mágico: digitar os comandos nessas linguagens estranhas que o processador traduz em uma experiência que está disponível, não apenas para mim, mas para todos. Era fascinante pensar que um só programador poderia codificar algo universal, algo não atrelado a nenhuma lei, regra ou regulamentação, exceto àquelas essencialmente redutíveis a causas e efeitos. Havia uma relação totalmente lógica entre meu *input* e o *output*. Se meu *input* fosse falho, o *output* seria falho; se meu *input* fosse impecável, o *output* do computador também o seria. Nunca antes eu havia experimentado algo tão consistente e justo, tão correto e imparcial. Um computador esperaria eternamente para receber meu comando, mas o processaria no exato momento em que eu apertasse o Enter, sem fazer perguntas. Nenhum professor jamais foi tão paciente nem tão responsivo. Em nenhum outro lugar – certamente não na escola, nem mesmo em casa – eu me sentia tão no controle. O fato de um conjunto de comandos perfeitamente escritos para executar a mesma operação repetidamente me parecia – como aconteceu com tantos filhos do milênio, inteligentes e chegados em tecnologia – a única verdade estável e salvadora de minha geração.

3. O GAROTO DO BELTWAY

Eu havia acabado de fazer 9 anos quando minha família se mudou da Carolina do Norte para Maryland. Para minha surpresa, descobri que meu nome havia me precedido. Snowden estava por todo Anne Arundel, o condado onde nos estabelecemos. Mas demorei a descobrir o porquê.

Richard Snowden foi um major britânico que chegou à província de Maryland em 1658 com a garantia de que a liberdade religiosa de lorde Baltimore para católicos e protestantes também seria estendida aos quacres. Em 1674, seu irmão John o seguiu ao concordar em abandonar Yorkshire para encurtar sua sentença de prisão por pregar a fé quacre. Quando o navio de William Penn, o *Welcome*, subiu o Delaware em 1682, John foi um dos poucos europeus a recebê-lo.

Três dos netos de John serviram no Exército Continental durante a Revolução. Como os quacres são pacifistas, foram censurados pela comunidade por decidirem se juntar à luta pela independência, mas sua consciência exigia que reconsiderassem seu pacifismo. William Snowden, meu ancestral paterno direto, serviu como capitão, foi feito prisioneiro pelos britânicos na batalha de Fort Washington, em Nova York, e morreu em uma das notórias Sugar House Prisons, em Manhattan (Diz a lenda que os britânicos matavam seus prisioneiros de guerra forçando-os a comer mingau com vidro moído). Sua esposa, Elizabeth née Moor, era uma valiosa conselheira do general Washington e mãe de outro John

Snowden – um político, historiador, e editor de jornais da Pensilvânia cujos descendentes se dispersaram para o sul para se estabelecerem entre as propriedades de seus primos Snowden em Maryland.

O condado de Anne Arundel abrange quase todos os 1.976 acres de floresta que o rei Carlos II concedeu à família de Richard Snowden em 1686. Entre as empresas que os Snowden estabeleceram estão a Patuxent Iron Works, uma das fábricas mais importantes da América colonial e uma grande fabricante de balas de canhão e armas de fogo, e a Snowden Plantation, uma fazenda e um laticínio administrados pelos netos de Richard Snowden. Depois de servir na heroica linha de Maryland do Exército Continental, eles retornaram à agricultura e, vivendo mais plenamente os princípios da Independência, aboliram a prática da escravidão de suas famílias, libertando seus 200 escravos africanos quase um século antes da Guerra Civil.

Hoje, os antigos campos Snowden são cortados pela Snowden River Parkway, uma estrada movimentada de 4 faixas que passa por luxuosas redes de restaurantes e concessionárias de carros. Perto dali, a rodovia 32/Patuxent Freeway leva diretamente ao Forte George G. Meade, a segunda maior base do Exército do país e a sede da NSA. Fort Meade, na verdade, foi construída em terras que pertenceram a meus primos Snowden, e que foram compradas deles (segundo uns) ou expropriadas (segundo outros) pelo governo dos EUA.

Eu não sabia nada dessa história na época: meus pais brincavam dizendo que o estado de Maryland mudava o nome nas placas toda vez que alguém se mudava para lá. Eles achavam isso engraçado, mas eu achava assustador. O condado de Anne Arundel fica a pouco mais de 250 quilômetros de distância de Elizabeth City pela I-95, mas parecia um planeta diferente. Havíamos trocado a margem arborizada do rio por uma calçada de concreto, e uma escola onde eu havia sido popular e academicamente bem-sucedido por um lugar onde eu era constantemente ridicularizado por causa de meus óculos, meu desinteresse por esportes e, especialmente, por meu forte sotaque sulista que levou meus novos colegas de classe a me chamarem de retardado.

Eu me incomodava tanto com meu sotaque que parei de falar nas aulas e comecei a treinar sozinho em casa até conseguir falar normal – ou, pelo menos, até conseguir não pronunciar o local de minha humilhação como anglish claish [*English class*], ou dizer que havia cortado meu fanger [*finger*] com papel. Enquanto isso, todo esse tempo em que eu tive medo de falar livremente fez minhas notas despencarem, e alguns professores decidiram me aplicar um teste de QI para tentar diagnosticar o que eles pensavam ser uma dificuldade de aprendizagem. Quando o resultado do teste chegou, não me lembro de terem me pedido desculpas; só me passaram um monte de tarefas extras de enriquecimento. E os mesmos professores que haviam duvidado de minha capacidade de aprender passaram a implicar com meu novo interesse em falar.

Minha nova casa ficava no Beltway, que tradicionalmente se referia à Interstate 495, rodovia que circunda Washington, D.C., mas que agora descreve o vasto e crescente raio de comunidades-dormitório ao redor da capital do país, estendendo-se ao norte até Baltimore, MD Maryland e ao sul até Quantico, Virgínia. Os habitantes desses subúrbios quase invariavelmente servem ao governo dos EUA ou trabalham para empresas que fazem negócios com o governo. Em resumo, não há outro motivo para estar ali.

Nós morávamos em Crofton, Maryland, a meio caminho entre Annapolis e Washington, D.C., na extremidade oeste do condado de Anne Arundel, onde os complexos residenciais são todos do estilo federalista, chegados no vinil, e têm nomes pitorescos como Crofton Towne, Crofton Mews, The Preserve, The Ridings. Crofton é uma comunidade planejada em torno das curvas do Crofton Country Club. Olhando no mapa, parece muito o cérebro humano, com suas ruas enroladas, enroscadas e dobradas como os sulcos do córtex cerebral. Nossa rua era a Knightsbridge Turn, um circuito largo e descuidado de casas de 3 andares, entradas largas e garagem para dois carros. A casa em que morávamos era a sétima partindo das 2 pontas da rua – ou seja, era a casa no meio. Eu arranjei uma bicicleta Huffy de 10 marchas, e com ela um emprego de entregador de jornal. Entregava o *The Capital*, um venerável jornal publicado em Annapolis, cuja distribuição diária se tornou uma angústia errática, especialmente no inverno, especialmente entre a Crofton Parkway e a Route 450, que, ao passar por nosso bairro, ganhava um nome diferente: Defense Highway.

Foi uma época emocionante para os meus pais. Crofton era um passo à frente para eles, tanto econômica quanto socialmente. As ruas eram arborizadas e praticamente não havia criminalidade, a população pluricultural, multirracial e multilíngue, que refletia a diversidade do corpo diplomático e da comunidade de inteligência do Beltway, era próspera e bem-educada. Nosso quintal era basicamente um campo de golfe, com quadras de tênis na esquina, e depois delas, uma piscina olímpica. Em termos de distâncias e acessos, Crofton também era ideal. Meu pai levava só quarenta minutos para chegar a seu novo cargo de subtenente da Divisão de

Engenharia Aeronáutica na sede da Guarda Costeira, que na época estava localizada em Buzzards Point, no sul de Washington, D.C., ao lado de Fort Lesley J. McNair. E minha mãe levava apenas vinte minutos para chegar a seu novo emprego na NSA, cuja sede futurista, quadrada, encimada por radomes e revestida de cobre para bloquear os sinais de comunicação, forma o coração de Fort Meade.

Eu não posso enfatizar isso o bastante para pessoas de fora: esse tipo de emprego era normal.

Nossos vizinhos da esquerda trabalhavam no Departamento de Defesa; os da direita no Departamento de Energia e no de Comércio. Houve uma época em que quase todas as garotas da escola por quem eu nutria uma queda tinham um dos pais no FBI. Minha mãe trabalhava em Fort Meade com aproximadamente 125 mil funcionários, dos quais aproximadamente 40 mil residiam no local, muitos com suas famílias. A base era o lar de mais de 115 agências governamentais, além de departamentos dos 5 ramos das Forças Armadas. Para pôr isso em perspectiva, no condado de Anne Arundel, cuja população é de pouco mais de meio milhão, uma a cada 800 pessoas trabalha nos correios, uma a cada 30 pessoas trabalha no sistema escolar público, e uma a cada 4 pessoas trabalha em Fort Meade ou em uma empresa, agência ou ramo ligado a ele. A base tem seus próprios correios, escolas, polícia e bombeiros. As crianças da área, tanto moleques militares quanto civis, iam à base todos os dias para fazer aulas de golfe, tênis e natação. Embora morássemos fora da base, minha mãe usava sua intendência como nossa despensa, para estocar itens a granel. Ela também aproveitava o PX – Post Exchange – da base, a loja dos militares que vendia roupas feias, mas apropriadas, e, o mais importante, sem impostos, já que minha irmã e eu estávamos constantemente perdendo as nossas por conta da fase de crescimento. Talvez seja melhor para o leitor que não foi criado nesse meio imaginar Fort Meade e seus arredores – se não todo o Beltway –, como uma enorme *company town*[*] em expansão. É um lugar cuja monocultura tem muito em comum com, digamos, o Vale do Silício. Só que o produto do Beltway não é tecnologia, e sim o próprio governo.

Devo acrescentar que meus pais tinham credenciais *Top Secret*, mas minha mãe também tinha um polígrafo de amplo alcance – um controle de segurança de alto nível ao qual os militares não estão sujeitos. O engraçado é que minha mãe era a coisa mais distante que existe de um espião. Ela era funcionária de uma associação independente de seguros e

---

[*] *Company town* se refere a uma cidade formada quase que exclusivamente por funcionários de uma única empresa, que cresce ao redor dela. (N.T.)

benefícios que atendia aos funcionários da NSA – essencialmente, fornecia planos de aposentadoria aos espiões. Mas, ainda assim, para processar os formulários de benefícios, ela tinha que ser checada como se fosse pular de paraquedas no meio de uma floresta para aplicar um golpe.

A carreira de meu pai continua bastante opaca para mim até hoje, e a verdade é que essa minha ignorância não é anômala. No mundo em que eu fui criado, ninguém falava sobre seus empregos – não só para as crianças, mas também para os outros. É verdade que muitos adultos que me cercavam eram legalmente proibidos de falar sobre seu trabalho, até mesmo com a família, mas, em minha opinião, uma explicação mais precisa se encontra na natureza técnica do trabalho dessas pessoas e na insistência do governo na compartimentagem. O pessoal de tecnologia raramente, ou nunca, tem noção das aplicações mais amplas e das implicações políticas dos projetos que desenvolvem. E o trabalho que os consome tende a exigir um conhecimento tão especializado que, se falarem sobre isso em um churrasco, não serão convidados para o próximo, porque ninguém se interessa.

Pensando bem, talvez seja isso que nos levou até ali.

4. CONEXÃO ESTADUNIDENSE

Foi logo após mudarmos para Crofton que meu pai levou para casa nosso primeiro computador, um Compaq Presario 425; custava 1.399 dólares, mas ele o comprou com seu desconto de militar e, inicialmente, montou--o – para desgosto de minha mãe – no meio da mesa de jantar. A partir do momento em que ele apareceu, tornamo-nos inseparáveis. Se antes eu já não gostava de sair e jogar bola, agora a ideia me parecia ridícula. Não havia nada lá fora superior ao que eu poderia encontrar dentro daquele clone sem graça de PC, com um processador Intel 486 de 25 megahertz que na época parecia incrivelmente rápido, e um inesgotável HD de 200 megabytes. E, além disso, pasme, tinha monitor colorido. (Um monitor colorido de 8 bits, para ser exato, o que significa que podia exibir até 256 cores diferentes. Seu computador atual provavelmente é capaz de exibir milhões.)

Este Compaq se tornou meu companheiro constante, meu irmão e meu primeiro amor. Ele entrou em minha vida justamente na época em que eu estava descobrindo um eu independente e os múltiplos universos que podem existir simultaneamente nesse mundo. Esse processo de exploração foi tão empolgante que me fez até negligenciar, pelo menos por algum tempo, minha família e a vida que eu já tinha. Outro jeito de dizer isso é que eu estava começando a experimentar as primeiras manifestações da puberdade. Mas era uma puberdade tecnologizada, e as imensas mudanças que ela provocou em mim estavam, de certo modo, sendo provocadas em todos os lugares, em todo o mundo.

Na hora da aula, meus pais me chamavam para me arrumar, mas eu não os ouvia. Na hora do jantar, chamavam-me para me lavar, mas eu fingia não os ouvir. E sempre que me faziam recordar que o computador era de todos, e não minha máquina pessoal, eu abandonava minha cadeira com tanta relutância que, quando meu pai, minha mãe ou minha irmã o usavam, eles precisavam me mandar sair da sala para eu não ficar olhando por cima de seus ombros dando palpites – mostrando macros e atalhos para minha irmã, quando ela estava redigindo um trabalho de pesquisa, ou dando dicas de planilhas a meus pais quando tentavam fazer seus impostos.

Eu tentava apressá-los para poder voltar às minhas tarefas, que eram muito mais importantes – como jogar *Loom*, o Tear do Infinito. Com o avanço da tecnologia, jogos envolvendo raquetes e helicópteros – do tipo que meu pai havia jogado naquele agora superultrapassado Commodore – haviam perdido terreno para os que percebiam que no coração de todo usuário de computador havia um leitor de livros, um ser com desejo não só da sensação, mas também da história. Os jogos grosseiros da Nintendo, Atari e Sega de minha infância, com tramas do tipo (e esse é um exemplo real) resgatar o presidente dos Estados Unidos das mãos de ninjas, dava lugar a releituras detalhadas dos antigos contos que eu havia folheado deitado no carpete da casa de minha avó.

Loom era um jogo no qual uma sociedade de tecelões cujos anciões (que tinham os nomes das moiras gregas Cloto [Clotho], Láquesis [Lachesis] e Átropos [Atropos]) criam um tear secreto que controla o mundo – ou, de acordo com o roteiro do jogo, tece padrões sutis de influência na tessitura da realidade. Quando um garoto descobre o poder do tear, ele é forçado ao exílio, e tudo se transforma em caos até que o mundo decida que uma máquina secreta do destino pode não ser uma ótima ideia, afinal.

Inverossímil, claro. Mas é apenas um jogo.

Mesmo assim, mesmo naquela tenra idade, eu me dei conta de que a máquina que dava nome ao jogo meio que simbolizava o computador no qual eu estava jogando. Os fios do tear eram como os fios internos coloridos do computador, já o fio cinza solitário, que anunciava um futuro incerto, era como o longo fio de telefone que saía de trás do computador e o conectava ao grande mundo de fora.

Ali estava a verdadeira mágica para mim: com apenas esse fio, a placa de expansão, o modem da Compaq e um telefone funcional, eu podia discar e me conectar a algo novo chamado internet.

O leitor que nasceu no pós-milênio talvez não entenda o entusiasmo, mas, acredite, isso era um milagre. Hoje em dia, a conectividade é simplesmente presumida. Smartphones, notebooks, PCs, tudo conectado, sempre. Conectado a quê, exatamente? Como? Não importa. Basta tocar no ícone que seus parentes mais velhos chamam de botão da internet e pronto: você tem notícias, entrega de pizza, streaming de música e de vídeo, que antes chamávamos de TV e filmes. Mas, naquela época, eu subia e descia o morro para ir e voltar da escola e ligava o modem diretamente na parede com minhas mãos de um menino de 12 anos de idade.

Não estou dizendo que eu sabia muito sobre o que era a internet, ou como exatamente eu me conectava a ela, mas entendia o caráter milagroso de tudo isso. Porque, naquele tempo, quando você mandava o computador se conectar, dava início a todo um processo no qual ele bipava e sibilava, como um congestionamento de cobras, e depois – isso podia levar uma vida inteira, ou pelo menos alguns minutos – você podia pegar qualquer outra extensão telefônica da casa e realmente *ouvir os computadores conversando*. Não dava para entender o que eles diziam uns aos outros, claro, uma vez que falavam em uma linguagem de máquina que transmitia até 14 mil símbolos por segundo. Mesmo assim, até essa incompreensão era uma indicação impressionantemente clara de que os telefonemas não eram mais apenas para irmãs adolescentes mais velhas.

O acesso à internet e o surgimento da Web foi a explosão do Big Bang ou a pré-cambriana de minha geração. Alterou irrevogavelmente o curso da minha vida, bem como a vida de todos. A partir dos 12 anos, eu tentava ficar on-line durante todo meu tempo acordado. E quando não conseguia, eu estava ocupado planejando a próxima vez que entraria na internet. A internet era meu santuário; a Web se tornou meu parquinho, minha casa na árvore, minha fortaleza, minha sala de aula sem paredes. Se é que isso é possível, fiquei ainda mais sedentário. Se é que isso é possível, ainda mais pálido. Aos poucos, parei de dormir à noite e dormia de dia na escola. Minhas notas voltaram a despencar em queda livre.

Mas eu não estava preocupado com esse revés acadêmico, e acho que meus pais também não. Afinal de contas, o conhecimento que eu estava adquirindo on-line parecia muito melhor e mais prático para minhas perspectivas futuras de carreira do que qualquer coisa fornecida pela escola. Pelo menos era isso que eu ficava dizendo a meus pais.

Minha curiosidade era tão vasta quanto a própria internet: um espaço ilimitado que crescia exponencialmente, acrescentando páginas da Web a cada dia, a cada hora, sobre assuntos dos quais eu não sabia nada, sobre temas que nunca havia ouvido falar, mas que no momento em que ouvia, desenvolvia um desejo insaciável de compreendê-los em cada detalhe, com pouco descanso, lanches ou até mesmo intervalos para ir ao banheiro. Claro que meu apetite não se limitava a assuntos técnicos sérios, por exemplo, consertar um drive de CD-ROM. Eu também passava bastante tempo em sites de jogos procurando códigos para ativar o modo deus no *Doom* e no *Quake*. Mas, normalmente, ficava tão impressionado com a enorme quantidade de informações imediatamente disponíveis que talvez eu não fosse capaz de dizer onde um assunto terminava e começava outro. Um curso intensivo sobre como construir meu próprio computador levou a outro curso de arquitetura de processadores, com excursões paralelas em informações sobre artes marciais, armas, carros esportivos, e a revelação completa de pornografia gótica não explícita.

Às vezes eu tinha a sensação de que tinha de saber tudo, e que não sairia do computador enquanto não soubesse. Era como se eu estivesse participando de uma corrida com a tecnologia, da mesma forma que alguns dos adolescentes ao meu redor concorriam entre si para ver quem crescia mais, ou quem ganhava barba primeiro. Na escola, eu estava cercado por crianças, algumas estrangeiras, que tentavam apenas se encaixar e se esforçavam muito para ser *cool*, para acompanhar a moda. Mas ter o mais recente boné No Fear e saber como dobrar a aba era brincadeira de criança – literalmente, brincadeira de criança – comparado ao que eu estava fazendo. Eu achava tão exaustivamente necessário acompanhar todos os sites e tutoriais que eu seguia que comecei a me ressentir com meus pais sempre que eles – em resposta a um boletim cheio de notas particularmente abaixo do padrão, ou de uma advertência – me obrigavam a desligar o computador durante a semana. Eu não suportava ter esses privilégios revogados, perturbado pelo pensamento de que, a cada momento que eu não estava on-line, aparecia mais e mais material que eu estava perdendo. Depois de repetidas advertências de meus pais e ameaças de castigo, eu por fim cedi, e imprimia o arquivo que estivesse lendo em uma impressora matricial e levava as páginas para a cama. Continuava lendo a cópia impressa até meus pais dormirem, e então eu me levantava na ponta dos pés, no escuro, com cuidado para a porta e as tábuas do assoalho não rangerem, e descia a escada. Mantinha as luzes apagadas e, guiando-me pelo brilho do protetor de tela, eu ligava o computador e me conectava, cobrindo a máquina com meus travesseiros para abafar o tom de discagem do modem e o assobio cada vez mais intenso da conexão.

Como posso explicar para alguém que não viveu isso? O leitor mais jovem, com seus padrões mais jovens, pode pensar que a internet incipiente era muito lenta, que a Web nascente era muito feia e desinteressante. Mas isso seria errado. Naquela época, estar on-line era outra vida, considerada pela maioria como separada e distinta da real. O virtual e o real ainda não haviam se fundido. E cabia a cada usuário determinar por si mesmo onde terminava um e começava o outro.

E justamente isso era tão inspirador: a liberdade de imaginar algo inteiramente novo, de recomeçar. O que quer que faltasse à Web 1.0, em termos de facilidade de uso e sensibilidade de design, era mais que compensado por seu estímulo à experimentação e originalidade de expressão, e por sua ênfase na primazia criativa do indivíduo. Um site típico do GeoCities, por exemplo, podia ter um fundo que alternava entre verde e azul, com texto branco que rolava e se sobrepunha no meio – dizendo "Leia isto primeiro!!!" – abaixo do .gif de um hamster dançante. Mas, para mim, todas essas peculiaridades e cacoetes de produção amadora indicavam apenas que a inteligência que guiava o site era humana e única. Professores de ciência da computação e engenheiros de sistemas, especialistas em inglês com dois empregos e economistas políticos que respiravam pela boca e viviam em porões estavam todos muito felizes por compartilhar suas pesquisas e convicções – não por recompensa financeira, mas meramente para ganhar convertidos a sua causa. E se essa causa era PC ou Mac, dietas macrobióticas ou a abolição da pena de morte, eu estava interessado. Eu estava interessado porque eles eram entusiasmados. Muitas dessas pessoas estranhas e brilhantes podiam até ser contatadas, e ficavam muito satisfeitas de responder a minhas perguntas por meio dos formulários (clique no link ou copie e cole em seu navegador) e endereços de e-mail (@usenix.org, @rontier.net) fornecidos em seus sites.

À medida que o novo milênio se aproximava, o mundo on-line se tornava cada vez mais centralizado e consolidado; governos e empresas aceleravam suas tentativas de intervir no que sempre havia sido uma relação fundamentalmente entre pares. Mas, por um breve e belo período de tempo – um tempo que, felizmente para mim, coincidiu quase exatamente com minha adolescência –, a internet era, na maioria das vezes, formada por e para as pessoas. Sua finalidade era esclarecer, não monetizar, e era administrada mais por um punhado provisório de normas coletivas eternamente mutantes do que por acordos de termos de serviço exploráveis e globalmente obrigatórios. Até hoje, acho que a década de 1990 on-line foi a anarquia mais agradável e bem-sucedida que já vivi.

Eu usava especialmente sites de Bulletin Board Systems, ou BBSs. Neles, você podia escolher um nome de usuário e digitar a mensagem que quisesse postar, fosse para somá-la a uma discussão em grupo preexistente ou para iniciar uma nova. Toda e qualquer mensagem que respondesse a sua postagem seria organizada em fileira. Imagine a mais longa cadeia de e-mails que você já viu, mas pública. Havia também aplicativos de bate-papo, como o Internet Relay Chat, que fornecia uma versão da mesma experiência com a gratificação imediata das mensagens instantâneas. Ali, você podia discutir qualquer tópico em tempo real – ou pelo menos tão próximo do tempo real quanto uma conversa telefônica, rádio ao vivo ou noticiário de TV.

A maioria de minhas mensagens e chats buscava respostas para as dúvidas que eu tinha sobre como construir meu próprio computador, e as respostas que recebi foram tão atenciosas e completas, tão generosas e gentis que seriam impensáveis hoje em dia. Quando perguntei, em pânico, por que um determinado circuito que eu havia comprado, economizando minha mesada, parecia não ser compatível com a placa-mãe que eu já tinha comprado no Natal, obtive uma explicação de 2 mil palavras e um conselho de um cientista da computação profissional do outro lado do país. Não era uma resposta tirada de nenhum manual; ela havia sido composta expressamente para mim, para diagnosticar meus problemas passo a passo e resolvê-los. Eu tinha 12 anos, e a pessoa com quem eu me correspondia era um estranho, adulto e distante, mas ele me tratou como um igual, apenas porque eu demonstrei respeito pela tecnologia. Eu atribuo essa civilidade, tão distante de nosso atual criticismo das mídias sociais, ao alto nível do conteúdo da época. Afinal, as pessoas desses grupos, na época, eram as que poderiam estar lá, que queriam muito estar lá, – que tinham proficiência e paixão, porque a internet dos anos 1990 não estava a um clique de distância. Era necessário um esforço significativo só para logar.

Certa vez, determinado BBS que eu participava tentou coordenar reuniões presenciais casuais de seus membros regulares em todo o país: em Washington, Nova York, na Consumer Electronics Show, em Las Vegas. Depois de ter sido bastante pressionado para participar – e depois de extravagantes promessas de noites com muita comida e bebida –, eu finalmente revelei a minha idade. Tinha medo de que alguns correspondentes parassem de interagir comigo, mas, ao contrário, tornaram-se ainda mais encorajadores. Recebi notícias do evento de eletrônica e imagens de seu catálogo; um sujeito se ofereceu para me mandar pelo correio partes de computadores de segunda mão, sem custo.

Posso ter dito a meus correspondentes minha idade, mas nunca lhes disse meu nome, porque uma das maiores alegrias dessas plataformas era que eu não precisava ser quem eu realmente era. Eu poderia ser qualquer um. Os recursos para manter o anonimato ou usar pseudônimos propiciavam equilíbrio a todos os relacionamentos, corrigiam seus desequilíbrios. Eu poderia me esconder sob praticamente qualquer pseudônimo, ou nym, como eram chamados, e de repente me tornar uma versão mais velha, mais alta e mais masculina de mim mesmo. Eu poderia até ser várias pessoas. E aproveitava esse recurso para fazer as perguntas que achava mais amadoras para os grupos que me pareciam mais amadores, usando uma persona diferente de cada vez. Minhas habilidades com a informática estavam melhorando tão rapidamente que, em vez de me orgulhar de todo meu progresso, eu sentia vergonha de minha ignorância anterior e queria me distanciar dela. Eu queria dissociar meus eus. Dizia a mim mesmo que aquele Squ33ker havia sido muito burro por fazer aquela pergunta sobre compatibilidade de circuitos muito tempo atrás – na quarta-feira passada.

Apesar de todo esse *éthos* cooperativista, coletivista e de cultura livre, não vou fingir que a competição não era impiedosa, ou que entre a população – quase uniformemente masculina, heterossexual e carregada de hormônios – ocasionalmente não explodiam discussões cruéis e mesquinhas. Mas, na ausência de nomes reais, as pessoas que diziam odiar você não eram pessoas reais. Não sabiam nada a seu respeito além do tema que você discutia e como argumentava. Se – ou melhor, quando – um de seus argumentos provocasse ira on-line, você podia simplesmente abandonar aquele nome e assumir outra máscara, sob cuja cobertura podia inclusive participar da massa mimética, caindo de pau sobre seu avatar renegado como se ele fosse um estranho. Mal posso expressar o doce alívio que isso era, às vezes.

Na década de 1990, a internet ainda não havia sido vítima da maior iniquidade da história digital: a iniciativa de governos e empresas de vincular, o mais intimamente possível, a persona on-line de um usuário a sua identidade legal off-line. As crianças podiam entrar na internet e dizer as coisas mais idiotas um dia sem ter que se responsabilizar por elas no dia seguinte. Isso pode não lhe parecer o ambiente mais saudável para uma criança, mas é justamente o único ambiente no qual você *pode* crescer – com isso, quero dizer que as primeiras oportunidades dissociativas da internet, na verdade, encorajaram a mim e a minha geração a mudar nossas opiniões mais profundas, em vez de simplesmente defendê-las quando desafiados. Essa capacidade de se reinventar significava que nunca precisávamos fechar nossa mente escolhendo lados por medo de causar danos irreparáveis a nossa reputação. Erros que eram rapidamente punidos, mas rapidamente corrigidos, permitiam que tanto a comunidade quanto o agressor virassem a página. Para mim e para muitos, isso parecia liberdade.

Imagine que você pode acordar todas as manhãs e escolher um novo nome e um novo rosto para se apresentar ao mundo. Imagine que pode escolher uma nova voz e novas palavras para dizer, como se o botão da internet fosse, na verdade, um botão de reinicialização da sua vida. No novo milênio, a tecnologia da internet se voltaria para fins muito diferentes: impor fidelidade à memória, consistência identitária e, portanto, conformidade ideológica. Mas, naquela época, pelo menos por algum tempo, ela nos protegeu por esquecer nossas transgressões e perdoar nossos pecados.

Meus primeiros encontros mais significativos com a autoapresentação on-line não aconteceram em BBSs, e sim em um reino mais fantástico: os pseudofeudais terrenos e masmorras de Role-Playing Games (jogos de representação), os MMORPGs (Massively Multiplayer Online Role-Playing Games – jogos de representação on-line com vários jogadores) em particular. Para jogar *Ultima Online*, que era meu MMORPG favorito, eu tinha de criar e assumir uma identidade alternativa, ou alt. Eu podia escolher, por exemplo, ser mago ou guerreiro, ferreiro ou ladrão, e podia alternar entre esses alts com uma liberdade que não estava disponível para mim na vida off-line, em que as instituições tendem a considerar toda mutabilidade como suspeita.

Eu andava pelo *gamescape* do *Ultima* como um dos meus alts, interagia com os alts dos outros. Ao conhecer esses outros alts e colaborar com eles em certas missões, às vezes eu me dava conta de que já havia conhecido seus usuários antes, mas sob diferentes identidades. E eles, por sua vez, podiam perceber o mesmo sobre mim. Lendo minhas mensagens, por meio de uma frase característica que eu usasse, ou uma busca particular que sugerisse, eles podiam descobrir que eu – que então era, digamos, um cavaleiro chamado Shrike – também era, ou havia sido, um bardo que se chamava Corwin e um ferreiro que se chamava Belgarion. Às vezes, eu curtia essas interações como oportunidades para fazer brincadeiras, mas, na maioria delas, tratava-as de forma competitiva, medindo meu sucesso segundo minha capacidade de identificar mais alts de outros usuários do que eles de mim.

Essas disputas para determinar se eu poderia desmascarar outras pessoas sem ser desmascarado me obrigavam a ter cuidado para não cair em nenhum padrão de mensagens que pudesse me expor, ao mesmo tempo em que envolvia os outros e ficava alerta às maneiras pelas quais eles inadvertidamente poderiam revelar sua verdadeira identidade.

Enquanto os alts de *Ultima* eram múltiplos em nome, estavam essencialmente estabilizados pela natureza de seus papéis, que eram bem definidos, arquetípicos até, portanto, enredados dentro da ordem social estabelecida do jogo, fazendo que os interpretar às vezes parecesse cumprir um dever cívico. Depois de um dia na escola ou em um emprego que talvez pareça sem propósito e sem recompensa, você poderia achar que estava realizando um serviço útil passando a noite como curador ou pastor, ou um prestativo alquimista ou mago. A relativa estabilidade do universo de *Ultima* – seu desenvolvimento continuado, segundo leis e códigos de conduta definidos – assegurava que cada alt tivesse as tarefas específicas de seu papel, e que seria julgado segundo sua capacidade ou disposição de completá-las e atender às expectativas da sociedade.

Eu adorava esses jogos e as vidas alternativas que me permitiam viver. Se bem que esse amor não era tão libertador para os outros membros de minha família. Jogos, especialmente da variedade MMORPG, são notoriamente demorados, e eu passava tantas horas jogando *Ultima* que nossas contas de telefone estavam ficando exorbitantes e ninguém conseguia receber nenhuma ligação; a linha estava sempre ocupada. Minha irmã, que era adolescente, ficaria furiosa se descobrisse que minha vida on-line a fizera perder algumas fofocas cruciais do ensino médio. Mas não demorou muito para ela descobrir que tudo que precisava fazer para se vingar era pegar o telefone, o que interromperia a conexão com a internet. O chiado do modem parava, e mesmo antes de ela receber o sinal de discagem normal, eu já estava gritando com a cabeça pendurada para o andar de baixo.

Quando você é interrompido no meio de, digamos, sua leitura das notícias on-line, sempre pode voltar e continuar de onde parou. Mas se for interrompido quando estiver no meio de um jogo que não pode pausar ou salvar – porque 100 mil outros estão jogando ao mesmo tempo –, será seu fim. Você podia estar no topo do mundo, ser um lendário matador de dragões com seu próprio castelo e um exército, mas depois de apenas trinta segundos de CONEXÃO PERDIDA, você se encontraria se reconectando a uma tela cinza com um epitáfio cruel: VOCÊ ESTÁ MORTO.

Sinto certa vergonha, hoje em dia, da seriedade com que encarei tudo isso, mas não posso negar que, na época, para mim era como se minha irmã estivesse decidida a destruir minha vida, particularmente naquelas ocasiões em que ela olhava para mim do outro lado da sala e sorria ao se certificar de que eu a via pegar o aparelho no andar de baixo – não porque ela queria fazer uma ligação, mas puramente porque queria me fazer recordar quem mandava ali. Nossos pais ficaram tão cansados de nossos gritos que fizeram algo incomum e indulgente. Mudaram nosso plano de internet, de pagamento por minuto para acesso ilimitado, e instalaram uma segunda linha telefônica.

    E a paz sorriu em nossa morada.

5. HACKER

Todos os adolescentes são hackers. Eles têm de ser, simplesmente porque suas circunstâncias de vida são insustentáveis. Eles acham que são adultos, mas os adultos acham que são crianças.

Se puder, lembre-se de sua época de adolescência. Aposto que você era um hacker também, disposto a fazer qualquer coisa para escapar da supervisão dos pais. Basicamente, você estava farto de ser tratado como criança.

Lembre-se de como se sentiu quando alguém mais velho e maior tentou controlá-lo, como se idade e tamanho fossem sinônimos de autoridade. Em um momento ou outro, seus pais, professores, treinadores, chefes de escoteiros e clérigos tiravam proveito de sua posição para invadir sua vida privada, impor as expectativas deles sobre seu futuro e reforçar sua conformidade aos padrões passados. Sempre que esses adultos substituem suas esperanças, sonhos e desejos pelos deles, acham que o fazem "para seu próprio bem" ou "pensando no melhor para você". E mesmo que às vezes isso seja verdade, todos nós nos lembramos daqueles outros momentos em que não era por isso – quando "porque eu estou mandando" não era suficiente e "você vai me agradecer um dia" parecia vazio. Se você já foi adolescente, com certeza já foi alvo de um desses clichês e a ponta fraca do desequilíbrio de poder.

Crescer é perceber até que ponto sua existência tem sido governada por sistemas de regras, orientações vagas e normas cada vez mais insuportáveis que lhe foram impostas sem seu consentimento e estão sujeitas a mudanças a qualquer momento.

Havia até algumas regras que você só descobria depois de violá-las.

Se você era parecido comigo, deve ter ficado escandalizado.

Se você era parecido comigo, era míope, magrelo, e mal havia entrado nos dois dígitos de idade quando começou a se interessar por política.

Na escola, disseram-lhe que, no sistema da política estadunidense, é por meio do voto que os cidadãos dão seu consentimento para serem governados por seus iguais. Isso é democracia. Mas, sem dúvida, a democracia não estava em vigor em minha aula de história dos EUA, pois se meus colegas e eu tivéssemos direito a voto, Mr. Martin estaria desempregado. Mas Martin fazia as regras nas aulas de história dos EUA, Evans nas de inglês, Sweeney nas de ciências, Mr. Stockton nas de matemática, e todos eles as mudavam constantemente para se beneficiar e maximizar seu poder. Se um professor não quisesse que você fosse ao banheiro, seria melhor se segurar. Se um professor prometesse uma visita ao Smithsonian Institution, mas depois a cancelasse por causa de uma infração imaginária, não daria nenhuma explicação além de sua ampla autoridade e a manutenção da ordem apropriada. Já naquela época, eu me dei conta de que qualquer oposição a esse sistema seria difícil, até porque a mudança das regras para atender aos interesses da maioria implicaria em persuadir aqueles que as faziam intencionalmente, para que se colocassem em uma posição desvantajosa. Isso, basicamente, é a crucial falha ou defeito de projeto, intencionalmente integrada a cada sistema, tanto na política quanto na computação: as pessoas que criam as regras não têm incentivo algum para agir contra si mesmas.

O que me convenceu de que a escola era um sistema no mínimo ilegítimo foi que ela não reconhecia nenhuma dissidência válida. Eu podia defender minha opinião até perder a voz, ou simplesmente aceitar o fato de que nunca tive voz.

No entanto, a benevolente tirania da escola, como todas as tiranias, tem validade limitada. A certa altura, a negação do livre-arbítrio se torna uma licença para resistir – embora seja característico da adolescência confundir resistência com escapismo ou, inclusive, com violência. As saídas mais comuns para um adolescente rebelde eram inúteis para mim, porque eu era *cool* demais para praticar vandalismo e não tão *cool* para usar drogas (Até hoje, nunca fiquei bêbado nem fumei um cigarro). Então, comecei a hackear – essa continua sendo a maneira mais sensata, saudável e educativa que conheço para as crianças afirmarem sua autonomia e tratarem os adultos em igualdade de condições.

Como a maioria dos meus colegas, eu não gostava das regras, mas tinha medo de quebrá-las. Eu sabia como funcionava o sistema: você corrigia o erro de um professor, levava uma advertência; confrontava o professor quando ele não admitia o erro, ganhava uma advertência; alguém colava de você, mesmo que você não deixasse expressamente a pessoa colar, ganhava duas advertências e aquele que colava era suspenso. Essa é a origem de todo ato de hackear: a consciência de uma ligação sistêmica entre *input* e *output*, entre causa e efeito. Porque o hackear não é apenas nativo da computação; ele existe onde quer que existam regras. Para hackear um sistema é necessário conhecer suas regras melhor que as pessoas que o criaram ou as que o executam, e explorar a vulnerável distância que existe entre como elas pretendiam que o sistema funcionasse e como ele realmente funciona, ou se poderia fazer que funcionasse. Ao capitalizar esses usos não intencionais, os hackers não estão quebrando as regras, e sim desmascarando-as.

Os seres humanos são programados para reconhecer padrões. Todas as escolhas que fazemos são influenciadas por um conjunto de hipóteses, tanto empíricas quanto lógicas, inconscientemente obtidas e conscientemente desenvolvidas. Usamos essas hipóteses para avaliar as potenciais consequências de cada escolha, e a capacidade de fazer tudo isso de forma rápida e precisa é chamada inteligência. Mas até mesmo as pessoas mais inteligentes confiam em hipóteses nunca testadas – portanto, as escolhas que fazemos são muitas vezes imperfeitas. Uma pessoa que saiba mais, ou que pense com mais rapidez e precisão, pode aproveitar essas falhas para criar consequências que jamais esperaríamos. É essa a natureza igualitária do ato de hackear – que não se importa com quem você é, só com o modo como raciocina – que o torna um método tão confiável para lidar com esse tipo de figuras de autoridade tão convictas da justiça do sistema que nunca lhes ocorreu testá-lo.

Eu não aprendi nada disso na escola, claro. Aprendi na internet. A internet me deu a chance de pesquisar sobre todos os assuntos que me interessavam, e todos os elos entre eles, sem restrições, tipo o ritmo dos meus colegas de classe e dos meus professores. Quanto mais tempo eu passava conectado, mais minhas tarefas escolares pareciam extracurriculares.

No verão em que fiz 13 anos, resolvi nunca mais voltar; ou, pelo menos, reduzir seriamente meus compromissos para com a sala de aula. Mas eu não sabia como fazer isso. Todos os planos que bolei poderiam sair pela culatra. Se eu fosse pego matando aula, meus pais revogariam meus privilégios de uso do computador; se decidisse abandonar os estudos, eles enterrariam meu corpo no meio da floresta e diriam aos vizinhos que eu havia fugido. Tinha de bolar um jeito de hackear – e então, no primeiro dia do novo ano letivo, encontrei um. Na verdade, ele foi basicamente entregue a mim.

No início de cada aula, os professores distribuíram seus programas, detalhando o material necessário, a leitura requerida e o cronograma de provas, testes e tarefas. Com isso, falou-se sobre as políticas de notas, o que foi essencialmente explicar como as notas A, B, C e D eram calculadas. Eu nunca havia encontrado uma informação como essa. Seus números e letras eram como uma estranha equação que sugeriu uma solução para meu problema.

Naquele dia, depois da aula, peguei o programa e fiz as contas para descobrir quais aspectos de cada aula eu poderia simplesmente ignorar e, mesmo assim, obter nota suficiente. Vejamos minha aula de história dos EUA, por exemplo. Segundo o programa, os testes valiam 25%, as provas 35%, os trabalhos finais 15%, os deveres de casa 15%, e a participação nas aulas – a categoria mais subjetiva em todas as disciplinas – valia 5%. Como eu costumava ir bem nas provas e testes sem precisar estudar demais, podia contar com eles para obter pontos sem gastar muito tempo. Mas os trabalhos e deveres de casa tomavam muito tempo – imposições de baixo valor e alto custo no tempo que eu tinha para mim.

O que todos esses números me disseram foi que, se eu não fizesse nenhum dever de casa, mas fosse muito bem em todo o resto, acabaria com 85 pontos, ou seja, B. Se eu não fizesse nenhum dever de casa nem nenhum trabalho, mas fosse muito bem em todo o resto, acabaria com 70 pontos, ou C-. Os 10% de participação em classe seriam meu fundo de emergência. Mesmo que os professores me dessem zero – se interpretassem minha participação como interrupção –, eu ainda conseguiria 65 pontos, ou D-. Mesmo assim, passaria.

Os sistemas de meus professores tinham falhas graves. Suas instruções para atingir a nota mais alta poderiam ser usadas como dicas para obter mais liberdade – uma solução para eu evitar fazer o que não gostava de fazer e ainda passar.

No momento em que percebi isso, deixei de fazer os deveres de casa. Todos os dias eram de felicidade; do tipo de felicidade proibida para qualquer pessoa com idade suficiente para trabalhar e pagar impostos. Até que o Mr. Stockton me perguntou diante da classe toda por que eu não havia entregado a última meia dúzia de deveres de casa. Não agraciado pela astúcia que só a idade traz, e esquecendo por um instante que, ao entregar minha artimanha, eu estaria me privando de uma vantagem, alegremente demonstrei minha equação ao professor de matemática. As risadas de meus colegas duraram apenas um momento, antes de começarem a rabiscar e calcular se também poderiam se dar ao luxo de adotar uma vida pós-dever de casa.

"Muito esperto, Eddie", disse Mr. Stockton, sorrindo e passando para a próxima lição.

Eu era o garoto mais esperto da escola – até aproximadamente 24 horas depois, quando Mr. Stockton distribuiu o novo programa de estudos. Nele, dizia que o aluno que não entregasse mais de 6 deveres de casa até o final do semestre receberia um F automático.

Muito esperto, Mr. Stockton.

Depois da aula, ele me chamou de lado e disse:

"Você deveria estar usando esse seu cérebro não para descobrir como evitar o trabalho, e sim como fazer o melhor trabalho possível. Você tem muito potencial, Ed, mas acho que não percebe que as notas que tirar aqui o seguirão pelo resto da vida. Você tem de começar a pensar em seu registro permanente."

Sem deveres de casa – pelo menos por um tempo –, e com mais tempo livre, eu também atuei como um hacker convencional, de computador. E minhas habilidades foram melhorando. Na livraria, eu folheava revistas minúsculas sobre hackers, feitas de folhas fotocopiadas e grampeadas, de nomes como 2600 e *Phrack*, absorvendo suas técnicas e, de quebra, sua política antiautoritária.

Eu estava na base da hierarquia técnica, um moleque novato que trabalhava com ferramentas incompreensíveis que funcionavam segundo princípios que estavam além de mim. As pessoas ainda me perguntam por que, quando por fim ganhei certa proficiência, não fui correndo esvaziar contas bancárias ou roubar números de cartão de crédito. A resposta honesta é que eu era novo e burro demais para saber que tinha essa opção, e mais ainda para saber o que faria com o espólio. Tudo que eu queria e tudo de que necessitava, eu já tinha de graça. Mas descobri maneiras simples de hackear alguns jogos, ganhando vidas extras e conseguindo fazer coisas como ver através das paredes. Além disso, não havia muito dinheiro na internet naquela época; pelo menos não pelos padrões de hoje. O mais próximo que alguém conhecido por mim, ou sobre quem lesse, havia chegado do roubo era phreaking, ou fazer ligações gratuitas.

Se você perguntasse a alguns dos grandes hackers da época por que, por exemplo, eles invadiam um grande site de notícias para não fazer nada mais significativo que substituir as manchetes por um GIF psicodélico que proclamava as habilidades do barão von Hackerface – que seria derrubado em menos de meia hora –, a resposta teria sido uma versão da justificativa dada pelo alpinista a quem perguntaram por que escalar o monte Everest: *Porque ele está lá*. A maioria dos hackers, particularmente os jovens, buscava não lucro ou poder, e sim testar os limites de seu talento e qualquer oportunidade de provar que o impossível é possível.

Eu era jovem e, analisando agora, embora minha curiosidade fosse pura, era também bastante reveladora psicologicamente, uma vez que algumas das minhas primeiras tentativas de hackear visavam a aliviar minhas neuroses. Quanto mais eu conhecia a fragilidade da segurança do computador, mais me preocupava com as consequências de confiar na máquina errada. Quando eu era adolescente, minha primeira invasão digna de causar problemas teve relação com um medo que de repente passou a ser a única coisa em que eu conseguia pensar: a ameaça de um holocausto nuclear de alcance mundial.

Eu estava lendo algum artigo sobre a história do programa nuclear estadunidense e, antes que me desse conta, com apenas alguns cliques, estava no site do Laboratório Nacional de Los Alamos, centro de pesquisa nuclear do país. É assim que a internet funciona: você fica curioso e seus dedos pensam sozinhos. Mas, de repente, fiquei apavorado de verdade: notei que o site da maior e mais importante instituição de pesquisa científica e desenvolvimento de armas dos Estados Unidos tinha uma falha de segurança gritante. Sua vulnerabilidade era basicamente a versão virtual de uma porta destrancada: uma estrutura de diretórios aberta.

Eu explico. Imagine que eu enviei um link para você baixar um arquivo .pdf que fica em uma página de um site. A URL desse arquivo normalmente seria tipo site.com/files/pdfs/filename.pdf. Mas, como a estrutura de uma URL deriva diretamente da estrutura de diretórios, cada parte desta URL representa um galho diferente de um diretório árvore. Nesse caso, dentro do diretório de website.com há uma pasta de arquivos, dentro da qual há uma subpasta de .pdfs, dentro da qual está o filename. pdf específico que você está tentando baixar. Hoje, a maioria dos sites limita sua visita a esse arquivo específico, mantendo suas estruturas de diretório fechadas e privadas. Mas, naquela era dos dinossauros, mesmo os grandes sites haviam sido criados e administrados por novatos em tecnologia, que muitas vezes deixavam suas estruturas de diretório abertas, o que significava que, se você truncasse a URL de seu arquivo – se simplesmente a alterasse para algo tipo website.com/files –, poderia acessar todos os arquivos do site, fosse .pdf ou outro, incluindo aqueles que não necessariamente eram destinados a visitantes. Esse foi o caso do site de Los Alamos.

Na comunidade de hackers, isso é basicamente a primeira invasão de um bebê – um procedimento transversal totalmente rudimentar conhecido como dirwalking ou directory walking. E foi exatamente o que eu fiz: fui andando o mais rápido que pude de arquivo para subpasta, para pasta de nível superior, e voltei; um adolescente solto nos diretórios-fonte. Meia hora depois de ler um artigo sobre a ameaça de armas nucleares, topei com um monte de arquivos destinados apenas a funcionários autorizados do laboratório.

Só para esclarecer, os documentos que eu acessei não eram exatamente planos secretos para construir um dispositivo nuclear em minha garagem. (De qualquer maneira, esses planos já estavam disponíveis em cerca de uma dúzia de sites de faça você mesmo.) O que eu consegui foi acessar linhas de memorandos confidenciais interagências e outras informações pessoais de funcionários.

Mas, como alguém de repente muito preocupado com nuvens com cara de cogumelo no horizonte, e também – especialmente –, como filho de pais militares, fiz o que achei que deveria ser feito: contei a um adulto. Enviei um e-mail explicativo para o webmaster do laboratório falando da vulnerabilidade e esperei uma resposta – que nunca chegou.

Todos os dias depois da escola, eu visitava o site para ver se a estrutura de diretório havia mudado. Mas não, nada havia mudado, exceto meu poder de choque e indignação. Por fim, peguei o telefone – a segunda linha de casa – e liguei para o número de informações gerais que aparecia na parte inferior do site do laboratório.

Uma telefonista atendeu, e nesse momento comecei a gaguejar. Acho que nem cheguei ao final da frase "estrutura de diretórios" antes de a minha voz desaparecer. A telefonista me interrompeu com um breve "Por favor, aguarde", e antes que eu pudesse agradecer, ela me transferiu para uma caixa postal.

Quando ouvi o bipe, recuperei um mínimo de confiança, e com a laringe mais firme, deixei uma mensagem. Só o que lembro hoje dessa mensagem é como a encerrei: com alívio, repetindo meu nome e número de telefone. Acho que até soletrei meu nome como meu pai às vezes fazia, usando o alfabeto fonético militar: "Sierra November Oscar Whiskey Delta Echo November". Então, desliguei, e continuei vivendo minha vida, que por uma semana consistiu basicamente em checar o site de Los Alamos.

Hoje em dia, dadas as habilidades de ciberinteligência do governo, qualquer um que ficasse entrando nos servidores de Los Alamos dezenas de vezes por dia seria quase certamente uma pessoa a ser monitorada. Naquela época, porém, eu era apenas uma pessoa interessada. Eu não conseguia entender como ninguém se importava!

Semanas se passaram – e semanas podem parecer meses para um adolescente –, até que, certa noite, pouco antes do jantar, o telefone tocou. Minha mãe, que estava na cozinha preparando o jantar, atendeu.

Eu estava ao computador, na sala de jantar, quando ouvi que era para mim:

"Sim, ele está. Quem fala?"

Eu girei na cadeira e ela já estava parada ao meu lado, segurando o telefone contra o peito. Estava lívida, tremendo.

Seu sussurro tinha uma urgência lúgubre de que eu nunca havia ouvido falar, e isso me deixou aterrorizado:

"O que você fez?"

Se eu soubesse, teria lhe contado. Mas perguntei:

"Quem é?"

"Los Alamos, o laboratório nuclear."

"Oh! Graças a Deus!"

Gentilmente peguei o telefone e fiz que se sentasse.

"Alô?"

Estava na linha um simpático representante de TI de Los Alamos, que ficava me chamando de Mr. Snowden. Ele me agradeceu por relatar o problema e me informou que havia acabado de consertá-lo. Eu me segurei para não perguntar por que demorou tanto. E me segurei para não ir até o computador checar o site imediatamente.

Minha mãe não tirava os olhos de mim. Ela tentava entender a conversa, mas só ouvia um lado. Ergui o polegar para ela, e para tranquilizá-la ainda mais, com voz de mais velho, séria e pouco convincente, expliquei rigidamente ao representante de TI o que ele já sabia: como eu havia encontrado o problema transversal do diretório, como o reportara, como não havia recebido nenhuma resposta até esse momento. E concluí:

"Agradeço por me avisar. Espero não ter causado nenhum problema."

"De jeito nenhum", disse o representante de TI.

E então, perguntou com que eu trabalhava.

"Não trabalho", falei.

Ele perguntou se eu estava procurando emprego, e eu disse:

"Durante o ano letivo estou bem ocupado, mas tenho férias longas, e no verão estou livre."

Foi quando ele percebeu que estava falando com um adolescente.

"Bem, garoto", iniciou ele, "você tem meu contato. Fale comigo quando fizer 18 anos. Agora, passe-me para aquela mulher simpática com quem falei".

Entreguei o telefone para minha ansiosa mãe, e ela o levou de volta para a cozinha, que estava cheia de fumaça. O jantar estava queimado, mas acho que o representante de TI disse coisas suficientemente louváveis sobre mim, pois a punição que eu estava esperando não veio.

6. INCOMPLETO

Não me lembro muito bem do ensino médio, porque passei muito tempo dormindo, compensando as noites de insônia ao computador. Na Arundel High, a maioria dos professores não se incomodava com meu hábito de cochilar, e me deixava em paz desde que eu não roncasse. Mas havia alguns cruéis que sempre achavam seu dever me acordar – arranhando o giz na lousa ou batendo os apagadores – e me emboscavam com uma pergunta:

"O que acha, Mr. Snowden?"

Eu levantava a cabeça da carteira, endireitava-me na cadeira, bocejava, e enquanto meus colegas tentavam abafar o riso, tinha de responder.

Na verdade, eu adorava esses momentos, que estavam entre os maiores desafios que o ensino médio tinha a oferecer. Eu adorava ser o centro das atenções, grogue e atordoado, com 30 pares de olhos e ouvidos treinados sobre mim esperando meu fracasso, enquanto eu procurava uma pista na lousa meio vazia. Se eu conseguisse pensar rápido e chegar a uma boa resposta, seria uma lenda. Mas se fosse lerdo, poderia fazer uma piadinha – nunca é tarde demais para uma piadinha. No pior dos casos, eu gaguejaria, e meus colegas me achariam um idiota. Mas, tudo bem; é sempre bom deixar que as pessoas nos subestimem. Porque quando as pessoas julgam mal nossa inteligência e nossas habilidades, simplesmente expõem suas próprias vulnerabilidades – as lacunas no julgamento que precisam ficar abertas se você quiser passar depois montando um cavalo em chamas para corrigir o engano com sua espada da justiça.

Quando eu era adolescente, acho que era meio apaixonado pela ideia de que as perguntas mais importantes da vida são binárias, o que significa que uma resposta é sempre Certo, e todas as outras respostas são Errado. Acho que fiquei encantado com o modelo de programação dos computadores, cujas perguntas só podem ser respondidas de duas maneiras: 1 ou 0 – a versão da máquina para "Sim" ou "Não", "Verdadeiro" ou "Falso". Até as questões de múltipla escolha de meus testes e provas poderiam ser abordadas pela lógica de oposição do sistema binário. Se eu não reconhecesse imediatamente uma das possíveis respostas, poderia tentar reduzir minhas escolhas por meio de um processo de eliminação, procurando termos como "sempre" ou "nunca" e exceções que invalidassem a alternativa.

No final do primeiro ano, porém, enfrentei um tipo muito diferente de tarefa – uma pergunta que não poderia ser respondida pintando círculos com um lápis nº 2, mas só com a retórica: frases completas em parágrafos inteiros. Resumindo, era uma tarefa da aula de inglês: "Faça uma redação autobiográfica com não menos que mil palavras". Estranhos estavam me ordenando falar sobre talvez o único assunto sobre o qual eu não tinha nada a dizer: eu, fosse quem fosse. Eu simplesmente não consegui. Fiquei bloqueado. Entreguei uma página em branco e recebi um "Incompleto". Meu problema, assim como a tarefa em si, era pessoal. Eu não poderia fazer uma redação autobiográfica porque minha vida na época era muito confusa e embaraçosa, e eu não mentiria. Isso porque minha família estava desmoronando. Meus pais estavam se divorciando. Tudo aconteceu muito rápido; meu pai se mudou e minha mãe pôs a casa de Crofton à venda, e depois, ela, minha irmã e eu nos mudamos para um apartamento, e mais tarde para um condomínio na cidade vizinha de Ellicott. Eu tinha amigos que diziam que você não é um adulto de verdade enquanto não enterra um dos pais ou tem um filho. Mas o que ninguém diz é que, para crianças de certa idade, o divórcio é como as duas coisas acontecendo simultaneamente. De repente, os ícones invulneráveis de sua infância desaparecem. Em seu lugar, se houver alguém, há uma pessoa ainda mais perdida que você, cheia de lágrimas e raiva, que anseia que você garanta que vai dar tudo certo. Mas não vai, pelo menos por um tempo.

Enquanto a custódia e as visitas eram tratadas no tribunal, minha irmã se candidatou a várias faculdades, foi aceita e começou a contar os dias para partir rumo à Universidade da Carolina do Norte, em Wilmington. Perdê-la significava perder minha ligação mais próxima com o que nossa família havia sido.

Eu reagi voltando-me para dentro. Eu me fechei e me forcei a me tornar outra pessoa, que usava máscaras conforme a necessidade das pessoas de quem gostava. Para a família, eu era confiável e sincero. Para os amigos, alegre e despreocupado. Mas, quando estava sozinho, era quieto, sombrio até, e constantemente preocupado em ser um fardo. Sentia-me atormentado por todas as viagens para a Carolina do Norte de que eu havia reclamado, por todos os natais que estragara levando boletins com notas ruins para casa, por todas as vezes que me recusara a sair do computador e fazer minhas tarefas. Todos os meus rebuliços de infância passavam por minha mente como copiões da cena do crime, provas de que eu era responsável pelo que havia acontecido.

Eu tentava me livrar da culpa ignorando minhas emoções e fingindo autossuficiência, até projetar uma maturidade precoce. Parei de dizer que estava brincando no computador e passei a dizer que estava trabalhando nele. Só de mudar essas palavras, sem nem remotamente mudar o que eu fazia, fez diferença na maneira como eu era percebido – pelos outros e até por mim mesmo.

Parei de me referir a mim mesmo como Eddie. Daquele momento em diante, eu era Ed. Ganhei meu primeiro celular, que eu usava preso ao cinto como um homem adulto.

A inesperada bênção do trauma – uma oportunidade de reinvenção – ensinou-me a valorizar o mundo fora das 4 paredes da casa. Fiquei surpreso ao descobrir que, quanto mais distância eu colocava entre mim e os dois adultos que mais me amavam, mais me aproximava dos outros, que me tratavam como igual. Mentores que me ensinaram a velejar, que me treinaram a lutar, a falar em público e me deram a confiança de estar no palco – todos eles ajudaram a me criar.

No início do segundo ano, porém, comecei a ficar muito cansado e a adormecer mais que o habitual – não só na escola, mas inclusive ao computador. Eu acordava no meio da noite em uma posição mais ou menos ereta, com a tela a minha frente cheia de rabiscos porque eu desmaiara em cima das teclas. Logo minhas articulações estavam doendo, meus nódulos inchados, o branco dos meus olhos ficou amarelo, e eu me sentia exausto demais para sair da cama, mesmo depois de dormir doze horas seguidas ou mais.

Depois de tirarem mais sangue de mim do que eu imaginava ter no corpo, acabei recebendo um diagnóstico de mononucleose infecciosa. Era uma doença debilitante e bastante humilhante para mim, porque, em geral, era contraída por meio do que meus colegas chamavam de *hooking up*, ou ficar com alguém, pegar alguém. E aos 15 anos, o único alguém com quem eu ficava era o computador. A escola ficou totalmente esquecida, minhas faltas se acumulavam, mas nem isso me deixava feliz. Nem mesmo uma dieta só de sorvete me deixava feliz. Eu mal tinha energia para fazer qualquer coisa além de jogar os jogos que meus pais haviam me dado – cada um tentando me dar o jogo mais legal, o mais novo, como se estivessem competindo para me animar ou para mitigar a culpa que sentiam por causa do divórcio. Quando já não tinha mais forças nem para mexer no joystick, eu me perguntava por que ainda estava vivo. Às vezes, eu acordava incapaz de reconhecer meus arredores. Levava algum tempo para descobrir se a penumbra significava que eu estava no apartamento da minha mãe ou no dormitório do meu pai, e não me lembrava de ter sido levado de um a outro. Todos os dias eram iguais.

Tudo era turvo. Eu me lembro de ler *The Conscience of a Hacker* (também conhecido como *The Hackers Manifesto*); *Snow Crash,* de Neal Stephenson, e resmas de J. R. R. Tolkien, e de adormecer no meio dos capítulos e confundir os personagens e as tramas, até sonhar que Gollum estava ao lado de minha cama choramingando: "Mestre, Mestre, a informação quer ser livre".

Enquanto já estava resignado a todos os sonhos febris que acompanhavam meu sono, pensar em ter que tirar o atraso de meus trabalhos escolares era o verdadeiro pesadelo. Depois de perder aproximadamente quatro meses de aula, recebi uma carta da Arundel High informando que eu teria de repetir o segundo ano. Eu poderia dizer que fiquei chocado, mas, no momento em que li a carta, percebi que já sabia que isso seria inevitável e já o temia havia semanas. A perspectiva de voltar à escola, ainda mais repetir dois semestres, era inimaginável para mim, e eu estava pronto para fazer o que fosse necessário para evitar isso.

Mas, quando minha doença glandular se transformou em uma total depressão, receber as notícias da escola me tirou do buraco. De repente, eu estava em pé vestindo algo que não era um pijama. De repente, eu estava na internet e ao telefone, procurando os limites do sistema, hackeando. Depois de um pouco de pesquisa e de muitos formulários preenchidos, minha solução caiu em minha caixa do correio: eu havia feito que me aceitassem na faculdade. Aparentemente, não é necessário ter o ensino médio completo para se candidatar.

A Faculdade Comunitária de Anne Arundel (Anne Arundel Community College – AACC) era uma instituição local, certamente não tão venerável quanto a de minha irmã, mas daria tudo certo. Só o que me interessava era o reconhecimento que ela tinha. Mostrei a oferta de admissão à administração do ensino médio, e com uma curiosa e mal disfarçada mistura de resignação e alegria, eles deixaram que eu me matriculasse. Eu frequentava as aulas da faculdade duas vezes por semana, que era o máximo que conseguia me manter em pé e funcional. Fazendo aulas acima de meu nível, eu não teria de sofrer com o ano que perdera. Simplesmente o pularia.

A AACC ficava cerca de vinte e cinco minutos de distância, e as primeiras vezes que fui de carro foram perigosas – eu havia acabado de tirar a carteira de habilitação e mal conseguia ficar acordado ao volante. Ia para a aula e depois voltava diretamente para casa para dormir. Eu era o mais novo em todas as aulas, talvez até o mais novo na faculdade toda; por outro lado, era uma novidade, tipo uma mascote, e uma presença desconfortável. Isso, além do fato de eu ainda estar me recuperando, significava que eu não saía muito. Além disso, como os alunos não moravam na AACC, não havia vida ativa no *campus* lá. Mas o anonimato da escola caía bem para mim, bem como as aulas, cuja maioria era obviamente mais interessante que qualquer uma na qual eu já houvesse cochilado na Arundel High.

Antes de ir mais longe e sair do ensino médio para sempre, devo observar que ainda estou devendo aquela tarefa da aula de inglês, na qual recebi um "Incompleto". Minha redação autobiográfica. Quanto mais velho fico, mais isso pesa sobre meus ombros, e escrevê-la não ficou mais fácil.

O fato é que ninguém com uma biografia como a minha chega confortavelmente à autobiografia. É difícil ter passado a maior parte da vida tentando evitar ser identificado, e depois mudar de ideia e compartilhar revelações pessoais em um livro. A Comunidade de Inteligência tenta inculcar em seus funcionários um padrão de anonimato, uma espécie de personalidade tipo página em branco, sobre a qual se inscrevem o sigilo e a arte da impostura. Você treina para ser discreto, para se parecer com os outros. Você mora na casa mais comum, dirige o carro mais comum, usa as mesmas roupas comuns que todo mundo. A diferença é que faz isso de propósito: a normalidade, o comum, é seu disfarce. Essa é a perversa recompensa de uma carreira que nega a si mesma e que não traz glória pública: a glória pessoal não vem durante o trabalho, e sim depois, quando você pode voltar para as outras pessoas e convencê-las de que é uma delas.

Embora haja muitos termos psicológicos mais populares e certamente mais precisos para esse tipo de fragmentação de identidade, minha tendência é considerá-la como uma criptografia humana. Como em qualquer processo de criptografia, o material original – sua identidade – ainda existe, só que está bloqueado e embaralhado. A equação que permite esse criptograma é uma proporção simples: quanto mais você conhece os outros, menos conhece a si mesmo. Depois de um tempo, você pode se esquecer do que gosta e até do que não gosta. Você pode perder seus princípios, assim como todo e qualquer respeito pelo processo político que possa um dia ter tido. Tudo é subordinado ao trabalho, que começa com uma negação do caráter e acaba com uma negação da consciência. A missão em primeiro lugar.

Algumas dessas versões me serviram durante anos como uma explicação de minha dedicação à privacidade e de minha incapacidade ou falta de vontade de ser mais pessoal. É só agora, que estou fora da CI por quase tanto tempo quanto estive nela, é que percebo: isso não é suficiente. Afinal, eu não era um espião – eu nem tinha barba – quando entreguei aquela folha em branco na aula de inglês. Eu era um garoto que praticava técnicas de espionagem havia algum tempo, mas sem seu jogo de identidades – em parte por meio de experimentos on-line, mas, mais que qualquer coisa, por ter que lidar com o silêncio e as mentiras que se seguiram ao divórcio de meus pais.

Com essa ruptura, nós nos tornamos uma família de guardiões secretos, especialistas em subterfúgios e ocultação. Meus pais guardavam segredos um do outro e de mim e minha irmã. Minha irmã e eu guardávamos nossos próprios segredos também, quando um de nós passava o fim de semana com nosso pai e o outro com nossa mãe. Um dos julgamentos mais difíceis que um filho do divórcio tem de enfrentar é ser interrogado por um dos pais sobre a nova vida do outro.

Minha mãe saía de vez em quando, estava de volta ao mundo do namoro. Meu pai fazia o melhor que podia para preencher o vazio, mas, às vezes, ficava enfurecido com o prolongado e caro processo de divórcio. Quando isso acontecia, era como se nossos papéis se invertessem. Eu tinha de ser assertivo e confrontá-lo, raciocinar com ele.

É doloroso escrever isso, nem tanto porque os eventos desse período são dolorosos de lembrar, mas principalmente porque não são, de forma alguma, indicativos da fundamental decência de meus pais – ou de como, por amor aos filhos, eles por fim conseguiram superar suas diferenças, reconciliar-se com respeito e florescer separadamente em paz.

Esse tipo de mudança é constante, comum e humano. Mas um ensaio autobiográfico é estático, um documento fixo de uma pessoa em fluxo. É por isso que o melhor relato que alguém pode dar de si mesmo é uma promessa: um compromisso com os princípios que valoriza e com a visão da pessoa que espera se tornar.

Eu havia entrado na faculdade para poupar meu tempo depois de um revés, não porque pretendia cursar o ensino superior. Mas prometi a mim mesmo que pelo menos terminaria o ensino médio. Foi em um fim de semana que finalmente cumpri essa promessa; fui até uma escola pública perto de Baltimore para fazer a última prova que não havia feito no estado de Maryland: o exame para me formar no General Education Development (GED), que o governo dos EUA reconhece como equivalente ao diploma do ensino médio.

Lembro-me de sair da prova mais leve que nunca, tendo cumprido os dois anos de escolaridade que ainda devia ao Estado apenas fazendo um exame de dois dias. Parecia manobra, mas era mais que isso. Era eu sendo fiel a minha palavra.

7. O 11 DE SETEMBRO

Aos 16 anos, eu estava praticamente morando sozinho. Com minha mãe enfurnada no trabalho, com frequência eu tinha o apartamento só para mim. Eu definia meus horários, preparava minhas refeições e lavava minha roupa. Eu era responsável por tudo, menos por pagar as contas.

Eu tinha um Honda Civic branco 1992 e andava com ele por todo o estado, ouvindo a rádio alternativa indie 99.1 WHFS – um de seus slogans era "Now Hear This" –, porque era o que todo mundo fazia. Eu não sabia muito bem ser normal, mas estava tentando.

Minha vida se tornou um circuito, um caminho traçado entre minha casa, a faculdade e meus amigos, particularmente um novo grupo que havia conhecido na aula de japonês. Não sei quanto tempo levamos para perceber que nos tornamos uma panelinha, mas, no segundo semestre, íamos às aulas tanto para nos ver quanto para aprender a língua. Essa, a propósito, é a melhor maneira de parecer normal: cercar-se de pessoas tão estranhas – se não mais – que você. Quase todos esses amigos eram aspirantes a artistas e designers gráficos obcecados pelos controversos – na época – animes, ou animações japonesas. À medida que nossa amizade se aprofundava, também aumentava minha familiaridade com os gêneros de anime, até que era capaz de recitar opiniões relativamente informadas sobre uma nova biblioteca de experiências compartilhadas com títulos como *Grave of the Fireflies*, *Revolutionary Girl Utena*, *Neon*

Genesis Evangelion, Cowboy Bebop, The Vision of Escaflowne, Rurouni Kenshin, Nausicaa of the Valley of Wind, Trigun, Slayers, e meu favorito, *Ghost in the Shell*.

Uma dessas novas amigas – eu a chamarei de Mae – era mais velha, bem mais velha: confortavelmente adulta em seus 25 anos. Ela era uma espécie de ídolo para nós, como artista publicada e ávida *cosplayer*. Ela era minha parceira de conversação em japonês, e fiquei impressionado ao descobrir que ela também dirigia uma empresa bem-sucedida de web design que chamarei de Squirrelling Industries, além de carregar petauros-do-açúcar de vez em quando em uma bolsinha Crown Royal roxa.

Essa é a história de como me tornei freelancer: comecei a trabalhar como web designer para a garota que conheci na aula. Ela – ou sua empresa, acho – me contratou informalmente pelo na época abundante salário de 30 dólares por hora em dinheiro. O truque era por quantas horas ela realmente me pagaria.

Claro, Mae poderia ter me pagado em sorrisos – porque eu estava apaixonado, simples e totalmente apaixonado por ela. E, embora eu não tenha me esforçado muito para esconder isso, acho que Mae não se incomodava, porque eu nunca perdia um prazo nem a menor oportunidade de lhe fazer um favor. Além disso, eu aprendia rápido. Em uma empresa de duas pessoas, você precisa ser capaz de fazer de tudo. Embora eu pudesse – e o fizesse – dar conta do meu trabalho na Squirrelling Industries em qualquer lugar – afinal, esse é o lance de se trabalhar on-line –, ela preferia que eu fosse para o escritório – com isso, quero dizer sua casa –, uma casa de dois andares que ela dividia com o marido, um homem legal e inteligente que chamarei de Norm.

Sim, Mae era casada. Além disso, a casa onde ela e Norm moravam ficava na base, na extremidade sudoeste de Fort Meade, onde Norm trabalhava como linguista da Força Aérea designado para a NSA. Não sei dizer se não era contra a lei ter uma empresa dentro de sua casa sendo esta uma propriedade federal localizada em uma instalação militar; mas, como um adolescente apaixonado por uma mulher casada que também era minha chefe, eu não iria insistir nisso.

É quase inconcebível agora, mas, na época, Fort Meade era quase totalmente acessível a qualquer um. Os mourões, barricadas e postos de controle não ficavam cercados por arame farpado. Eu podia simplesmente ir até a base do Exército, que abrigava a agência de inteligência mais secreta do mundo, com meu Civic 1992, janelas abertas, rádio ligado, sem ter que parar diante de um portão e mostrar minha identificação. Praticamente todos os fins de semana, um quarto de minha turma de japonês se reunia na casinha de Mae, atrás da sede da NSA, para assistir a animes e criar HQs. Era exatamente assim, naqueles dias longínquos quando "este é um país livre, não é?" era uma frase que se ouvia em todos os pátios de escola e seriados cômicos.

Em dias de trabalho, eu aparecia na casa da Mae pela manhã, parava em sua rua sem saída depois de Norm ir para a NSA, e ali passava o dia, até pouco antes de ele voltar. Nas ocasiões em que Norm e eu nos cruzamos durante os dois anos que passei trabalhando para sua esposa, ele foi, em todos os aspectos, gentil e generoso comigo. No começo, achei que ele desconhecia minha paixão, ou considerava tão baixas minhas chances como sedutor que não se importava de me deixar sozinho com sua esposa. Mas, um dia, quando passamos um pelo outro – ele indo, eu chegando –, ele educadamente mencionou que tinha uma arma na mesinha de cabeceira.

A Squirrelling Industries, que na verdade era só Mae e eu, era como as típicas *startups* de porão ao redor do boom das pontocom, pequenas empresas disputando migalhas antes de tudo acabar. Funcionava assim: uma grande empresa – uma montadora, por exemplo – contratava uma grande agência de publicidade, ou empresa de relações públicas, para construir seu site e, de modo geral, tornar atraente sua presença na internet. A grande empresa não sabia nada sobre construção de sites, e a agência de publicidade ou de relações públicas sabia pouco mais – só o suficiente para postar a descrição da vaga procurando por um web designer em um dos portais de freelancers em proliferação na época.

As empresas familiares – ou, no meu caso, empresa de mulher-mais--velha-casada/homem-mais-jovem – davam seus lances pelas vagas, e a concorrência era tão grande que as cotações eram ridiculamente baixas. O limite era não ter que pagar para trabalhar para o portal, e o dinheiro mal dava para um adulto sobreviver, quanto mais uma família. Além da falta de compensação financeira, havia também uma humilhante falta de crédito: os freelancers raramente podiam citar os projetos que haviam desenvolvido, porque a agência de publicidade ou de relações públicas afirmava ter feito tudo.

Eu aprendi muito sobre o mundo, particularmente sobre o mundo dos negócios, quando Mae era minha chefe. Ela era notavelmente inteligente, trabalhava duas vezes mais que seus pares em um ramo bastante machista na época, no qual todos os outros clientes nos extorquiam para conseguir trabalho de graça. Essa cultura de exploração incentivava os freelancers a encontrar maneiras de burlar o sistema, e Mae tinha talento para gerir seus relacionamentos de modo a contornar os portais de trabalho. Ela tentava eliminar os intermediários e terceiros e negociar diretamente com os maiores clientes possíveis. Ela era maravilhosa nisso, particularmente depois que minha ajuda no aspecto técnico permitiu que ela se concentrasse exclusivamente nos negócios e na arte. Ela explorava suas habilidades de ilustração na criação de logotipos e oferecia serviços básicos de *branding*. Quanto ao meu trabalho, os métodos e a codificação eram muito simples, e eu pegava na hora; e mesmo que fosse terrivelmente repetitivo, eu não reclamava. Fazia até o mais medíocre trabalho no Notepad++ com prazer. É incrível o que a gente faz por amor, especialmente quando não somos correspondidos.

Não posso deixar de me perguntar se Mae não estaria o tempo todo em plena ciência dos meus sentimentos por ela, e simplesmente os alimentava para tirar vantagem. Mas se eu era uma vítima, era por vontade própria, e o tempo que passei trabalhando para ela me fez melhor.

Mas, depois de cerca de um ano na Squirrelling Industries, percebi que precisava pensar no futuro. Estava ficando cada vez mais difícil ignorar as certificações da indústria profissional para o setor de TI. A maioria dos anúncios de empregos e contratos para cargos avançados estavam começando a exigir que os candidatos fossem oficialmente credenciados por grandes empresas de tecnologia, como a IBM e a Cisco, no uso e no serviço de seus produtos. Pelo menos, essa era a essência de um comercial de rádio que eu ouvia o tempo todo. Um dia, voltando do trabalho, depois de ouvir o comercial provavelmente pela centésima vez, eu me vi discando um número 0800 e me inscrevendo no curso de certificação da Microsoft que estava sendo oferecido pelo Computer Career Institute da Universidade Johns Hopkins. Toda a operação, desde o custo vergonhosamente alto até sua localização em um *campus* satélite, em vez de no principal da universidade, tinha um leve cheiro de farsa, mas eu não dei bola. Era abertamente uma transação comercial, que permitia à Microsoft impor uma taxa sobre a crescente demanda por pessoal de TI, a gestores de RH fingirem que um caro pedaço de papel poderia distinguir profissionais genuínos de charlatães imundos, e a muito zé-ninguém como eu colocar as palavras mágicas Johns Hopkins em seu currículo e furar a fila de candidatos.

As credenciais de certificação estavam sendo adotadas como padrão quase tão rapidamente quanto o setor as conseguia inventar. Uma certificação A+ significa que você pode consertar computadores. Uma certificação Net+ significa que consegue mexer com algumas redes básicas. Mas essas eram apenas maneiras de se tornar o sujeito que trabalhava no Help Desk. Os melhores pedaços de papel eram agrupados sob a rubrica da série Microsoft Certified Professional. Havia o MCP de nível inicial, o Microsoft Certified Professional; o mais completo, MCSA, Microsoft Certified Systems Administrator; e o mais top da credibilidade técnica impressa, o MCSE, Microsoft Certified Systems Engineer. Esse era o grande prêmio, o vale refeição garantido. No nível mais baixo, o salário inicial de um MCSE era de 40 mil dólares por ano, uma soma que, na virada do milênio e aos 17 anos, pareceu-me assombrosa. Mas por que não? O preço das ações da Microsoft superava os 100 dólares e Bill Gates havia acabado de ser considerado o homem mais rico do mundo.

Em termos de conhecimento técnico, o MCSE não era o mais fácil de se obter, mas também não exigia o que os hackers mais respeitosos considerariam uma inteligência mais rara que um unicórnio. Em termos de tempo e dinheiro, o compromisso era considerável. Eu tive de fazer 7 testes, que custaram 150 dólares cada, e pagar cerca de 18 mil dólares à Hopkins por uma bateria de aulas preparatórias, que – fiel a meu costume – não terminei. Optei por ir direto fazer os testes quando me cansei. Infelizmente, a Hopkins não me devolveu o dinheiro.

Com os iminentes pagamentos de meu empréstimo estudantil, eu tinha uma razão mais prática para passar mais tempo com Mae: dinheiro. Pedi a ela que me desse mais horas. Ela concordou, e me pediu para começar a chegar às 9 da manhã. Isso era ofensivamente cedo, especialmente para um freelancer, e foi por isso que cheguei atrasado na terça de manhã.

Eu acelerava pela Route 32 sob um céu suave, de um belo azul-Microsoft, tentando não pegar nenhum radar de velocidade. Com um pouco de sorte, eu chegaria à casa de Mae às 9h30. E com a janela aberta e a mão ao vento, parecia um dia de sorte. Eu estava com o rádio ligado, esperando as notícias do trânsito.

Quando ia pegar o atalho da Canine Road dentro de Fort Meade, ouvi uma notícia sobre um acidente de avião em Nova York.

Mae foi até a porta e eu a segui pelas escadas da entrada escura até o apertado escritório ao lado de seu quarto. Não havia muita coisa, só nossas duas mesas lado a lado, uma prancheta de desenho para sua arte e uma gaiola para seus esquilos. Eu estava meio distraído com as notícias, mas tínhamos trabalho a fazer. Obriguei-me a me concentrar no que estava fazendo. Estava abrindo os arquivos do projeto em um editor de texto simples – nós escrevíamos os códigos dos sites à mão – quando o telefone tocou.

Mae atendeu:

"O quê? Jura?"

Como nos sentávamos muito perto um do outro, eu consegui ouvir a voz de seu marido. E ele estava gritando.

A expressão no rosto de Mae era de alarme, e ela entrou em um site de notícias. A única TV da casa ficava no andar de baixo. Eu estava lendo a matéria do site sobre um avião que atingira uma das Torres Gêmeas do World Trade Center quando Mae disse:

"OK. Nossa! OK".

E desligou.

Ela se voltou para mim.

"Outro avião atingiu a outra torre."

Até aquele momento, eu achava que havia sido um acidente.

Mae disse:

"Norm acha que vão fechar a base."

"Fechar os portões?", perguntei. "Sério?"

A escala do que havia acontecido ainda não me atingira. Eu estava pensando em minha volta a casa.

"Norm disse que é melhor você voltar para casa. Ele não quer que você fique preso."

Suspirei e salvei o trabalho que mal havia começado. Quando me levantei para ir embora, o telefone tocou de novo, e dessa vez a conversa foi ainda mais curta. Mae estava pálida.

"Você não vai acreditar."

Pandemônio, caos: nossas formas de terror mais primitivas; ambas se referem a um colapso da ordem e ao pânico que se precipita para preencher o vazio. Enquanto eu viver, vou me lembrar de quando voltei pela Canine Road – a estrada que passa pela sede da NSA – depois do ataque ao Pentágono. A loucura brotava das torres de vidro preto da agência, uma maré de gritos, celulares tocando e carros acelerando nos estacionamentos e abrindo caminho pela rua. No momento do pior ataque terrorista da história estadunidense, o pessoal da NSA – a principal agência de inteligência de monitoramento, interceptação e interpretação de sinais da CI dos EUA – estava abandonando seu trabalho aos milhares, e eu fui arrastado pela massa.

O diretor da NSA, Michael Hayden, emitiu a ordem de evacuar antes que a maior parte do país soubesse o que havia acontecido. Posteriormente, a NSA e a CIA – que no dia 11 de Setembro também evacuaram todos, exceto uma tripulação esquelética de sua própria sede – explicariam seu comportamento citando a preocupação de que uma das agências pudesse, potencialmente, possivelmente, ser o alvo do quarto e último avião sequestrado, o voo 93 da United Airlines, em vez de, digamos, a Casa Branca ou o Capitólio.

Eu, certamente, não estava pensando nos próximos alvos mais prováveis enquanto me arrastava no engarrafamento provocado por todo mundo tentando tirar seu carro do estacionamento ao mesmo tempo. Eu não estava pensando em nada. O que eu estava fazendo era seguir obedientemente – no que hoje recordo como um momento totalizador – um clamor de buzinas (acho que nunca havia ouvido uma buzina de carro em uma instalação militar estadunidense antes) e rádios fora de fase gritando a notícia da queda da Torre Sul, enquanto as pessoas controlavam o volante com os joelhos e pressionavam febrilmente o *redial* em seus celulares. Eu ainda posso sentir aquilo: o vazio do presente toda vez que uma ligação minha era interrompida por uma rede de celular sobrecarregada, e a percepção gradual de que, isolado do mundo e paralisado, mesmo estando no banco do motorista, eu era apenas um passageiro.

Os semáforos da Canine Road deram lugar a humanos quando a polícia especial da NSA foi controlar o tráfego. Nas horas, nos dias e nas semanas que se seguiram, juntaram-se a eles comboios de Humvees com metralhadoras no teto, guardando novos bloqueios de estradas e postos de controle. Muitas dessas novas medidas de segurança se tornaram permanentes, complementadas por rolos intermináveis de cercas elétricas e a instalação em massa de câmeras de vigilância. Com toda essa segurança, ficou difícil voltar à base e passar da NSA. Até o dia em que fui trabalhar lá.

Esses adornos provocados pelo que seria chamado de Guerra ao Terror não foram a única razão pela qual eu desisti de Mae depois do 11 de Setembro, mas certamente tiveram um papel importante. Os eventos daquele dia a deixaram abalada. Com o tempo, paramos de trabalhar juntos e nos distanciamos. Eu conversava com ela de vez em quando, e descobri que meus sentimentos haviam mudado; e eu também. Quando Mae deixou Norm e se mudou para a Califórnia, ela era como uma estranha para mim. Ela era muito contrária à guerra.

8. O 12 DE SETEMBRO

Tente se lembrar do maior evento familiar em que você já esteve – talvez uma reunião de família. Quantas pessoas havia? Umas 30, talvez? Cinquenta? Embora todos juntos constituam sua família, talvez você não tenha tido a chance de conhecer cada membro individualmente. O número de Dunbar, a famosa estimativa de quantos relacionamentos significativos pode-se manter na vida, é de apenas 150. Agora, pense na escola. Quantas pessoas estiveram em sua classe no ensino fundamental e no médio? Quantos eram amigos e quantos só conhecidos; e quantos outros você simplesmente reconhecia? Se você estudou nos Estados Unidos, digamos que tenham sido mil. Certamente isso estende os limites do que poderia chamar de sua gente, mas, mesmo assim, você sentia ter um vínculo com eles.

Quase 3 mil pessoas morreram no 11 de Setembro. Imagine todas as pessoas que você ama, todas as que conhece, todas cujo nome ou rosto lhe é familiar; e imagine que todas morreram. Imagine as casas vazias. Imagine a escola vazia, as salas de aula vazias. Todas aquelas pessoas com quem você viveu e que, juntas, formaram a tessitura de seus dias, simplesmente não existem mais. Os eventos de 11 de Setembro deixaram buracos. Buracos nas famílias, buracos nas comunidades. Buracos no chão.

Agora, pense no seguinte: mais de 1 milhão de pessoas foram mortas durante a resposta dos EUA.

As duas décadas desde o 11 de Setembro têm sido uma sucessão de destruição estadunidense por meio da autodestruição, com a promulgação de políticas secretas, leis secretas, tribunais secretos e guerras secretas, cujo impacto traumatizante – cuja própria existência – o governo dos EUA tem repetidamente escondido, negado, renunciado e distorcido. Depois de ter passado cerca de metade desse período como funcionário da CI estadunidense, e aproximadamente a outra metade no exílio, eu sei melhor que a maioria que as agências fazem coisas erradas. Sei também como a coleta e a análise de informações podem alimentar a produção de desinformação e propaganda, para uso igualmente frequente contra os aliados e os inimigos dos EUA – e, às vezes, contra seus próprios cidadãos. Contudo, mesmo com esse conhecimento, ainda me esforço para aceitar a magnitude e a velocidade da mudança de um país que buscou se definir por um respeito calculado e performativo por dissidentes a um estado de segurança cuja polícia militarizada exige total obediência, puxando suas armas e distribuindo a ordem de submissão que passou a ser ouvida em todas as cidades: "Pare de resistir".

É por isso que sempre que tento entender as duas últimas décadas, insisto em voltar àquele setembro – àquele dia zero – e a suas consequências imediatas. Voltar àquela queda significa enfrentar uma verdade mais sombria que as mentiras que ligaram o Talibã ao Al-Qaeda e invocaram o estoque ilusório de armas de destruição em massa de Saddam Hussein. Significa, em última análise, confrontar o fato de que a carnificina e os abusos que marcaram minha idade adulta nasceram não apenas no poder executivo e nas agências de inteligência, mas também no coração e na mente de todos os estadunidenses, o que incluía a mim.

Eu me lembro de ter escapado da massa de espiões em pânico que fugiram de Fort Meade quando a Torre Norte caiu. Uma vez na estrada, eu tentava manobrar com uma mão enquanto apertava botões com a outra, ligando para os parentes indiscriminadamente, sem sucesso. Por fim, consegui entrar em contato com minha mãe, que àquela altura de sua carreira havia saído da NSA e trabalhava como atendente nos tribunais federais de Baltimore. Eles, pelo menos, ainda não haviam sido evacuados.

Sua voz me assustou e, de repente, a única coisa que me importava no mundo era tranquilizá-la.

"Tudo bem. Estou saindo da base", falei. "Ninguém está em Nova York, não é?"

"Não sei. Não consigo falar com a vovó."

"Pop está em Washington?"

"Pelo que sei, pode estar no Pentágono."

Eu não conseguia respirar. Em 2001, meu avô havia se aposentado da Guarda Costeira e agora era agente sênior do FBI, servindo como um dos diretores da seção de aviação. Isso significava que ele passava muito tempo em vários edifícios federais por toda Washington e arredores.

Antes que eu pudesse invocar qualquer palavra de conforto, minha mãe falou de novo:

"Há alguém na outra linha. Pode ser a vovó. Vou desligar."

Como minha mãe não me ligou de volta, tentei ligar para ela incessantemente, mas não consegui. Então, fui para casa esperar, sentado em frente à TV enquanto ficava atualizando as páginas dos sites de notícias. O novo modem a cabo que tínhamos logo mostrou ser mais resistente que todos os satélites de telecomunicações e torres de celular, que estavam falhando em todo o país.

A volta de minha mãe de Baltimore foi árdua em meio ao trânsito provocado pela crise. Ela chegou em lágrimas, mas nós estávamos entre os que tiveram sorte. Meu avô estava a salvo.

Quando vimos meus avós novamente, falamos muito sobre os planos para o Natal, para o Ano Novo, mas o Pentágono e as torres jamais foram mencionados.

Mas meu pai relatou detalhadamente seu 11 de Setembro para mim. Ele estava na sede da Guarda Costeira quando as torres foram atingidas e, com 3 colegas agentes, abandonou sua sala na Diretoria de Operações em busca de uma sala de reuniões que tivesse um monitor para poderem ver a cobertura das notícias. Um jovem oficial passou correndo pelo corredor e disse:

"Eles bombardearam o Pentágono."

Ao se deparar com expressões de descrença, o jovem oficial repetiu:

"Estou falando sério! Eles bombardearam o Pentágono!"

Meu pai correu para a parede de janelas que permitia ver, atravessando o Potomac, cerca de dois quintos do Pentágono e nuvens rodopiantes de densa fumaça preta.

Quanto mais meu pai relatava essa lembrança, mais intrigado eu ficava com a frase: "Eles bombardearam o Pentágono". Toda vez que ele dizia isso, eu me lembro de ter pensado: *Eles? Quem são eles?*.

Os Estados Unidos imediatamente dividiram o mundo em Nós e Eles, e todos estavam conosco ou contra Nós – como o presidente Bush destacou de forma tão memorável enquanto os escombros ainda ardiam. Em meu bairro, as pessoas ostentavam bandeiras estadunidenses novas, como se quisessem mostrar que lado escolheram. Juntavam copos descartáveis vermelhos, brancos e azuis e os colocavam em cada cerca de arame de todas as estradas entre a casa de minha mãe e a de meu pai, formando frases como UNITED WE STAND (Unidos resistimos) e STAND TOGETHER, NEVER FORGET (Resistir juntos, nunca esquecer).

Eu costumava ir às vezes a um campo de tiro; agora, ao lado dos velhos alvos e das silhuetas planas, havia efígies de homens usando turbantes árabes. Armas que estavam definhando havia anos atrás do vidro empoeirado das vitrines agora estavam marcadas como VENDIDAS. Os estadunidenses também faziam fila para comprar celulares, esperando receber um alerta antecipado do próximo ataque, ou pelo menos ter a possibilidade de dizer adeus dentro de um avião sequestrado.

Quase 100 mil espiões voltaram a trabalhar nas agências com a consciência de que haviam fracassado em sua principal tarefa, que era proteger os Estados Unidos. Imagine a culpa que eles sentiam. Eles tinham a mesma raiva que os demais, mas também sentiam a culpa. Mas a avaliação de seus erros poderia esperar; o mais importante naquele momento era se redimirem. Enquanto isso, seus chefes estavam atarefados fazendo campanha para aprovar orçamentos extraordinários e poderes extraordinários, potencializando a ameaça do terrorismo para expandir suas capacidades e autoridade muito além da imaginação não apenas do público, mas também daqueles que carimbavam as aprovações.

O 12 de setembro foi o primeiro dia de uma nova era que os Estados Unidos enfrentaram com uma determinação unificada, fortalecida por um renovado senso de patriotismo e pela boa vontade e compaixão do mundo. Analisando agora, meu país poderia ter feito muito com essa oportunidade; poderia ter tratado o terrorismo não como o fenômeno teológico que pretendia ser, e sim como o crime que era. Poderia ter usado esse raro momento de solidariedade para reforçar valores democráticos e cultivar a resiliência no público global, agora conectado.

Mas, em vez disso, ele foi para a guerra.

O maior arrependimento da minha vida é meu apoio automático e inquestionável a essa decisão. Eu estava indignado, sim, mas isso foi só o começo de um processo no qual meu coração derrotou completamente meu julgamento racional. Eu aceitei como fatos todas as alegações divulgadas pela mídia, e as repetia como se estivesse sendo pago para isso. Eu queria ser um libertador. Queria libertar o oprimido. Eu abracei a verdade construída pelo bem do Estado, que, em minha paixão, confundi com o bem do país. Era como se qualquer princípio individual que eu tinha houvesse ruído – como se o *ethos* hacker anti-institucional incutido em mim pela internet e o patriotismo apolítico que eu herdara de meus pais houvessem sido apagados de meu sistema – e eu tivesse sido reiniciado como um veículo voluntário de vingança. A pior parte da humilhação provém do reconhecimento de como foi fácil essa transformação; com que facilidade eu a recebi de braços abertos.

Acho que eu queria fazer parte de alguma coisa. Antes do 11 de Setembro, eu havia sido ambivalente em relação a servir ao país, porque me parecia inútil ou simplesmente entediante. Todos que eu conhecia que serviram o fizeram na ordem mundial pós-Guerra Fria, entre a queda do Muro de Berlim e os ataques de 2001. Naquela época, que coincidiu com minha juventude, os Estados Unidos não tinham inimigos. O país em que cresci era a única superpotência global, e tudo parecia – pelo menos para mim, ou para as pessoas como eu – próspero e estabelecido. Não havia novas fronteiras a conquistar ou grandes problemas cívicos a resolver, exceto na internet. Mas os ataques do 11 de Setembro mudaram tudo. Agora, por fim, havia uma luta.

Mas minhas opções me desanimaram. Eu achava que poderia servir melhor ao meu país se estivesse atrás de um computador, mas um trabalho normal de TI parecia confortável e seguro demais para esse novo mundo de conflito assimétrico. Eu esperava poder fazer algo como nos filmes ou na TV – aquelas cenas de hackers contra hackers, com paredes de alerta de vírus, rastreando inimigos e frustrando seus esquemas. Mas, infelizmente, as principais agências que faziam isso – a NSA, a CIA – haviam definido seus requisitos para contratação fazia meio século e, exigiam rigidamente um diploma universitário tradicional, o que significava que, embora o ramo da tecnologia considerasse meus créditos AACC e minha certificação MCSE aceitáveis, o governo não. Mas quanto mais eu lia na internet, mais eu percebia que o mundo pós-11 de Setembro era um mundo de exceções. As agências estavam crescendo tanto e tão rapidamente – especialmente no lado técnico –, que às vezes dispensavam a exigência de nível superior para veteranos militares. Foi então que decidi me alistar.

Você pode pensar que minha decisão fazia sentido, ou que era inevitável, dado o histórico de serviço ao país por minha família. Mas não foi. Ao me alistar, eu estava me rebelando contra o legado bem estabelecido no qual eu me encaixava. Porque, depois de conversar com recrutadores de todos os ramos, decidi entrar para o Exército, cuja liderança alguns de minha família da Guarda Costeira sempre consideraram o tio louco das Forças Armadas dos EUA.

Quando contei para minha mãe, ela chorou durante dias. Eu sabia que era melhor que contar a meu pai, que já havia deixado bem claro durante discussões hipotéticas que eu estaria desperdiçando meus talentos técnicos lá. Eu tinha 20 anos; sabia o que estava fazendo.

No dia em que parti, escrevi uma carta a meu pai – à mão, não digitada – explicando minha decisão, e a enfiei por baixo da porta de seu apartamento. E a encerrei com uma frase que ainda me faz estremecer: "Sinto muito, pai, mas isso é vital para meu crescimento pessoal".

9. 18 X-RAY

Entrei para o Exército, como dizia seu slogan, para ser tudo que eu podia ser, e também porque não era a Guarda Costeira. Ajudou o fato de eu ter tirado nota suficiente nas provas de qualificação para ter a chance de sair do treinamento como sargento das Forças Especiais, em um programa que os recrutadores chamavam de 18 X-Ray, criado para aumentar as fileiras das pequenas unidades flexíveis que travavam o mais difícil combate nas guerras cada vez mais sombrias e variadas dos Estados Unidos.

O programa 18 X-Ray era um incentivo considerável, porque, tradicionalmente, antes do 11 de Setembro, eu já deveria estar no Exército antes de ter a chance de frequentar os cursos de qualificação extremamente exigentes das Forças Especiais. O novo sistema selecionava prospectivamente os soldados de frente, identificando os que tivessem mais altos níveis de aptidão física, inteligência e habilidade de aprender idiomas, e usando os incentivos de treinamento especial e avanço rápido na hierarquia para atrair candidatos que poderiam ir para outro lugar. Durante alguns meses eu havia me dedicado a corridas cansativas – eu estava em ótima forma, mas sempre odiei correr – para me preparar antes que meu recrutador ligasse para dizer que minha papelada havia sido aprovada. Eu havia conseguido. Eu era o primeiro candidato que ele inscrevia no programa, e pude notar o orgulho em sua voz quando me disse que depois do treinamento eu provavelmente seria um sargento de Comunicações da Força Especial, ou de Engenharia, ou de Inteligência.

Provavelmente.

Mas, primeiro, eu tinha de passar no treinamento básico em Fort Benning, Geórgia.

Fiquei sentado ao lado do mesmo sujeito o caminho todo, no ônibus, no avião e no ônibus de novo, de Maryland a Geórgia. Ele era enorme, um fisiculturista inchado que pesava entre 90 e 140 quilos. Ele falava sem parar, alternando entre descrever como daria um tabefe na cara do sargento se este fosse atrevido e recomendar os ciclos de esteroides que eu deveria seguir para ficar sarado. Acho que ele não respirou até chegarmos à área de treinamento de Sand Hill, em Fort Benning – que, devo dizer, não parecia ter muita areia.

Os sargentos nos receberam com uma fúria fulminante e nos deram apelidos com base em nossas infrações e nossos erros graves iniciais, como descer do ônibus com uma camisa de cores vivas e estampa floral, ou ter um nome que pudesse ser levemente modificado para algo mais engraçado. Logo eu era Snowflake e meu colega de viagem era Daisy, e só o que ele podia fazer era retesar a mandíbula – ninguém ousava apertar o punho – e ficar puto.

Uma vez que os sargentos perceberam que Daisy e eu já nos conhecíamos, e que eu era o mais leve do pelotão – com pouco mais de 1,70 metro e 56 quilos – e ele o mais pesado, decidiram se divertir colocando-nos juntos o máximo possível. Ainda me lembro de um exercício no qual tínhamos de carregar o parceiro supostamente ferido pela extensão de um campo de futebol usando vários métodos diferentes, como *neck drag* [arrastar pelo pescoço], bombeiro, e o especialmente cômico "noiva". Quando eu tinha de carregar Daisy, desaparecia debaixo de seu corpo. Parecia que Daisy estava flutuando, mas eu estava debaixo dele suando e praguejando, esforçando-me para levar sua bunda gigantesca para o outro lado do campo antes de desmoronar. Daisy se levantava rindo, jogava-me em torno de seu pescoço como uma toalha úmida e saía pulando como uma criança pelo mato.

Estávamos sempre sujos e com o corpo doendo, mas, em poucas semanas, eu adquiri a melhor forma física de minha vida. Minha constituição leve, que antes parecia uma maldição, logo se tornou uma vantagem, porque muito do que fazíamos eram exercícios de peso corporal. Daisy não conseguia escalar uma corda, que eu subia como um esquilo. Ele se esforçava para erguer sua massa incrível acima da barra para fazer o mínimo de levantamentos, ao passo que eu podia fazer o dobro com um só braço.

Ele mal conseguia fazer meia dúzia de flexões antes de começar a suar, ao passo que eu podia fazê-las apoiado nas palmas das mãos ou só em um polegar. Quando fizemos o teste de dois minutos de levantamentos, eles me fizeram parar antes por ter superado a pontuação máxima.

Onde quer que estivéssemos, marchávamos ou corríamos. Corríamos constantemente. Quilômetros antes de comer, quilômetros depois de comer, por estradas e campos e ao redor da pista, enquanto o sargento repetia em cadência:

Eu fui ao deserto
onde os terroristas correm;
puxei meu facão,
puxei minha arma.

Esquerda, direita, esquerda, direita – mate, mate, mate!
Mexa conosco e você sabe que mataremos!

Eu fui às cavernas
onde os terroristas se escondem;
saquei uma granada
e a joguei dentro.

Esquerda, direita, esquerda, direita – mate, mate, mate!
Mexa conosco e você sabe que mataremos!

Correr em formação e repetir em cadência nos acalma, tira-nos de nós mesmos, enche nossos ouvidos com o som de dezenas de homens ecoando sua própria voz, gritando e forçando seus olhos a se fixarem nos passos da pessoa a nossa frente. Depois de um tempo, você não pensa mais, simplesmente conta, e sua mente se dissolve na hierarquia enquanto você cobre quilômetro por quilômetro. Eu diria que isso era sereno, se não fosse tão mortificante. Eu diria que estava em paz, se não estivesse tão cansado. E era exatamente isso que o Exército queria. Os sargentos pressionavam os soldados, não tanto por causa do medo, mas sim por causa da exaustão: nunca valia o esforço. O Exército forma seus combatentes treinando-os até que estejam fracos demais para se importar com qualquer coisa, ou para fazer qualquer outra coisa além de obedecer.

Havia uma única noite no quartel em que podíamos descansar um pouco, e tínhamos de conquistar esse direito passando por nossos beliches recitando Soldier's Creed e depois cantando "The Star-Spangled Banner". Daisy sempre esquecia as palavras. Além disso, ele não conseguia diferenciar os tons.

Alguns rapazes ficavam acordados até tarde falando sobre o que fariam com Bin Laden quando o encontrassem – e todos tinham certeza de que o encontrariam. A maior parte das fantasias tinha a ver com decapitação, castração ou camelos com tesão. Enquanto isso, eu sonhava que corria; não pela paisagem exuberante e argilosa da Geórgia, e sim pelo deserto.

Na terceira ou quarta semana, saímos em uma manobra de navegação terrestre, que é quando o pelotão entra na mata e caminha sobre terrenos variados, rumo a coordenadas predeterminadas, escalando rochas e atravessando riachos, só com um mapa e uma bússola – sem GPS, sem tecnologia digital. Nós havíamos feito algumas versões dessa manobra antes, mas nunca completa, e sempre carregando uma mochila com cerca de 50 quilos de equipamento. O pior era que os coturnos que o Exército me dera eram tão largos que meus pés flutuavam dentro deles. Eu sentia as bolhas se formando nos dedos dos pés no instante em que começava a atravessar a cordilheira.

Lá pelo meio da manobra, eu estava no ponto certo, e subi em uma árvore derrubada pela tempestade – que se arqueava sobre a trilha à altura do peito – para poder calcular um azimute para checar nossa localização. Depois de confirmar que estávamos no caminho certo, fui descer, mas, ao estender um pé, notei uma cobra enrolada bem abaixo de mim. Eu não sou naturalista, então não sei que espécie de cobra era, mas não me interessava. As crianças na Carolina do Norte crescem sendo informadas de que todas as cobras são fatais, e eu não ia começar a duvidar disso naquele momento.

Então, comecei a tentar andar no ar. Ampliei o passo de meu pé estendido uma vez, duas vezes, contorcendo-me para cobrir a distância a mais, quando, de repente, percebi que estava caindo. Quando meus pés tocaram o chão, a certa distância da cobra, senti um fogo subindo por minhas pernas, mais doloroso que qualquer picada de cobra que eu pudesse imaginar. Alguns passos cambaleantes – que tive que dar para recuperar o equilíbrio – indicaram-me que havia algo errado. Gravemente errado. Eu sentia uma dor quase insuportável, mas não conseguia parar, porque eu estava no Exército, e o Exército estava no meio da floresta. Reuni minha determinação, ignorei a dor e me concentrei apenas em manter um ritmo constante – esquerda, direita, esquerda, direita –, torcendo para que a cadência me distraísse.

Estava cada vez mais difícil andar, e a única razão de resistir e acabar a manobra era que eu não tinha escolha. Quando cheguei ao quartel, minhas pernas estavam dormentes. Minha cama ficava na parte de cima do beliche, e eu mal consegui subir; tive que me segurar na viga, levantar o tronco como se estivesse saindo de uma piscina e arrastar parte inferior do corpo.

Na manhã seguinte, fui arrancado de um sono agitado pelo estrépito de uma lata de lixo de metal jogada na janela – um toque de despertar que significava que alguém não havia feito seu trabalho de forma que satisfizesse o sargento. Eu me levantei automaticamente, joguei as pernas para fora da cama e pulei no chão. Quando caí, minhas pernas cederam. Dobraram-se e eu caí. Era como se eu não tivesse pernas.

Tentei me levantar segurando-me na cama de baixo do beliche para tentar içar o corpo com os braços de novo, mas assim que mexi as pernas, todos os músculos de meu corpo falharam e eu desabei imediatamente.

Enquanto isso, uma multidão se reuniu ao meu redor; risadas se transformaram em preocupação, e depois em silêncio quando o sargento se aproximou.

"O que é que há com você, *brokedick?**", disse. "Levante-se do chão antes que eu faça de você parte permanente dele."

Ao ver a agonia atravessar meu rosto quando eu imediata e imprudentemente tentei atender a seus comandos, ele pousou a mão em meu peito para me impedir.

"Daisy! Leve Snowflake para o banco."

Então, ele se agachou sobre mim, como se não quisesse que os outros o ouvissem ser gentil, e disse em voz baixa e raspada:

"Assim que abrir, soldado, arraste essa sua bunda quebrada para a enfermaria."

Ele usou o termo Sick Call, que é aonde o exército manda seus feridos para que sejam maltratados por profissionais.

É um grande estigma ferir-se no Exército, principalmente porque a instituição se dedica a fazer que seus soldados se sintam invencíveis; mas também porque gosta de se proteger de acusações de treinamento inadequado. É por isso que quase todos os soldados em treinamento que sofrem lesões são tratados como chorões, ou, pior ainda, malandros.

Depois de me carregar até o banco, Daisy teve de ir. Ele não estava ferido, e os feridos eram mantidos em um lugar separado. Nós éramos os intocáveis, os leprosos, os soldados que não podiam treinar por causa de

---

* No jargão militar, *brokedick* é usado em referência àquele que se machuca e não consegue cumprir suas tarefas, especialmente quando se suspeita de que está fingindo. (N.T.)

qualquer coisa, desde entorses, lacerações e queimaduras até tornozelos quebrados e picadas de aranha necrosadas. Meus novos companheiros de batalha sairiam agora desse banco da vergonha. Um companheiro de batalha é a pessoa que, por norma, vai aonde quer que você vá, assim como você vai a todos os lugares a que ele vá, para não haver a mais remota chance de um dos dois ficar sozinho. Ficar sozinho pode levar a pensar, e pensar pode causar problemas no Exército.

O companheiro de batalha que me foi designado era inteligente, bonito, ex-modelo de catálogo tipo Capitão América, que havia machucado o quadril cerca de uma semana antes, mas não dera importância, até que a dor se tornara insuportável e o deixara aleijado como eu. Nenhum dos dois se sentia à vontade para conversar, por isso guardamos um silêncio sinistro – esquerda, direita, esquerda, direita, mas devagar. No hospital, fizeram-me radiografias e me informaram que eu tinha fratura bilateral de tíbia. São fraturas por estresse, fissuras na superfície dos ossos que podem se aprofundar com o tempo e a pressão e se quebrarem até chegar à medula. A única coisa que eu podia fazer para me recuperar era não usar as pernas. Foi com essas ordens que fui dispensado da sala de exames para voltar ao batalhão.

Só que eu não podia ir ainda, porque tinha de esperar meu companheiro de batalha. Ele havia entrado para fazer radiografias depois de mim e não havia voltado. Presumi que ainda estava sendo examinado, e esperei. E esperei. Passaram-se horas. Passei o tempo lendo jornais e revistas, um luxo impensável para alguém do treinamento básico.

Um enfermeiro se aproximou e disse que meu sargento estava ao telefone. Quando fui mancando atender à ligação, ele ficou lívido.

"Snowflake, está curtindo a leitura? Quer um pudim, e umas Cosmo para levar para as garotas? Por que diabos ainda está aqui?"

"Sargento Sam", falei, com meu sotaque sulista ressurgido, "estou esperando meu companheiro de batalha, sargento Sam".

"E onde diabos ele está, Snowflake?"

"Sargento Sam, não sei. Ele entrou na sala de exames e não saiu, Sargento Sam."

Ele não ficou satisfeito com a resposta e rosnou ainda mais alto:

"Saia daqui com essa sua bunda aleijada e vá procurá-lo, porra."

Eu me levantei e me debrucei no balcão de admissão para perguntar. Meu companheiro de batalha estava em cirurgia, disseram.

Foi só à noite, depois de uma série de telefonemas do sargento, que descobri o que havia acontecido. Meu companheiro de batalha ficara andando uma semana com o quadril quebrado, aparentemente, e se não tivesse sido levado para cirurgia imediatamente, poderia ter ficado incapacitado pelo resto da vida. Os nervos principais poderiam ter sido cortados, pois a fratura era afiada como uma faca.

Fui mandado sozinho de volta a Fort Benning, de volta ao banco. Quem ficasse no banco por mais de três ou quatro dias corria sério risco de ser reciclado – forçado a começar o treinamento básico do zero –, ou, pior, de ser transferido para a Unidade Médica e mandado para casa. Aqueles homens haviam sonhado em estar no Exército a vida toda; para eles, o Exército era a única maneira de ficar longe de famílias cruéis e carreiras sem saída, e agora, tinham de enfrentar a perspectiva de fracasso e um retorno à vida civil irreparavelmente lesionados.

Nós éramos os descartados, os zumbis feridos, os guardas do inferno, que não tinham outro dever além de ficar sentados em um banco diante de uma parede de tijolos doze horas por dia. Devido a nossos ferimentos, éramos considerados impróprios para o Exército, e então, tínhamos que pagar por isso sendo separados e evitados, como se os sargentos tivessem medo de contaminar os outros com nossa fraqueza ou com as ideias que pudessem nos ocorrer sentados ali no banco. Éramos punidos com mais que a dor dos ferimentos, excluídos de pequenas alegrias, como ver os fogos de artifício no dia 4 de julho. Em vez disso, fizemos a guarda dos fogos naquela noite nos quartéis vazios, uma tarefa que consistia em vigiar para garantir que o prédio vazio não ardesse em chamas.

Fizemos a guarda dos fogos em dois por turno, e eu fiquei no escuro com minhas muletas fingindo ser útil, ao lado de meu parceiro. Ele era meigo, simples, corpulento, com 18 anos de idade e uma lesão duvidosa, talvez autoinfligida. Segundo ele, jamais deveria ter se alistado. Os fogos de artifício estouravam ao longe enquanto ele me contava o erro que cometera e como se sentia insuportavelmente solitário; quanto sentia falta dos pais e de casa, da fazenda da família em Appalachia.

Eu demonstrava compaixão, mas não havia muito que eu pudesse fazer além de mandá-lo falar com o capelão. Tentei lhe dar conselhos, mas não deu certo; talvez funcione melhor quando você está acostumado a fazer isso. Então, ele colocou seu corpanzil na minha frente, e de uma maneira cativantemente infantil, disse que ia embora – sair sem permissão era um crime nas Forças Armadas –, e me perguntou se eu contaria a alguém. Foi só então que notei que ele estava com sua bolsa de roupas limpas. Ele queria dizer que estava indo embora naquele momento.

Eu não sabia como lidar com a situação, só tentei fazê-lo pensar bem. Alertei-o dizendo que sair sem permissão era uma má ideia, que ele acabaria com um mandado de prisão pelo resto da vida e qualquer policial do país poderia pegá-lo. Mas ele só balançou a cabeça. Disse que onde morava, no fundo das montanhas, nem havia policiais. Disse que aquela era sua última chance de ser livre.

Percebi que ele estava decidido. Ele tinha muito mais mobilidade que eu, e era grande. Se ele saísse correndo, eu não poderia ir atrás dele; se eu tentasse detê-lo, ele poderia me quebrar ao meio. Tudo que eu podia fazer era denunciá-lo, mas se fizesse isso, seria penalizado por ter deixado a conversa chegar tão longe sem pedir reforços ou bater nele com minha muleta.

Eu estava furioso. Percebi que estava gritando com ele. Por que ele não esperara até eu ir ao banheiro para fazer isso? Por que estava me colocando nessa posição?

"Você é o único que ouve", disse ele baixinho, e começou a chorar.

A parte mais triste daquela noite foi que eu acreditei nele. Em companhia de 250 pessoas, ele estava sozinho. Ficamos em silêncio enquanto os fogos de artifício explodiam na distância. Eu suspirei e disse:

"Tenho de ir ao banheiro. Vou demorar um pouco."

Então, saí mancando sem olhar para trás.

Foi a última vez que o vi. Acho que percebi, ali, naquele momento, que eu também não ficaria muito tempo no Exército.

Minha próxima consulta médica foi meramente uma confirmação disso.

O médico era um sulista alto e magricela, com uma atitude amarga. Depois de me examinar e fazer outras radiografias, disse que eu não estava em condições de continuar com meu batalhão. A próxima fase de treinamento seria no ar, então ele disse:

"Filho, se você pular sobre essas pernas, elas se transformarão em pó."

Fiquei desanimado. Se eu não terminasse o ciclo básico, perderia minha vaga no 18 Ray-X, o que significava que seria transferido segundo as necessidades do Exército. Eles podiam me transformar no que quisessem: infantaria regular, mecânico, escriturário, descascador de batatas, ou – e esse era meu maior pesadelo – me pôr para trabalhar com TI no Help Desk do Anne.

O médico deve ter notado meu desânimo, porque pigarreou e me deu uma opção: eu poderia ser reciclado e tentar a sorte com uma transferência, ou ele poderia me dispensar na categoria afastamento administrativo. Como explicou, era um tipo especial de baixa, não caracterizado nem como honorável nem como desonroso, e disponível apenas para alistados que estivessem no serviço havia menos de seis meses. Era um claro rompimento, mais como uma anulação que como um divórcio, e poderia ser resolvido rapidamente.

Admito que a ideia me atraiu. No fundo, até pensei que poderia ser um tipo de recompensa cármica pela misericórdia que eu demonstrara pelo rapaz de Appalachia que havia desertado. O médico me deixou pensar, e quando voltou, uma hora depois, eu aceitei sua oferta.

Pouco tempo depois, fui transferido para a Unidade Médica, onde me disseram que, para o afastamento administrativo eu teria que assinar uma declaração atestando que estava bem melhor, que meus ossos estavam curados. Minha assinatura era uma exigência, mas a questão foi apresentada como mera formalidade. Só alguns rabiscos e eu poderia ir embora.

Enquanto eu segurava a declaração em uma mão e a caneta na outra, um sorriso cobriu meu rosto. Reconheci a manobra. Aquilo que eu julgava ser uma oferta gentil e generosa feita por um médico do Exército a um recruta debilitado, era a maneira de o governo evitar ser responsabilizado por uma eventual deficiência minha. Sob as regras militares, se eu houvesse recebido dispensa médica, o governo teria de pagar as contas de qualquer problema decorrente de minha lesão, qualquer tratamento necessário. Já uma dispensa administrativa oneraria a mim, e minha liberdade dependia de minha vontade de aceitar esse fardo.

Eu assinei e fui embora naquele mesmo dia, com as muletas que o Exército me deixou levar.

10. LIBERADO E APAIXONADO

Não me lembro exatamente quando, durante minha convalescença, comecei a pensar com clareza de novo. Primeiro a dor diminuiu, e então, gradualmente, a depressão diminuiu também, e depois de semanas acordando sem nenhum propósito além de ver o relógio mudar as horas lentamente, comecei a dar ouvidos ao que todo mundo me dizia: eu ainda era jovem e tinha um futuro pela frente. Mas só senti isso quando por fim consegui ficar em pé e andar sozinho. Era uma das muitas coisas que, assim como o amor de minha família, eu simplesmente dava por certo antes.

Ao fazer minhas primeiras incursões no pátio fora do apartamento de minha mãe, percebi que havia outra coisa que eu havia dado por certa: meu talento para entender a tecnologia.

Desculpe se parço arrogante, mas não há outra maneira de dizer isso: eu sempre me senti tão à vontade com computadores que quase não levava minhas habilidades a sério, e não queria ser elogiado por elas ou ser bem-sucedido por causa delas. Eu queria ser elogiado e bem-sucedido em outra coisa; algo que fosse mais difícil para mim. Queria mostrar que não era apenas um cérebro dentro de um pote, que também era formado por coração e músculos.

Isso explicava minha época no Exército. E durante minha convalescença, percebi que, embora a experiência houvesse ferido meu orgulho, melhorara minha confiança. Eu estava mais forte, não tinha medo da dor, ao contrário, era grato por ter sido melhorado por ela. A vida além do arame farpado estava ficando mais fácil. No fim das contas, o Exército só me custara meu cabelo, que logo cresceu de novo, e um andar manco, que estava melhorando.

Eu estava pronto para encarar os fatos: se ainda tinha o desejo de servir a meu país, e certamente o faria, teria de fazê-lo com minha cabeça e minhas mãos – com a computação. Assim, e somente assim, eu daria o melhor a meu país. Embora eu não fosse um veterano, ter passado pelo escrutínio militar só aumentaria minhas chances de trabalhar em uma agência de inteligência, que era onde meus talentos seriam mais necessários, e, talvez, mais desafiados.

Assim, aceitei o que agora vejo que era inevitável: a necessidade de uma credencial para ter acesso à informação. Em geral, existem 3 níveis de credenciais; de baixo para cima: Confidencial, Secreto e Ultrassecreto (Top Secret). Este último pode ser estendido com um qualificador Informações Confidenciais Compartimentadas, criando o cobiçado acesso TS/SCI exigido para cargos nas agências de primeira linha – CIA e NSA. O TS/SCI era, de longe, a mais difícil credencial a se obter, mas também abria o máximo de portas, e assim, voltei para a faculdade comunitária Anne Arundel enquanto procurava empregos que me favorecessem para obter o penoso certificado de acesso SSBI, Single Scope Background Investigation. Como o processo de aprovação de um TS/SCI pode levar um ano ou mais, eu o recomendo, de coração, a quem esteja se recuperando de uma lesão. Basta preencher uns papéis e ficar sentado com os pés para cima, tentando não cometer muitos crimes enquanto o governo federal dá seu veredicto. O resto não está em suas mãos.

No papel, eu era um candidato perfeito. Era filho de uma família que servia ao país; quase todos os adultos da família tinham algum nível de credencial; eu tentara me alistar e lutar por meu país, até que um infeliz acidente me fez sair. Não tinha antecedentes criminais nem o hábito de usar drogas. Minha única dívida era o empréstimo estudantil de minha certificação da Microsoft, e eu ainda não havia atrasado nenhuma parcela.

Mas é claro que nada disso me impedia de ficar nervoso.

Eu ia e voltava de carro das aulas da AACC, enquanto o National Background Investigations Bureau vasculhava quase todos os aspectos da minha vida e entrevistava quase todo mundo que eu conhecia: meus pais, minha família, meus colegas e amigos. Consultaram meu maculado histórico escolar e tenho certeza de que falaram com alguns dos meus professores. Tenho a impressão de que falaram com Mae e Norm, e com um sujeito com quem trabalhei durante um verão em um estande da Sno-Cone no Six Flags America. O objetivo de toda essa verificação de antecedentes não era só descobrir o que eu havia feito de errado, mas também se havia como eu ser comprometido ou chantageado. Para a CI, o mais importante não é que você esteja 100% limpo, porque, se fosse esse o caso, não contrataria ninguém. O que importa é que você seja roboticamente honesto, que não haja nenhum segredo sujo por aí que você esteja escondendo e que poderia ser usado contra você – e, portanto, contra a agência – por um poder inimigo.

Isso, é claro, me fez pensar – sentado, preso no trânsito, enquanto todos os momentos de minha vida dos quais me arrependia ficavam girando dentro da minha cabeça. Nada que eu pudesse recordar teria feito levantar nem um pelo da sobrancelha de investigadores que estão acostumados a descobrir que o analista de meia-idade gosta de usar fraldas e ser espancado por vovós com roupas de couro. Mesmo assim, havia uma paranoia gerada pelo processo, porque você não precisa ser um fetichista para ter feito coisas embaraçosas que pessoas estranhas poderiam entender mal se ficassem sabendo. Ora, eu cresci na internet! A pessoa que não digitou algo vergonhoso ou grosseiro no navegador de pesquisa não usa a internet há muito tempo. Se bem que eu não estava preocupado com pornografia. Todo mundo vê pornografia, e se você está sacudindo a cabeça, não se preocupe: seu segredo está seguro comigo. Minhas preocupações eram mais pessoais, ou me pareciam mais pessoais: a lista interminável de coisas idiotas que eu havia dito, e as opiniões misantrópicas ainda mais idiotas que havia abandonado durante minha fase de crescimento on-line. Especificamente, eu estava preocupado com os registros de meus chats e postagens em fóruns, com os comentários extremamente imbecis que havia espalhado em vários sites de jogos e de hackers. Escrever sob um pseudônimo significava se expressar livremente, mas, muitas vezes, sem pensar. E como um aspecto importante da cultura inicial da internet era competir com os outros para dizer a coisa mais provocadora, eu nunca hesitava em defender, digamos, o bombardeio de um país que taxasse videogames, ou o isolamento em campos de reeducação das pessoas que não gostavam de anime. Ninguém nesses sites levava nada disso a sério, muito menos eu.

Quando reli os posts, fiquei apreensivo. Em metade das coisas que eu havia dito na época eu nem acreditava; só queria atenção. Mas não queria ter de explicar isso a um homem de cabelos grisalhos e óculos de casco de tartaruga que ficasse me olhando por cima de uma pasta gigante rotulada REGISTRO PERMANENTE. A outra metade, as coisas em que acho que acreditava na época, eram ainda piores, porque eu não era mais aquela criança. Eu havia crescido. Não era só porque eu não reconhecia aquela voz como minha; mas porque agora eu francamente me opunha a essas opiniões superaquecidas e cheias de hormônios. Descobri que eu queria discutir com um fantasma. Eu queria brigar com aquele eu imbecil, pueril e casualmente cruel que não existia mais. Não suportava pensar em ser assombrado por ele para sempre, mas não sabia como expressar meu remorso e me afastar dele, nem se eu deveria tentar fazer isso. Era abominável ficar tão ligado tecnologicamente a um passado do qual eu me arrependia totalmente, mas mal recordava.

Talvez esse seja o problema mais familiar para minha geração, a primeira que cresceu on-line. Éramos capazes de descobrir e explorar nossa identidade quase que totalmente sem supervisão, sem pensar no fato de que nossas observações precipitadas e brincadeiras profanas seriam preservadas para sempre, e que um dia poderíamos ser responsabilizados por elas. Tenho certeza de que qualquer um que teve conexão com a internet antes de ter um emprego se identifica com isso. Tenho certeza de que todo mundo tem aquele post que lhe causa vergonha, ou aquela mensagem ou e-mail que poderia até causar uma demissão.

Mas minha situação era um pouco diferente. A maioria dos grupos de mensagens de minha época deixava excluir as postagens antigas. Eu poderia criar um script minúsculo, nem sequer um programa de verdade, e todos os meus posts desapareceriam em menos de uma hora. Teria sido a coisa mais fácil do mundo. Acredite, eu cogitei fazer isso.

Mas, no fim das contas, não consegui. Alguma coisa me impedia. Parecia errado. Apagar minhas postagens da face da Terra não era ilegal, e não teria sequer me tornado inelegível para uma credencial oficial se alguém houvesse descoberto. Mas a ideia de fazer isso me incomodava. Teria servido só para reforçar alguns dos preceitos mais corrosivos da vida on-line: que ninguém jamais pode cometer um erro, e se cometer, teria de responder por ele para sempre. O que me importava não era tanto a integridade do registro escrito, e sim de minha alma. Eu não queria viver em um mundo no qual todos tinham que fingir que eram perfeitos, porque esse era um mundo que não tinha lugar para mim ou para meus amigos. Apagar esses comentários seria apagar quem eu era, de onde eu vinha e aonde chegaria. Negar meu eu mais jovem teria sido negar a validez de meu eu presente.

Decidi deixar os comentários lá e tentar viver com eles. Inclusive, decidi que a verdadeira fidelidade a essa postura exigiria que eu continuasse postando. Com o tempo, essas novas opiniões foram mudando também, mas meu impulso inicial permanece inabalável, até porque foi um passo importante para minha maturidade. Não podemos apagar as coisas que fizemos e que nos envergonham na internet. Só o que podemos fazer é controlar nossas reações – caso contrário, deixamos o passado nos oprimir ou aceitamos suas lições, crescemos e seguimos em frente.

Esta foi a primeira coisa que se pode chamar de um princípio que me ocorreu durante esse tempo ocioso, mas formativo; e embora fosse difícil, tentei viver com isso.

Acredite ou não, os únicos rastros on-line de minha existência cujas iterações do passado nunca me provocaram constrangimento foram meus perfis em sites de namoro. Acho que é porque os escrevi com a expectativa de que as palavras fossem realmente significativas, uma vez que o propósito daquilo era que alguém na vida real se interessasse por eles e, por extensão, por mim.

Eu havia entrado em um site chamado HotOrNot.com, que era o mais popular dos sites de avaliação do início dos anos 2000, como o RateMyFace e o AmIHot (seus recursos mais eficazes foram combinados por um jovem chamado Mark Zuckerberg para criar um site chamado FaceMash, que mais tarde se tornou o Facebook). O HotOrNot era o mais popular desses sites de avaliação pré-Facebook por um motivo simples: era o melhor dos poucos que tinham um componente de namoro.

Funcionava basicamente assim: os usuários votavam nas fotos uns dos outros: Hot or Not (gostoso ou não).

Havia uma função extra para usuários registrados como eu, que era a possibilidade de entrar em contato com outros também registrados se cada um avaliasse as fotos do outro como Hot e clicado em Meet Me (venha me conhecer). Foi por meio desse processo banal e grosseiro que eu conheci Lindsay Mills, minha companheira e o amor de minha vida.

Olhando as fotos agora, eu me divirto vendo que a Lindsay de 19 anos era atrapalhada, desajeitada e tinha uma timidez cativante. Mas, para mim, na época, ela era uma loura ardente, absolutamente vulcânica. E as fotos em si eram lindas; tinham uma grande qualidade artística, autorretratos mais que selfies. Chamavam a atenção e capturavam o olhar. Brincavam tímidas com luz e sombra. Tinham uma pitada de diversão transcendente: como uma foto, tirada dentro do laboratório fotográfico onde ela trabalhava, e outra na qual ela nem está de frente para a câmera.

Eu a classifiquei como Hot, um 10 perfeito. Para minha surpresa, deu *match* (ela me deu 8, que anjo), e logo estávamos conversando. Lindsay estudava fotografia artística. Tinha um site, onde mantinha um diário e postava mais fotos: florestas, flores, fábricas abandonadas e – as minhas favoritas – mais dela.

Eu vasculhei a Web e fui usando cada fato novo que encontrava sobre ela para criar uma imagem mais completa: a cidade onde nasceu (Laurel, Maryland), o nome de sua faculdade (MICA, Maryland Institute College of Art). Um dia, acabei admitindo que a estava stalkeando. Eu me senti um imbecil, mas ela me interrompeu:

"Eu andei pesquisando sobre você também", disse.

E listou uma série de fatos sobre mim.

Essas suas palavras estavam entre as mais doces que já havia ouvido, mas eu estava relutante a conhecê-la pessoalmente. Marcamos um encontro, e conforme os dias passavam, meu nervosismo aumentava. É assustador mudar um relacionamento on-line para off-line. Seria assustador, mesmo em um mundo sem assassinos e golpistas. Segundo minha experiência, quanto mais conversarmos com uma pessoa on-line, mais nos decepcionamos ao conhecê-la pessoalmente. Coisas tão fáceis de dizer na tela se tornam as mais difíceis de falar cara a cara. A distância favorece a intimidade: ninguém fala mais abertamente do que quando está sozinho em uma sala, conversando com uma pessoa invisível também sozinha em outra sala. Mas, ao conhecer essa pessoa, você perde sua latitude. A conversa se torna mais segura e mais mansa – uma conversa comum em um campo neutro.

On-line, Lindsay e eu havíamos nos tornado confidentes, e eu tinha medo de perder nossa conexão pessoalmente. Em outras palavras, tinha medo de ser rejeitado.

Mas não deveria.

Lindsay – que insistiu em dirigir – disse que iria me buscar no apartamento de minha mãe. Na hora marcada, encontrou-me do lado de fora, no frio crepuscular, guiando-a por telefone por meio das ruas de nomes parecidos e aparência idêntica do condomínio de minha mãe. Eu estava de olho para ver um Chevy Cavalier dourado 1998 quando, de repente, fiquei cego, atingido no rosto por um raio de luz que partia do meio-fio. Era Lindsay piscando os faróis para mim na neve.

"Aperte o cinto."

Essas foram as primeiras palavras que Lindsay me disse pessoalmente quando entrei no carro dela. E a seguir:

"Quais são os planos?"

Foi então que percebi que, apesar do tanto que andara pensando nela, não havia pensado sobre nosso destino.

Se eu estivesse naquela situação com qualquer outra mulher, teria improvisado um pretexto qualquer. Mas com Lindsay era diferente. Com Lindsay, isso não tinha importância. Ela nos conduziu por sua estrada preferida – ela tinha uma estrada preferida – e conversamos até estarmos a quilômetros de Guilford; e acabamos no estacionamento do Laurel Mall. Ficamos sentados dentro do carro dela conversando.

Foi perfeito. Conversar cara a cara acabou sendo apenas uma extensão de todas as nossas ligações, e-mails e chats. Nosso primeiro encontro foi uma continuação de nosso primeiro contato on-line e o início de uma conversa que durará o tempo que quisermos. Conversamos sobre nossas famílias, ou o que restara delas. Os pais de Lindsay também eram divorciados: sua mãe e seu pai viviam a vinte minutos de distância, e, quando criança, Lindsay era levada constantemente de uma casa para a outra. Vivia de mochila pronta. Segundas, quartas e sextas, ela dormia em seu quarto na casa da mãe. Terças, quintas e sábados, em seu quarto na casa do pai. O domingo era o dia dramático, porque ela tinha de escolher.

Ela disse que eu tinha muito mau gosto e criticou a roupa que eu havia escolhido para sair com ela: uma camisa estampada com *metallic flames* sobre uma regata e jeans (lamento). Contou-me sobre os outros dois sujeitos com quem estava saindo – o que já havia mencionado on-line –, e Maquiavel teria corado ao ver como comecei a sabotá-los (não lamento). Eu também lhe contei tudo, inclusive que não poderia falar sobre meu trabalho – o trabalho que eu ainda nem tinha. Foi ridículo e pretensioso de minha parte, e ela deixou isso claro ao assentir gravemente.

Eu lhe disse que estava preocupado com o teste do polígrafo que precisava fazer para obter minha credencial, e ela se ofereceu para treinar comigo – um tipo bobo de preliminares. Sua filosofia de vida era o treinamento perfeito: "diga o que quiser, diga quem você é, nunca se envergonhe disso". Se eles o rejeitarem, problema deles. Eu nunca me senti tão à vontade com alguém, e nunca estive tão aberto a críticas a meus defeitos. Até deixei que ela tirasse uma foto minha.

Fiquei com a voz dela na cabeça enquanto me dirigia ao complexo de nome estranho – Friendship Annex – da NSA para a entrevista final para obter minha credencial. Encontrei-me em uma sala sem janelas, amarrado como um refém a uma cadeira fuleira de escritório. Em volta de meu peito e estômago havia tubos pneumográficos que mediam minha respiração. Uns clipes na ponta de meus dedos mediam minha atividade eletrodérmica; um manguito ao redor de meu braço media minha frequência cardíaca, e uma almofada com sensor na cadeira detectava toda minha inquietação e meus movimentos. Todos esses dispositivos me embrulhando, beliscando, algemando e amarrando firmemente estavam conectados ao grande polígrafo preto situado na mesa a minha frente.

Atrás da mesa, em uma cadeira mais bonita, estava a operadora do polígrafo. Ela me lembrava de uma professora que eu tive, e passei boa parte do teste tentando lembrar o nome dela; ou tentando não lembrar. A operadora começou a fazer perguntas. As primeiras eram simples: meu nome era Edward Snowden? Minha data de nascimento era 21/06/1983? E a seguir: Eu já havia cometido um crime grave? Já tivera algum problema com jogo? Já tivera problemas com álcool ou tomara drogas ilícitas? Já havia sido agente de uma potência estrangeira? Já havia defendido a derrubada violenta do governo dos Estados Unidos? As únicas respostas admissíveis eram binárias: "Sim" e "Não". Eu respondi muitos "Nãos", e fiquei esperando as perguntas que temia: Você já contestou a competência e o caráter da equipe médica de Fort Benning on-line? O que você estava procurando na rede do Laboratório Nuclear de Los Alamos? Mas essas perguntas não aconteceram e, antes que eu me desse conta, o teste havia acabado.

Passei com louvor.

Conforme requerido, eu tive que responder à mesma série de perguntas 3 vezes, e passei em todas, o que significa que não só me qualifiquei para o TS/SCI, como também para o Escopo Completo do Polígrafo, a maior credencial da Terra.

Eu tinha uma namorada que eu amava e estava no topo do mundo. Eu tinha 22 anos.

PARTE II

11. O SISTEMA

Vou apertar o *pause* aqui um instante para explicar algo sobre meus princípios políticos aos 22 anos: eu não tinha nenhum. Como a maioria dos jovens, eu tinha convicções sólidas, mas me recusava a aceitar que não eram minhas de verdade, e sim um conjunto contraditório de princípios herdados. Minha mente era uma mistura dos valores com que eu havia crescido e os ideais que encontrara na internet. Só aos 20 e tantos anos foi que por fim entendi que aquilo em que eu acreditava, ou em que julgava acreditar, era apenas impressão juvenil. Nós aprendemos a falar imitando o discurso dos adultos a nossa volta, e nesse processo de aprendizado, acabamos imitando suas opiniões; até nos iludimos pensando que as palavras que usamos são nossas.

Meus pais, se é que não desprezavam a política em geral, com certeza desprezavam os políticos. Mas esse desprezo tinha pouco a ver com o desinteresse dos não votantes ou o desdém partidário. Era certo distanciamento confuso particular de sua classe, que tempos mais nobres chamavam de serviço público federal ou setor público, mas que nosso tempo atual tende a qualificar como Deep State (Estado profundo), ou governo nas sombras. Mas, nenhum desses epítetos capta o que é: uma classe de funcionários públicos de carreira (aliás, talvez uma das últimas classes médias funcionais na vida estadunidense) que, não eleitos e não indicados, servem ao governo ou trabalham nele, seja em uma das agências independentes (como CIA, NSA, IRS, FCC, e assim por diante) ou em um dos departamentos executivos (Estado, Tesouro, Defesa, Justiça e afins).

Esses eram meus pais, essa era minha família: parte de uma força de trabalho governamental de quase 3 milhões de profissionais dedicados a ajudar os amadores eleitos, e os nomeados pelos eleitos, no cumprimento de seus deveres políticos – ou, nas palavras do juramento, executando fielmente seus ofícios. Esses funcionários públicos, que permanecem em seus cargos enquanto as administrações vêm e vão, trabalham tão diligentemente com os republicanos quanto com os democratas, porque trabalham para o governo, proporcionando continuidade central e estabilidade de governo.

Essas também foram as pessoas que, quando seu país foi à guerra, atenderam ao chamado. Foi o que eu fiz depois do 11 de Setembro, e descobri que o patriotismo que meus pais haviam me ensinado fora facilmente convertido em fervor nacionalista. Por um tempo, especialmente em minha corrida para entrar no Exército, meu senso de mundo assemelhava-se à dualidade dos videogames menos sofisticados, nos quais o bem e o mal são claramente definidos e inquestionáveis.

No entanto, quando saí do Exército e passei a me dedicar à computação, gradualmente fui me arrependendo de minhas fantasias marciais. Quanto mais desenvolvia minhas habilidades, mais amadurecia e percebia que a tecnologia das comunicações tinha uma chance de sucesso, em que a tecnologia da violência havia falhado. A democracia nunca poderia ser imposta sob o cano de uma arma; mas talvez pudesse ser semeada pela disseminação de silício e fibra. No início dos anos 2000, a internet estava começando a aprender a andar, e pelo menos para mim, oferecia uma encarnação mais autêntica e completa dos ideais estadunidenses do que a oferecida pelos próprios Estados Unidos. Era um lugar onde todos eram iguais; um lugar dedicado à vida, à liberdade e à busca da felicidade. O fato de que quase todos os principais documentos fundadores da cultura da internet se apresentassem em termos reminiscentes da história estadunidense ajudava; ali estava a nova fronteira selvagem que pertencia a qualquer pessoa ousada o bastante para se estabelecer, rapidamente colonizada por governos e interesses corporativos que buscavam regulá-la para obter poder e lucro. As grandes empresas – que cobravam altos preços por hardwares, softwares, ligações telefônicas de longa distância que você necessitava antigamente para estar on-line, e o conhecimento em si, que era herança comum da humanidade e, por todos os direitos, deveria estar disponível de graça – eram irresistíveis avatares contemporâneos dos britânicos, cuja tributação severa inflamara o fervor pela Independência.

Essa revolução não estava acontecendo nos livros de história, e sim agora, em minha geração, e qualquer um de nós poderia fazer parte dela apenas com nossas habilidades. Foi emocionante participar da fundação de uma nova sociedade, baseada não no local onde nascemos, ou em como fomos criados, ou em nossa popularidade na escola, e sim em nosso conhecimento e capacidade tecnológica. Na escola, eu tive de decorar o preâmbulo da Constituição dos Estados Unidos; e suas palavras passaram a estar alojadas em minha memória junto com *A declaração da independência do ciberespaço*, de John Jerry Barlow, que utilizou o mesmo óbvio plural majestático: "Estamos criando um mundo no qual todos podem entrar sem privilégios ou preconceitos concedidos por raça, poder econômico, força militar ou estação de nascimento. Estamos criando um mundo no qual qualquer pessoa, em qualquer lugar, pode expressar suas crenças, por mais singulares que elas sejam, sem medo de ser coagida ao silêncio ou à conformidade".

Essa meritocracia tecnológica foi certamente empoderadora, mas também pode ser humilhante, como vim a entender quando trabalhei pela primeira vez na CI. A descentralização da internet só enfatizou a descentralização da expertise em computação. Eu poderia ter sido o mais competente em computação da minha família ou meu bairro, mas trabalhar na CI significava testar minhas habilidades contra todas as pessoas do país e do mundo. A internet me mostrou a enorme quantidade e variedade de talentos que existiam e deixou claro que, para florescer, eu precisava me especializar.

Havia algumas carreiras disponíveis para mim como tecnólogo. Eu poderia ter me tornado desenvolvedor de software – ou como esse trabalho é mais comumente chamado, programador –, escrever os códigos que fazem os computadores funcionarem. Ou poderia ter me tornado especialista em hardware ou redes, configurando os servidores em suas prateleiras e controlando os fios, tecendo a tessitura maciça que conecta cada computador, cada dispositivo e cada arquivo. Computadores e programas de computador eram interessantes para mim, assim como as redes que os ligavam. Mas o que mais me intrigava era o funcionamento total deles, em um nível mais profundo de abstração, não como componentes individuais, e sim como um sistema abrangente.

Pensei muito nisso enquanto dirigia indo e voltando da casa de Lindsay e da AACC. O tempo que passava dirigindo sempre foi pra mim um momento de pensar, e as viagens são longas no Beltway lotado. Ser desenvolvedor de software, ou programador, era administrar as paradas para descanso nas saídas das rodovias e assegurar que todas as franquias de fast food e postos de combustível estivessem em harmonia entre si e com as expectativas dos usuários; ser especialista em hardware seria instalar a infraestrutura, nivelar e pavimentar as estradas; ao passo que, trabalhando com redes, teria de ser responsável pelo controle de tráfego, manipular sinais luminosos e semáforos para guiar com segurança as hordas apressadas a seus destinos. Mas trabalhar com sistemas haveria de ser um planejador urbano, pegar todos os componentes disponíveis e garantir sua interação para o máximo efeito. Seria pura e simplesmente ganhar para brincar de Deus, ou, no mínimo, de ditador de araque.

Existem duas principais maneiras de trabalhar com sistemas. Uma é tomando posse de todo o sistema existente e mantendo-o, tornando-o gradualmente mais eficiente e consertando-o quando apresentar defeito. Essa função é chamada administrador de sistemas, ou *sysadmin*. A segunda é analisando um problema, por exemplo, como armazenar dados ou como pesquisar em bancos de dados, e resolvê-lo, criando uma solução baseada em uma combinação de componentes existentes ou inventando outros, completamente novos. Essa função é chamada de engenharia de sistemas. Eu acabaria fazendo as duas coisas, começando na administração e indo para a engenharia, sem perceber como esse envolvimento intenso com os níveis mais profundos da integração da tecnologia da computação estava exercendo uma influência sobre minhas convicções políticas.

Tentarei não ser muito abstrato, mas quero que você imagine um sistema; qualquer um. Pode ser um sistema de computador, um ecossistema, um sistema legal ou até um sistema de governo. Lembre-se: um sistema é apenas um monte de partes que funcionam juntas como um todo e a maioria das pessoas só se lembram delas quando algo quebra. O mais chato de trabalhar com sistemas é que a parte com mau funcionamento quase nunca é aquela na qual você percebe o defeito. Para descobrir o que causou o colapso do sistema, é preciso começar do ponto em que identificou o problema e rastrear seus efeitos, por meio da lógica, por todos os componentes do sistema. A pessoa que trabalha com sistemas é responsável por esses reparos, e precisa dominar igualmente software, hardware e rede. Se for um problema de software, para consertá-lo, pode ser necessário rolar linha por linha do código, uma espécie de Assembleia Geral da ONU em linguagem de programação. Se for um problema de hardware, pode ser necessário analisar uma placa de circuito com uma lanterna na boca e um ferro de solda na mão, checando cada conexão. Se for de rede, pode significar rastrear cada curva dos cabos que passam por cima do teto e embaixo do chão e que conectam os distantes centros de dados cheios de servidores a um escritório cheio de notebooks.

Como os sistemas funcionam segundo instruções, ou regras, essa análise é, em última instância, uma busca pelas regras que falharam, como e o porquê – uma tentativa de identificar os pontos específicos em que a intenção de uma regra não foi adequadamente expressa por sua formulação ou aplicação. O sistema falhou porque algo não foi comunicado? Ou porque alguém abusou do sistema, acessando um recurso para o qual não tinha permissão? Ou acessando um recurso que lhe era permitido, mas usando-o de uma forma exploradora? A tarefa de um componente foi interrompida ou impedida por outro? Um programa, ou um computador ou um grupo de pessoas usou mais que sua parte do sistema?

Ao longo de minha carreira, foi se tornando cada vez mais difícil fazer essas perguntas sobre as tecnologias pelas quais eu era responsável, e não sobre meu país. E foi se tornando cada vez mais frustrante ser capaz de consertar o primeiro, mas não o último. Eu encerrei a minha carreira na Inteligência convicto de que o sistema operacional de meu país – seu governo – havia decidido que funcionava melhor quando quebrado.

12. *HOMO CONTRACTUS*

Eu tinha esperança de servir a meu país, mas, em vez disso, fui trabalhar para ele. Essa não é uma distinção trivial. A estabilidade honrosa oferecida a meu pai e avô não estava disponível para mim, nem para ninguém da minha geração. Tanto meu pai quanto meu avô entraram no serviço ao país no primeiro dia de sua vida profissional e se retiraram dele no último. Esse era o governo estadunidense que me era familiar desde a mais tenra infância – quando me ajudara a me alimentar, vestir e abrigar – até o momento em que fui liberado para entrar na CI. Esse governo encarava o serviço de um cidadão como um pacto: ele sustentaria você e sua família em troca de sua integridade e dos melhores anos de sua vida.

Mas eu entrei na CI em uma época diferente.

Quando cheguei, a sinceridade do serviço público havia cedido espaço à ganância do setor privado, e o pacto sagrado do soldado, oficial e funcionário público de carreira estava sendo substituído pela profana barganha do *Homo contractus*, a principal espécie no governo dos EUA 2.0. Essa criatura não era um servidor juramentado, e sim um trabalhador transitório, cujo patriotismo era incentivado por um melhor salário, e para quem o governo federal era mais o cliente final que a autoridade.

Durante a Revolução Americana, fazia sentido que o Congresso Continental contratasse corsários e mercenários para proteger a independência do que então era uma república que mal funcionava. Mas, para a hiperpotência do terceiro milênio, a ideia de os EUA contarem com forças privadas de defesa nacional me parecia estranha e vagamente sinistra. De fato, hoje, a segurança terceirizada é mais frequentemente associada a seus grandes fracassos, como o trabalho de batalha da Blackwater (que mudou seu nome para Xe Services depois que seus funcionários foram condenados por matar 14 civis iraquianos, e mais tarde para Academi, depois de ser adquirida por um grupo de investidores privados), ou o trabalho de tortura da CACI e da Titan (ambos forneciam pessoal que intimidava prisioneiros em Abu Ghraib).

Esses casos sensacionalistas podem levar o público a acreditar que o governo contrata empresas terceirizadas para manter o disfarce e a negação, repassando o trabalho sujo ilegal ou quase legal para manter as mãos e a consciência limpas. Mas isso não é totalmente verdade – pelo menos não na CI, que tende a focar menos na negação e mais em nunca ser pego. O propósito principal da terceirização na CI é muito mais mundano: é uma solução alternativa, uma brecha que permite que as agências contornem os limites federais para contratação. Cada agência tem um limite legislativo que determina o número máximo de pessoas que pode contratar para fazer determinado tipo de trabalho. Mas os terceirizados, como não são diretamente funcionários do governo federal, não estão incluídos nesse número. As agências podem contratar quantas empresas terceirizadas puderem pagar; e elas podem pagar quantas quiserem – só o que precisam fazer é testemunhar perante alguns subcomitês do Congresso que os terroristas estão atrás de nossos filhos, ou que os russos estão invadindo nossos e-mails, ou que os chineses estão sabotando nossa rede elétrica. O Congresso nunca nega esse tipo de pedido, que, na verdade, é uma espécie de ameaça, e cede com segurança às demandas da CI.

Entre os documentos que eu forneci aos jornalistas estava o Orçamento Negro de 2013. É um orçamento secreto, do qual mais de 68% – 52,6 bilhões de dólares – foram dedicados à CI, incluindo o financiamento para 107.035 funcionários – mais de um quinto dos quais, cerca de 21.800 pessoas, eram terceirizados fixos. E esse número nem inclui as dezenas de milhares de pessoas empregadas por empresas que assinaram contratos (ou subcontratos, ou sub-subcontratos) com as agências para um serviço ou projeto específico. Esses terceiros nunca são contados pelo governo, nem mesmo no Orçamento Negro, porque somá-los a suas fileiras tornaria um fato perturbador extremamente claro: o trabalho da Inteligência Americana é feito igualmente por funcionários privados e por servidores do governo.

Certamente, muitas pessoas, mesmo no governo, afirmam que esse esquema de redistribuição é vantajoso. Diz-se que com os terceirizados o governo pode encorajar lances competitivos para manter os custos baixos e não precisa pagar pensões e benefícios. Mas a real vantagem para os funcionários do governo é o conflito de interesses inerente ao processo orçamentário. Os diretores da CI pedem dinheiro ao Congresso para alugar funcionários de empresas privadas; os congressistas aprovam esse dinheiro, e então, quando se aposentam, esses diretores e congressistas são recompensados com cargos de altos salários e consultorias nas empresas que ajudaram a enriquecer. Sob a perspectiva da diretoria corporativa, a terceirização funciona como corrupção assistida pelo governo. É o método estadunidense mais legal e conveniente de transferir dinheiro público para o bolso privado.

Mas, por mais que o trabalho na Inteligência seja privatizado, o governo federal continua sendo a única autoridade que pode conceder uma autorização individual para acessar informações confidenciais. E como os candidatos a tal autorização devem ser patrocinados para se candidatarem à credencial – ou seja, precisam já ter uma oferta de emprego em um cargo que exija autorização –, a maioria dos terceirizados começa sua carreira em um cargo no governo. Afinal de contas, não vale a pena para uma empresa privada patrocinar o pedido de autorização de uma pessoa e lhe pagar durante um ano enquanto espera a aprovação do governo. Financeiramente, faz mais sentido que a empresa contrate um funcionário do governo já autorizado. A situação criada por essa economia é a seguinte: o governo banca todos os encargos de verificação de antecedentes, mas colhe poucos benefícios. Ele tem de fazer todo o trabalho e bancar todas as despesas de um candidato, que, assim que consegue uma autorização, na maioria das vezes dá meia-volta e troca seu crachá azul de funcionário do governo pelo verde de terceirizado. O engraçado é que verde simboliza dólares.

O emprego no governo que patrocinou minha credencial TS/SCI não era o que eu queria, mas foi o que consegui: eu era oficialmente um funcionário do estado de Maryland trabalhando para a Universidade de Maryland no College Park. A universidade estava ajudando a NSA a abrir uma nova instituição chamada CASL, Center for the Advanced Study of Language (Centro de Estudos Avançados de Línguas).

A aparente missão da CASL era estudar como as pessoas aprendiam idiomas e desenvolviam métodos assistidos por computador para ajudá-las a fazê-lo mais rápido e melhor. Já o corolário oculto dessa missão era que a NSA também queria desenvolver maneiras de melhorar a compreensão que o computador tem da linguagem. Se as outras agências estavam tendo dificuldades para encontrar pessoas fluentes em árabe (e persa, dari, afegão e curdo) que conseguissem passar por seus frequentes e ridículos controles de segurança para traduzir e interpretar em campo – eu sei que muitos estadunidenses foram rejeitados simplesmente porque tinham um inconveniente primo distante que nem sequer conheciam –, a NSA também estava sofrendo para garantir que seus computadores compreendessem e analisassem a enorme quantidade de comunicações em língua estrangeira que estava interceptando.

Eu não faço a mínima ideia do tipo de coisas que o CASL supostamente fazia, pela simples razão de que, quando fui trabalhar com minha credencial novinha em folha, o lugar ainda não estava aberto. Na verdade, o prédio ainda estava em construção. Enquanto tudo não estivesse terminado e a tecnologia instalada, meu trabalho seria, essencialmente, de segurança noturno. Minhas responsabilidades se limitavam a ir todos os dias para patrulhar os corredores vazios depois que os trabalhadores da construção civil – outros terceirizados – acabavam e certificando-me de que ninguém incendiasse o prédio ou o invadisse e instalasse escutas. Passei hora após hora percorrendo a estrutura inacabada, inspecionando o progresso do dia: experimentando as cadeiras que haviam acabado de ser instaladas no moderno auditório, atirando pedras de um lado para outro do telhado subitamente coberto de cascalho, admirando o novo drywall, e literalmente observando a tinta secar.

Essa é a vida de um segurança depois do expediente em uma instalação secreta e, sinceramente, não me incomodava. Eu estava sendo pago para não fazer quase nada além de vagar no escuro com meus pensamentos, e tinha todo o tempo do mundo para usar o único computador funcional a que tinha acesso no local para procurar outro emprego. Durante o dia, eu punha o sono em dia e saía em expedições fotográficas com Lindsay, que, graças aos meus galanteios e manobras, por fim havia deixado de sair com os outros.

Na época, eu ainda era bastante ingênuo para pensar que meu cargo no CASL seria uma ponte para uma carreira federal. Mas, quanto mais eu olhava ao redor, mais me surpreendia ao descobrir que havia muito poucas oportunidades de servir diretamente ao meu país, pelo menos em um cargo técnico significativo. Eu tinha mais chances de trabalhar como terceirizado de uma empresa privada que servia ao país por dinheiro; e tinha mais chances ainda de ser terceirizado de uma empresa privada que contratasse outra empresa privada terceirizada que serviria ao país por dinheiro. Foi vertiginoso compreender isso.

Achei particularmente bizarro o fato de que a maioria dos empregos em engenharia e administração de sistemas era privada, porque esses cargos vinham com acesso quase universal à vida digital do empregador. É inimaginável pensar que um grande banco, ou mesmo uma equipe de mídia social, contrataria pessoas de fora para trabalhar com seu sistema. Mas, no contexto do governo dos EUA, reestruturar suas agências de inteligência para que seus sistemas mais secretos fossem administrados por alguém que não trabalhava de verdade para ele, foi sua versão de inovação.

As agências contratavam empresas de tecnologia para contratar garotos, e depois lhes davam as chaves do reino, porque – como diziam ao Congresso e à imprensa – não tinham escolha. Ninguém mais sabia como as chaves, ou o reino, funcionavam. Eu tentei racionalizar tudo isso como um pretexto para ser otimista. Engoli minha incredulidade, montei um currículo e fui para as feiras de emprego, que, pelo menos na primeira década do milênio, eram os principais locais onde as empresas encontravam oportunidades de oferecer seus serviços terceirizados e de aliciar funcionários do governo.

Essas feiras eram conhecidas pelo duvidoso nome de Clearance Jobs [empregos com autorização, ou credencial] – mas acho que só eu achava engraçado esse duplo significado.

Na época, esses eventos aconteciam todos os meses no Ritz-Carlton, em Tysons Corner, Virgínia, na mesma rua da sede da CIA, ou em um dos mais sórdidos hotéis tipo Marriott, perto da sede da NSA, em Fort Meade. Eram praticamente como qualquer outra feira de emprego, segundo me disseram, com uma exceção crucial: nelas, sempre parecia haver mais recrutadores que recrutados. Isso deve dar uma ideia do apetite do ramo. Os recrutadores pagavam muito para estar nessas feiras, porque eram os únicos lugares do país onde todos que passavam pela porta com seu crachá grudento supostamente já haviam sido pré-selecionados on-line e passado pela verificação cruzada das agências – de modo que se presumia que já tivessem uma credencial, e provavelmente também as habilidades necessárias.

Ao sair do lobby do bem equipado hotel e ir para o salão de negócios, você entrava no Planeta da Terceirização. Todo mundo estava lá. Aquilo não era mais a Universidade de Maryland; era a Lockheed Martin, a BAE Systems, a Booz Allen Hamilton, a DynCorp, a Titan, a CACI, a SAIC, a COMSO, bem como centenas de outras siglas de que eu nunca ouvira falar. Alguns tinham mesas, mas os maiores tinham estandes totalmente mobiliados e abastecidos com bebidas.

Depois que você entregava seu currículo a um possível empregador e conversava um pouco – em uma espécie de entrevista informal –, eles abriam seus fichários, que continham a lista de todos os cargos no governo que estavam tentando preencher. Mas, como esse trabalho beirava a clandestinidade, os cargos não eram acompanhados por títulos padronizados e descrições de cargos tradicionais, e sim por um palavreado intencionalmente obscuro e codificado, muitas vezes específico de cada contratante. Desenvolvedor sênior 3 em uma empresa poderia ou não corresponder a diretor analista 2 em outra, por exemplo. Normalmente, a única maneira de diferenciar os cargos era observando como cada empresa especificava suas próprias exigências em termos de anos de experiência, nível de certificações e tipo de autorização de segurança.

Após as revelações de 2013, o governo dos EUA tentou me depreciar referindo-se a mim como apenas um terceirizado ou ex-funcionário da Dell, o que implicaria que eu não tinha o mesmo tipo de autorização e acesso que um funcionário de crachá azul. Uma vez estabelecida a caracterização de descrédito, o governo passou a me acusar de ficar pulando de emprego em emprego, insinuando que eu era um funcionário descontente que não se dava bem com os superiores, ou uma pessoa excepcionalmente ambiciosa, pronta para progredir a qualquer custo. A verdade é que essas eram duas mentiras por conveniência. A CI sabe melhor que ninguém que mudar de emprego faz parte da carreira de cada terceirizado; é uma mobilidade criada pelas próprias agências e com a qual elas lucram.

Na terceirização no setor de segurança nacional, especialmente de tecnologia, frequentemente você se vê trabalhando fisicamente em uma agência, mas nominalmente – no papel – para a Dell, a Lockheed Martin, ou uma das inúmeras pequenas empresas que frequentemente são compradas por elas. Nessa aquisição, claro, os contratos da empresa menor também são comprados, e, de repente, aparece um empregador e um cargo diferentes em seu cartão de visitas. Mas seu trabalho do dia a dia continua o mesmo; você continua sentado nas instalações da agência, executando suas tarefas. Nada muda. Enquanto isso, a dúzia de colegas de trabalho sentados a sua esquerda e direita – os mesmos colegas com quem você trabalha todos os dias – pode, tecnicamente, ser funcionária de uma dúzia de empresas diferentes, e essas empresas podem estar afastadas alguns graus das entidades corporativas que detêm os principais contratos com a agência.

Eu gostaria de lembrar a cronologia exata de minha contratação, mas não tenho mais meu currículo. O arquivo Edward_Snowden_Resume.doc está preso na pasta Documentos de um dos meus computadores domésticos antigos desde que fora confiscado pelo FBI. Mas me lembro que minha primeira grande contratação foi, na verdade, uma subcontratação: a CIA havia contratado a BAE Systems, que havia contratado a COMSO, que me contratara.

A BAE Systems é uma subdivisão estadunidense de porte médio da British Aerospace, criada expressamente para conseguir contratos na CI estadunidense. A COMSO era basicamente sua recrutadora, com pessoas que passavam o tempo todo dirigindo pelo Beltway tentando encontrar os verdadeiros contratados (as bundas) e contratá-los (pôr as bundas nas cadeiras). De todas as empresas com quem conversei nas feiras de empregos, a COMSO era a mais voraz, talvez por estar entre as menores. Eu nunca soube o significado do acrônimo, nem se representava alguma coisa. Tecnicamente falando, a COMSO seria meu empregador, mas eu jamais trabalhei um dia sequer em um escritório dela, nem em um escritório da BAE Systems, assim como poucos terceirizados fariam isso. Eu só trabalhei na sede da CIA.

Na verdade, eu só visitei o escritório da COMSO, que ficava em Greenbelt, Maryland, umas 2 ou 3 vezes na vida. Uma foi quando fui negociar meu salário e assinar uns documentos. Na CASL eu ganhava cerca de 30 mil dólares por ano, mas esse emprego não tinha nada a ver com tecnologia, portanto me senti à vontade para pedir 50 mil dólares à COMSO. Quando citei esse valor ao sujeito atrás da mesa, ele disse:

"O que acha de 60 mil dólares?"

Na época, eu era muito inexperiente, não entendia por que ele estava tentando me pagar mais. Acho que eu sabia que o dinheiro não era da COMSO, mas só mais tarde entendi que alguns dos contratos que a COMSO e a BAE e outras manejavam eram do tipo custo-mais. Isso significava que os intermediários cobravam das agências o valor do salário de um funcionário mais um adicional de 3 a 5% todos os anos. Portanto, aumentar os salários era do interesse de todos – menos do contribuinte, claro.

O sujeito da COMSO acabou me convencendo, ou a si mesmo, a subir para 62 mil dólares, desde que eu concordasse em trabalhar de novo no turno da noite. O sujeito estendeu a mão, e quando eu a apertei, ele se apresentou como meu gestor. Explicou que o título era apenas uma formalidade e que eu receberia ordens diretas da CIA.

"Se tudo correr bem", disse ele, "nunca mais nos veremos".

Nos filmes de espionagem e séries de TV, quando alguém lhe diz algo assim, normalmente significa que você está embarcando em uma missão perigosa e pode morrer. Mas, na vida real de um espião, significa apenas: "Parabéns pelo trabalho". Quando saí pela porta, tenho certeza de que ele já havia esquecido meu rosto.

Eu saí daquela reunião animado, mas, no caminho de volta, a realidade bateu; percebi que esse seria meu trajeto diário. Se eu continuasse morando em Ellicott City, Maryland, perto de Lindsay, mas trabalhasse na CIA, na Virgínia, a viagem poderia chegar a uma hora e meia em cada trecho no engarrafamento do Beltway, e isso seria o fim para mim. Eu sabia que não demoraria muito para eu começar a perder a cabeça. Não havia audiolivros suficientes no universo.

Eu não podia pedir a Lindsay que se mudasse para a Virgínia comigo porque ela ainda estava no segundo ano da Mica e tinha aulas 3 vezes por semana. Falamos sobre isso, mas eu disse que trabalharia na COMSO.

"Por que a COMSO tem de ser tão longe?"

Por fim, decidimos que eu arranjaria um lugar pequeno perto da COMSO para morar; só um lugar para passar os dias enquanto trabalhava à noite – na COMSO –, e eu voltaria para Maryland todo fim de semana, ou ela iria até mim.

Parti em busca desse lugar, algo bem no meio daquele diagrama de Venn, que fosse barato o bastante para eu poder pagar e bom o suficiente para que Lindsay pudesse sobreviver. Foi uma busca difícil; dado o número de pessoas que trabalham na CIA e sua localização na Virgínia – onde a densidade habitacional é, digamos, semirrural –, os preços eram altíssimos. O CEP 22100 está entre os mais caros dos EUA.

Mas, navegando no Craigslist, acabei encontrando um quarto que, por incrível que pareça, ficava dentro de meu orçamento, em uma casa surpreendentemente perto – menos de quinze minutos da sede da CIA. Fui dar uma olhada, esperando uma pocilga de solteiros. Mas parei em frente a uma grande *McMansion** de fachada de vidro, imaculadamente bem cuidada, com um gramado de topiaria com decoração sazonal. Quando me aproximei do lugar, o cheiro a especiarias ficou mais forte. De verdade.

---

* Termo pejorativo para se referir a grandes casas construídas com material de baixa qualidade, mas com ares de riqueza. (N.T.)

Um sujeito chamado Gary atendeu à porta. Ele já tinha certa idade – eu já esperava isso pelo "Caro Edward" de seu e-mail, mas não esperava que estivesse tão bem vestido. Ele era bem alto, com cabelos grisalhos bem curtinhos; estava de terno, e sobre este, usava um avental. Muito educado, ele me perguntou se eu poderia esperar um instante. Ele estava ocupado na cozinha, preparando uma bandeja de maçãs, espetando nelas cravos-da-índia e salpicando-as de noz-moscada com canela e açúcar.

Já com as maçãs assando no forno, Gary me mostrou o quarto, que ficava no porão, e disse que eu poderia me mudar imediatamente. Aceitei a oferta e paguei o depósito de garantia e um mês de aluguel. Então ele me disse quais eram as regras da casa, que em inglês rimavam:

Sem bagunça (No mess).
Sem animais de estimação (No pets).
Sem convidados pernoitando (No overnight guests).

Confesso que, na hora, quase violei a primeira regra e que nunca tive interesse em violar a segunda. Quanto à terceira, Gary abriu uma exceção para Lindsay.

Foi somente no dia da mudança, na noite anterior a minha primeira noite de trabalho, que descobri por que havia recebido uma recepção tão calorosa na casa nova. Eu precisava usar a internet, então abri um dos meus notebooks e fui procurar o Wi-Fi. A rede mais provável, com o sinal mais forte, chamava-se Gary's Home for Wayward Men. Desci e encontrei a senha escrita em um Post-It, presa com um ímã de arco-íris na geladeira: AndFriends.

13. INDOC

Sabe aquela cena que há em praticamente todos os filmes de espionagem e séries de TV em que aparece escrito *Sede da CIA, Langley, Virgínia*? E então, a câmera passa pelo saguão de mármore com aquela parede de estrelas e o chão com o logo da agência? Bem, Langley é o nome histórico do lugar, que a agência prefere que Hollywood use; a sede da CIA fica oficialmente em McLean, Virgínia; e ninguém passa por esse saguão, exceto VIPs ou visitantes fazendo um tour.

Esse edifício é o OHB, Old Headquarters Building, ou edifício da sede antiga. O prédio pelo qual a maioria das pessoas que trabalha na CIA entra está muito menos preparado para um close desses; é o NHB, New Headquarters Building, o edifício da nova sede. Meu primeiro dia foi um dos poucos que passei lá à luz do dia. Se bem que passei a maior parte do dia no subsolo, em uma sala encardida e cheia de blocos de concreto com todo o encanto de um abrigo nuclear e o cheiro acre de água sanitária governamental.

"Então, este é o Deep State", disse um sujeito, e quase todo mundo riu.

Eu acho que ele estava esperando uma roda de WASPs* da Yve League, de capuz, entoando um cântico, ao passo que eu esperava um grupo de pessoas normais do serviço civil que se pareceriam com versões mais

---

* WASPs: Branco, anglo-saxões e protestantes. (N.T)

jovens de meus pais. Mas, em vez disso, éramos todos os caras do computador – sim, quase todos homens – que claramente estavam usando roupas de trabalho pela primeira vez na vida. Alguns tinham tatuagens e piercings, ou apresentavam evidências de os terem tirado para o grande dia. Um ainda tinha manchas de tinta no cabelo tipo punk. Quase todos usavam crachás de terceirizados, verdes como notas de 100 dólares novas. Sem dúvida, não parecíamos uma cabala maluca de poder hermético que controlava as ações dos oficiais eleitos dos Estados Unidos em cubículos subterrâneos sombrios.

Essa sessão foi a primeira fase de nossa transformação. Chamava-se Indoc, de Indoctrination, doutrinação, e seu objetivo era nos convencer de que éramos a elite, de que éramos especiais, que havíamos sido escolhidos para conhecer os mistérios do Estado e as verdades com que o resto do país – e, às vezes, inclusive o Congresso e os tribunais – não poderiam lidar.

Eu não pude deixar de pensar, sentado ali naquela doutrinação, que os apresentadores estavam gastando saliva à toa. Não é necessário dizer a um grupo de especialistas em computação que eles possuem um conhecimento e habilidades superiores que os qualificam de forma única para agir de maneira independente e tomar decisões em nome de seus concidadãos sem nenhuma supervisão ou avaliação. Nada inspira mais arrogância que uma vida controlando máquinas que não têm capacidade de crítica.

Em minha opinião, isso era o que realmente representava o grande nexo entre a CI e o ramo da tecnologia: ambos são poderes entrincheirados e não eleitos que se orgulham de manter sigilo absoluto sobre seus avanços. Ambos acreditam que têm as soluções para tudo, e nunca hesitam em se impor de forma unilateral. Acima de tudo, ambos acreditam que essas soluções são inerentemente apolíticas, porque se baseiam em dados, cujas prerrogativas são consideradas preferíveis aos caóticos caprichos do cidadão comum.

Ser doutrinado na CI, assim como se tornar especialista em tecnologia, tem efeitos psicológicos poderosos. De repente, você tem acesso à história por trás da história, a histórias ocultas de eventos conhecidos ou supostamente bem conhecidos. Isso pode ser inebriante, pelo menos para um abstêmio como eu. Além disso, de repente você não tem apenas uma licença: tem a obrigação de mentir, ocultar, mascarar e dissimular. Isso cria um senso de tribalismo, que pode levar muitos a acreditar que sua lealdade primária é para com a instituição, e não para com o Estado de direito.

Mas eu não pensava em nada disso durante a sessão de doutrinação, claro. Eu estava só tentando me manter acordado enquanto os apresentadores nos instruíam acerca das práticas básicas de segurança operacional, parte do corpo mais amplo de técnicas de espionagem que a CI descreve coletivamente como ofício. Eram tão óbvias que chegavam a ser entorpecentes: não conte a ninguém onde você trabalha. Não deixe materiais sigilosos à vista. Não leve seu celular nada seguro para o escritório altamente seguro; e jamais fale ao celular sobre trabalho. Não use seu crachá "Olá, eu trabalho na CIA do shopping".

Por fim a ladainha acabou, as luzes se apagaram, o PowerPoint foi acionado e rostos apareceram na tela pregada na parede. Todos se endireitaram nas cadeiras. Disseram-nos que aqueles eram os rostos de antigos agentes e terceirizados que por ganância, malícia, incompetência ou negligência foram incapazes de seguir as regras. Pensavam que estavam acima de todas as coisas mundanas, e sua arrogância resultou em prisão e ruína. Ficava implícito que as pessoas que apareciam na tela estavam naquele momento em porões ainda piores que aquele, e alguns ficariam lá até morrer.

No fim das contas, foi uma apresentação efetiva.

Alguém me disse que, nos anos que se passaram desde o fim de minha carreira, esse desfile de horrores – de incompetentes, informantes, desertores e traidores – foi expandido, e agora inclui mais uma categoria: pessoas de princípios, denunciantes em defesa do interesse público. Só espero que os jovens de 20 e poucos anos que estão lá hoje fiquem atônitos diante da manobra do governo de vender segredos ao inimigo e revelá-los aos jornalistas quando os novos rostos – meu rosto – aparecer na tela.

Eu comecei a trabalhar na CIA quando sua moral estava no ponto mais baixo. Após os fracassos da Inteligência no 11 de Setembro, o Congresso e o Executivo iniciaram uma agressiva campanha de reorganização. Isso incluiu tirar do cargo de diretor da Inteligência Central a dupla função de diretor da CIA e de toda a CI estadunidense – uma dupla função que esse cargo acumulava desde a fundação da agência, no rescaldo da Segunda Guerra Mundial. Quando, em 2004, George Tenet foi forçado a sair, a supremacia de meio século da CIA sobre todas as outras agências se foi com ele.

Para os funcionários da CIA, a saída de Tenet e o rebaixamento da diretoria eram apenas os símbolos mais públicos da traição à agência por parte da classe política, que havia sido criada para servir. A sensação geral de ter sido manipulada pelo governo Bush e depois culpada por seus piores excessos deu origem a uma cultura de vitimização e de contenção. E isso só se exacerbou com a nomeação de Porter Goss, um indistinto ex-agente da CIA que se tornara congressista republicano pela Flórida, como novo diretor da agência – o primeiro a servir no cargo reduzido. A colocação de um político foi vista como um castigo e uma tentativa de militarizar a CIA, colocando-a sob supervisão partidária. O diretor Goss imediatamente deu início uma ampla campanha de demissões e aposentadorias forçadas, que deixaram a agência com falta de pessoal e mais dependente que nunca dos terceirizados. Enquanto isso, o público em geral nunca teve uma opinião tão baixa sobre a agência, ou tamanho conhecimento de seu funcionamento interno, graças a todos os vazamentos e revelações sobre as práticas extraordinárias de enviar, sob sigilo, prisioneiros estrangeiros ou suspeitos de terrorismo para países onde as normas referentes ao respeito aos direitos humanos são mais relaxadas, e sobre as prisões em *Black Sites*, ou prisões secretas.

Na época, a CIA foi dividida em 5 diretorias. Havia a DO, Diretoria de Operações, responsável pela espionagem de verdade; a DI, Diretoria de Inteligência, responsável por sintetizar e analisar os resultados dessa espionagem; a DST, Diretoria de Ciência e Tecnologia, que fabricava e fornecia computadores, dispositivos de comunicação e armas aos espiões e lhes ensinava a usá-los; a DA, Diretoria de Administração, basicamente formada por departamento legal, recursos humanos e todos aqueles que coordenavam os negócios diários da agência e serviam de elo com o governo; e, por fim, a DS, Diretoria de Apoio, que era uma diretoria estranha, e, naquela época, a maior. Estavam sob a DS todos os que trabalhavam no suporte da agência, desde a maioria dos tecnólogos e médicos até o pessoal da lanchonete, da academia e os guardas do portão. A principal função da DS era administrar a infraestrutura de comunicações globais da CIA, a plataforma que garantia que os relatórios dos espiões chegassem aos analistas e que os relatórios dos analistas chegassem aos administradores. A DS abrigava os funcionários que forneciam suporte técnico à agência toda, faziam a manutenção dos servidores e os mantinham seguros – pessoas que construíam e protegiam toda a rede da CIA e prestavam os serviços pertinentes a ela, e a conectavam às redes das outras agências e controlavam seu acesso.

Em suma, eram essas pessoas que usavam a tecnologia para unir tudo. Não deveria ser uma surpresa o fato de que a maioria fosse jovem. Também não deveria ser uma surpresa que a maioria fosse terceirizada.

Minha equipe estava ligada à Diretoria de Apoio, e nosso trabalho era administrar a arquitetura dos servidores da CIA na Washington metropolitana, ou seja, a vasta maioria dos servidores da CIA no continente americano – os enormes corredores de computadores caros e "fodões" que constituíam as redes e bancos de dados internos da agência, todos os seus sistemas que transmitiam, recebiam e armazenavam informações. Embora a CIA tivesse servidores de retransmissão espalhados pelo país, muitos dos mais importantes da agência estavam situados no local. Metade deles estava no NHB, onde ficava minha equipe e de onde todos os servidores eram controlados; a outra metade ficava perto, no OHB. Eles haviam sido montados em lados opostos de cada edifício, de modo que, se um lado explodisse, não perderíamos muitas máquinas.

Minha autorização de segurança TS/SCI implicava que eu lia diferentes compartimentos de informações. Um desses compartimentos era o SIGINT (sinais de inteligência, ou comunicações interceptadas), e outro era o HUMINT (inteligência humana ou o trabalho e os relatórios de agentes e analistas) – o trabalho da CIA, rotineiramente, envolve ambos. Acima desses, eu lia um compartimento chamado COMSEC (segurança das comunicações), que me permitia trabalhar com material criptográfico, ou seja, os códigos que são tradicionalmente considerados os mais importantes segredos das agências, porque são usados para proteger todos os seus outros segredos. Esse material criptográfico era processado e armazenado em servidores cuja responsabilidade de administração era minha. Minha equipe era uma das poucas que podia pôr as mãos nesses servidores, e provavelmente a única com acesso a quase todos eles.

Na CIA, as salas seguras são chamadas de cofres, e o cofre da minha equipe ficava um pouco além da seção de Help Desk. Durante o dia, o Help Desk era composto por um atarefado contingente de pessoas mais velhas, mais próximas da idade de meus pais. Eles usavam calça com blazer, ou saia e blusa, tipo terninho. Esse era um dos poucos lugares do mundo da tecnologia da CIA na época onde me lembro de ter visto um número considerável de mulheres. Alguns tinham os distintivos azuis que os identificavam como funcionários do governo – ou, como os terceirizados os chamavam, *govvies*. Passavam seus turnos atendendo aos telefones e ajudando as pessoas do edifício ou em campo a resolver seus problemas técnicos. Era tipo uma versão para a CI do trabalho de Help Desk: redefinir senhas, desbloquear contas e repassar as listas de verificações para solução de problemas. "Por favor, saia e entre novamente"; "O cabo de rede está conectado?". Se os *govvies*, com sua experiência mínima de tecnologia, não conseguissem resolver um problema específico, passavam-nos para equipes mais especializadas, especialmente se o problema estivesse acontecendo no Campo Estrangeiro, ou seja, as estações da CIA em lugares como Cabul, Bagdá, Bogotá ou Paris.

Tenho certa vergonha de admitir o orgulho que eu senti ao percorrer pela primeira vez esse corredor sombrio. Eu era décadas mais novo que o pessoal do Help Desk e passava por eles em direção a um cofre ao qual não tinham acesso, nem jamais teriam. Na época, ainda não havia me ocorrido que a extensão de meu acesso significava que o processo em si poderia ser quebrado, que o governo poderia simplesmente desistir ou significativamente administrar e promover seus talentos, porque a nova cultura de terceirização implicava que não precisava se preocupar com isso. Mais do que qualquer outra lembrança de minha carreira, esse meu caminho passando pelo Help Desk passou a simbolizar, para mim, a mudança geracional e cultural na CI da qual eu fazia parte – o momento em que a turma da velha guarda que tradicionalmente era alocada nas agências, desesperada para acompanhar as tecnologias que não se davam o trabalho de entender, acolheu uma nova onda de jovens hackers no meio institucional e permitiu que desenvolvessem-se, que tivessem acesso total e exercessem o poder completo sobre inigualáveis sistemas tecnológicos de controle do Estado.

Com o tempo, passei a amar os *govvies* do Help Desk, que eram gentis e generosos comigo e sempre agradeciam minha disposição para ajudar mesmo não sendo minha função. E eu aprendi muito com eles, aos pouquinhos, sobre como funcionava a organização maior que ficava além do Beltway. Alguns deles já haviam trabalhado em campo estrangeiro, assim como os agentes que agora ajudavam por telefone. Depois de um tempo, voltavam para os Estados Unidos, nem sempre para famílias intactas, e eram relegados ao Help Desk pelo resto da carreira, porque não tinham as habilidades computacionais necessárias para competir em uma agência cada vez mais focada na expansão de suas capacidades tecnológicas.

Eu tinha orgulho de ter conquistado o respeito dos *govvies*, e nunca me senti à vontade com a quantidade de membros de minha equipe que, condescendentes, se compadeciam e até zombavam dessas pessoas brilhantes e comprometidas – homens e mulheres que, por baixos salários e pouca glória, haviam dado à agência anos de sua vida, muitas vezes em lugares inóspitos e até perigosos no exterior, para, no fim, sua recompensa ser ficar atendendo ao telefone em um corredor solitário.

Depois de algumas semanas me familiarizando com os sistemas no turno diurno, passei para a noite – das 18h às 6h, quando o Help Desk era composto por uma tripulação de esqueletos[*] que cochilava discretamente, e o resto da agência estava praticamente morto.

À noite, especialmente entre umas 22h e 4h, a CIA ficava vazia e sem vida; um complexo vasto e assombrado que dava uma sensação pós-apocalíptica. Todas as escadas rolantes eram desligadas, e tínhamos que subi-las e descê-las como escadas comuns. Só metade dos elevadores funcionava, e os *ping* que faziam, quase inaudíveis durante a agitação do dia, à noite eram alarmantemente altos. Os ex-diretores da CIA em seus retratos olhavam para baixo, e as águias-de-cabeça-branca não pareciam estátuas, e sim predadores vivos esperando pacientemente a hora de arremeter para matar. Bandeiras estadunidenses ondulavam como fantasmas – fantasmas de vermelho, branco e azul. A agência havia recentemente se comprometido com uma nova política de economia de energia ecologicamente correta, instalado luzes de teto sensíveis ao movimento; o corredor ficava envolto na escuridão e as luzes iam se acendendo quando você se aproximava, e você se sentia seguido e seus passos ecoavam infinitamente.

Durante doze horas por noite, três dias seguidos e dois dias de folga, eu ficava sentado na sala segura, depois do Help Desk, entre as 20 mesas que continham cada uma 2 ou 3 terminais de computador reservados para os administradores que mantinham on-line a rede global da CIA. Independentemente de parecer chique, o trabalho em si era relativamente banal, e poderia ser descrito como esperar a catástrofe acontecer. Em geral, os problemas não eram muito difíceis de resolver. Quando alguma coisa não funcionava, eu tentava resolver de modo remoto. Se isso não desse certo, eu descia até o centro de processamento de dados, escondido um andar abaixo do meu no NHB – ou percorria os sinistros 800 metros através do túnel de conexão até o centro de processamento de dados no OHB – e mexia na maquinaria física.

Meu parceiro nessa tarefa – a outra pessoa responsável pelo funcionamento noturno da arquitetura inteira de servidores da CIA – era um sujeito que vou chamar de Leland. Ele era o ponto fora da curva e a excepcional personalidade de nossa equipe em todos os sentidos. Além de ter uma consciência política (libertária a ponto de colecionar *krugerrands*)[**] e um interesse permanente em assuntos fora da tecnologia (ele lia livros de mistério e suspense antigos em brochura), ele era ex-operador de rádio da

---

[*] Referência ao livro de Stephen King, *Tripulação de esqueletos*. (N.T.)
[**] Moeda de ouro sul-africana.

Marinha que conseguira ser promovido do Help Desk graças ao fato de ser terceirizado.

Devo admitir que quando conheci Leland, pensei: imagine se minha vida inteira fosse como as noites que passei no CASL. Porque, para dizer a verdade, Leland não fazia quase nada. Pelo menos, essa era a impressão que ele gostava de projetar. Ele gostava de dizer a todo mundo que não sabia nada de computação e não entendia por que o haviam colocado em uma equipe tão importante. Dizia que: "a terceirização foi o terceiro maior golpe em Washington, depois do imposto de renda e do Congresso". Ele alegava que havia dito a seu chefe que seria quase inútil quando sugeriram transferi-lo para a equipe de servidores, mas não adiantou. Segundo ele, tudo que havia feito no trabalho durante a maior parte da última década fora ficar sentado lendo livros; mas, às vezes, também jogava paciência – com um baralho de verdade, não no computador, claro – e relembrava as ex-esposas (ela era inspetora) e namoradas (ela ficou com meu carro, mas valeu a pena). Às vezes, ele ficava andando para lá e para cá a noite toda, atualizando a página do Drudge Report.

Quando o telefone tocava para avisarem que alguma coisa estava quebrada e reiniciar um servidor não adiantava, ele simplesmente passava o caso para o turno do dia. Essencialmente, sua filosofia (se é que se pode chamar assim) era que o turno da noite tinha de acabar alguma hora, e o turno do dia tinha mais gente. Aparentemente, o turno do dia se cansou de chegar ao trabalho todas as manhãs e encontrar Leland com os pés para cima diante do caos, e então, eu fui contratado.

Por alguma razão, a agência havia decidido que era preferível me contratar a dispensar o velho. Depois de duas semanas trabalhando juntos, eu me convenci de que o fato de ele continuar empregado devia ter algo a ver com alguma conexão ou algum favor pessoal. Para testar essa hipótese, tentei desvendar Leland e lhe perguntei com que diretores da CIA ou de outra agência ele estivera na Marinha. Mas minha pergunta só provocou um discurso sobre como basicamente nenhum dos veteranos da Marinha nos altos escalões da agência havia sido recrutado – eram todos oficiais, o que explicava muito sobre o triste histórico da agência. O discurso continuou, até que, de repente, uma expressão de pânico surgiu em seu rosto e ele deu um pulo e disse:

"Tenho que trocar a fita!"

Eu não tinha ideia do que ele estava falando. Leland se dirigiu à porta cinza atrás de nosso cofre, que dava para uma escadaria suja, que dava acesso direto ao centro de processamento de dados em si – uma câmara negra e gelada logo abaixo de nós.

Descer e entrar em um cofre de servidores – especialmente da CIA – pode ser uma experiência desorientadora. Você desce e entra na escuridão cheia de LEDs verdes e vermelhos piscando, como um Natal maligno, vibrante por causa do zumbido dos ventiladores industriais esfriando as preciosas máquinas montadas em prateleiras para evitar que derretam. Entrar ali era sempre meio estonteante – mesmo sem um velho maníaco xingando como o marinheiro que ele era quando passava pelos corredores de servidores.

Leland parou perto de um canto nojento que abrigava um cubículo improvisado com equipamentos reaproveitados, cujas placas indicavam pertencer à Diretoria de Operações. Ocupando quase toda a mesa triste e bamba havia um computador antigo. Olhando mais de perto, vi que era algo do início dos anos 1990, ou final dos 1980, mais antigo do que qualquer coisa que eu me lembrava de ter visto no laboratório de meu pai na Guarda Costeira. Um computador tão antigo que nem deveria ser chamado de computador; era mais propriamente uma *máquina*, rodando uma fita em miniatura que eu não reconhecia, mas tinha certeza de que teria sido bem recebida pelo Smithsonian.

Ao lado dessa máquina havia uma grande caixa-forte, que Leland destrancou.

Ele mexeu na fita que estava na máquina, soltou-a e a colocou na caixa-forte. Então, tirou outra fita antiga dela e a inseriu com facilidade na máquina. Com cuidado, digitou alguma coisa no teclado antigo – *down, down, down, tab, tab, tab*. Ele não podia ver o efeito dessas teclas, porque o monitor da máquina não funcionava mais, mas apertou o Enter com confiança.

Eu não conseguia entender o que estava acontecendo. Mas a fita fez um barulhinho e começou a girar, e Leland sorriu, satisfeito.

"Esta é a máquina mais importante do edifício", disse ele. "A agência não confia nessa porcaria de tecnologia digital. Eles não confiam em seus próprios servidores. Você sabe, estão sempre quebrando. E quando os servidores quebram, eles correm o risco de perder o que estão armazenando; então, para não perderem nada que entra durante o dia, eles guardam tudo em fita durante a noite."

"Então, você está fazendo um backup aqui?"

"Um backup em fita. Do jeito antigo. Confiável como um ataque cardíaco. A fita quase nunca trava."

"O que há nessa fita? É material de funcionários, ou informações captadas?"

Leland pousou a mão no queixo, fazendo pose e fingindo pensar seriamente na pergunta. E então, disse:

"Ed, eu não queria ter de lhe dizer, mas são relatórios de campo de sua namorada, e temos muitos agentes arquivando esse material. É inteligência crua. Nua e crua."

Ele ria enquanto subia, deixando-me sem palavras e corando na escuridão do cofre.

Foi só quando Leland repetiu esse mesmo ritual de troca de fita na noite seguinte, e na seguinte, e em todas as noites em que trabalhamos juntos que fui entender por que a agência o mantinha ali. Não era só por causa de seu senso de humor. Leland era o único sujeito disposto a ficar ali entre às 6 da tarde e às 6 da manhã, e também velho o suficiente para saber como lidar com esse sistema de fita. Todos os outros tecnólogos da idade das trevas das fitas tinham família e preferiam ficar em casa com ela à noite. Mas Leland era solteiro e relembrava o mundo antes do Iluminismo.

Depois de descobrir um jeito de automatizar a maior parte de meu trabalho – principalmente escrevendo scripts para atualizar automaticamente os servidores e restaurar as conexões de rede perdidas –, comecei a ter o que passei a chamar de *Tempo* Leland. Ou seja, eu tinha a noite toda para fazer praticamente o que quisesse. Passava uma boa quantidade de horas em longas conversas com Leland, especialmente sobre as coisas mais políticas que ele estava lendo: livros sobre como o país deveria voltar ao padrão-ouro, ou sobre as complexidades do imposto fixo. Mas todas as noites havia períodos em que Leland desaparecia. Ele mergulhava a cabeça em um romance policial e não a levantava até de manhã, ou ficava passeando pelos corredores da agência, indo à lanchonete atrás de uma fatia de pizza morna, ou à academia levantar pesos.

Eu tinha meu jeito de passar o tempo, claro. Na internet.

Quando você entra na internet na CIA, tem de clicar no Acordo de Consentimento de Monitoramento, que basicamente diz que tudo que fizer será gravado e que você aceita não ter nenhuma expectativa de privacidade. Você acaba clicando nesse acordo com tanta frequência que vira uma coisa automática. Esses acordos se tornam invisíveis quando se trabalha na agência, porque aparecem constantemente e você fica sempre clicando neles para voltar ao que estava fazendo. Em minha opinião, essa é a principal razão pela qual a maioria das pessoas que trabalha na CI não compartilha preocupações civis sobre o rastreamento on-line: não porque tenha informações privilegiadas sobre como a vigilância digital ajuda a proteger os EUA, mas porque ser rastreado pelo chefe faz parte do trabalho.

De qualquer forma, não há muita coisa a ser encontrada na internet pública mais interessante que o que a agência já tem internamente. Poucos sabem disso, mas a CIA tem sua própria internet e Web. Ela tem seu próprio tipo de Facebook, que permite que os agentes interajam socialmente; seu próprio tipo de Wikipédia, que fornece aos agentes informações sobre equipes de agências, projetos e missões; e sua versão interna do Google – na verdade, fornecida pelo Google –, que permite que os agentes pesquisem essa ampla rede de classificados. Cada componente da CIA tem seu próprio site nessa rede, que discute o que faz e publica as atas e apresentações de reunião. Por horas e horas, todas as noites, era onde eu aprendia.

Segundo Leland, as primeiras coisas que todo mundo procura nas redes internas da CIA são alienígenas e 11 de Setembro, e é por isso que, também segundo Leland, nunca se obterá resultados de pesquisa significativos para isso. Mas eu pesquisei mesmo assim. O "Google" da CIA não retornou nada interessante para nenhum dos dois temas. Mas, quem sabe, talvez a verdade estivesse em outro drive de rede. Só para constar, pelo que posso dizer, os alienígenas nunca entraram em contato com a Terra, ou, pelo menos, não com a inteligência dos EUA. Mas a Al Qaeda manteve laços incrivelmente estreitos com nossos aliados, os sauditas, fato que a Casa Branca de Bush tentou omitir, com um empenho grande e suspeito, quando entramos em guerra com outros dois países.

Eis aqui algo que a desorganizada CIA não entendeu bem na época, e que nenhum grande empregador estadunidense fora do Vale do Silício entende: o cara do computador sabe de tudo; ou melhor, pode saber de tudo. Quanto mais alto for o nível desse funcionário, e quanto mais privilégios acerca do sistema ele tiver, mais acesso terá a praticamente todos os bytes da existência digital de seu empregador. É claro que nem todo mundo é curioso o bastante para aproveitar isso, e nem todos têm uma curiosidade sincera. Minhas incursões pelos sistemas da CIA eram extensões naturais de meu desejo infantil de entender como tudo funciona, como os vários componentes de um mecanismo se encaixam no todo. E com o título oficial e os privilégios de um administrador de sistemas, e a destreza técnica que permitia que eu usasse minha autorização em seu potencial máximo, eu era capaz de satisfazer todas e mais algumas deficiências que tivesse em termos de informação. Caso você esteja se perguntando: sim, o homem realmente pisou na lua. A mudança climática é real. As Chemtrails, ou trilhas químicas, não são agentes biológicos.

Nos sites de notícias internos da CIA, li informações ultrassecretas sobre negociações comerciais e golpes de Estado, como se ainda estivessem se desdobrando. Esses relatos das agências sobre os eventos costumavam ser muito semelhantes aos que apareciam nos noticiários da rede, na CNN ou na Fox dias depois. As principais diferenças estavam apenas na fonte e no nível de detalhes.

Considerando que uma matéria de jornal ou revista sobre uma revolta no exterior poderia ser atribuída a um alto funcionário falando sob condição de anonimato, a versão da CIA teria fontes explícitas – digamos, ZBSMACKTALK/1, funcionário do Ministério do Interior que responde regularmente a tarefas específicas, alega conhecimento de segunda mão e já provou ser confiável no passado. E o nome verdadeiro e a história pessoal completa do ZBSMACKTALK/1, chamado de arquivo de caso, poderia estar a apenas alguns cliques de distância.

Às vezes, uma notícia interna nunca saía na mídia, e minha empolgação e o significado do que eu estava lendo aumentavam meu reconhecimento da importância de nosso trabalho e me davam a sensação de estar perdendo algo sentando ali. Pode parecer ingênuo, mas fiquei surpreso ao saber que a CIA era realmente internacional – não estou falando de suas operações, e sim de sua força de trabalho. O número de idiomas que eu ouvia na lanchonete era surpreendente. Não pude deixar de sentir meu próprio provincianismo. Trabalhar na sede da CIA era uma emoção, mas ficava a poucas horas de distância de onde eu fora criado, um ambiente semelhante. Eu tinha 20 e poucos anos, e afora períodos na Carolina do Norte, viagens da infância para visitar meu avô nas bases da Guarda Costeira para onde ele era mandado, e minhas poucas semanas no exército em Fort Benning, eu nunca havia saído do Beltway.

Ao ler sobre os eventos que aconteciam em Uagadugu, Kinshasa e outras cidades exóticas que jamais encontrei em um mapa não digital, percebi que, enquanto fosse jovem, precisaria servir a meu país fazendo algo realmente significativo no exterior. Era isso ou, pelo que eu pensava, tornar-me um Leland mais bem-sucedido: trabalhar em mesas cada vez maiores, ganhar cada vez mais dinheiro, até que um dia eu também ficaria obsoleto e seria mantido só para cuidar da futura tranqueira equivalente à máquina de fita.

Foi então que fiz o impensável. Decidi me tornar um *govvy*.

Acho que alguns dos meus supervisores ficaram intrigados com isso, mas também lisonjeados, porque o caminho típico é o contrário: um servidor público vai para o setor privado no fim de seu mandato e sai lucrando. Nenhum terceirizado da área da tecnologia começa indo para o setor público para ter um corte no salário. Mas, em minha opinião, tornar-me um *govvy* era lógico: eu seria pago para viajar.

Dei sorte, e abriu uma vaga na CIA. Depois de nove meses como administrador de sistemas, eu me candidatei a um cargo em tecnologia no exterior e, em pouco tempo, fui aceito.

Meu último dia na sede da CIA foi só uma formalidade. Eu já havia feito toda a papelada e trocado meu crachá verde pelo azul. Só faltava fazer outra doutrinação, e como agora eu era um *govvy*, ela foi realizada em uma elegante sala de conferências ao lado do Dunkin' Donuts. Foi ali que realizei o ritual sagrado do qual os terceirizados jamais participam. Levantei a mão para fazer um juramento de lealdade – não ao governo ou à agência que então me empregava diretamente, e sim à Constituição dos EUA. Jurei solenemente apoiar e defender a Constituição dos Estados Unidos contra todos os inimigos, estrangeiros e domésticos.

No dia seguinte, em meu fiel Honda Civic, fui para o interior da Virgínia. Para chegar ao posto estrangeiro dos meus sonhos, primeiro eu teria de voltar à escola – para a primeira escola convencional que eu concluiria.

14. O CONDE DA COLINA

Minhas primeiras ordens como oficial recém-nomeado do governo eram ir para o Comfort Inn, em Warrenton, Virgínia, um motel triste e dilapidado cujo principal cliente era o Departamento de Estado, e com isso quero dizer a CIA. Era o pior motel de uma cidade de motéis ruins, e esse provavelmente era o motivo pelo qual a CIA o escolhera. Quanto menos hóspedes, menores as chances de alguém perceber que esse Comfort Inn em particular servia como um dormitório improvisado do Centro de Treinamento Warrenton – ou, como diz o pessoal que trabalha lá, The Hill, a Colina.

Quando cheguei, o recepcionista me avisou para não usar a escada, que estava bloqueada com a fita da polícia. Ele me deu um quarto no segundo andar do edifício principal, com vista para os edifícios adjacentes e o estacionamento do motel. O quarto era mal-iluminado, o banheiro estava embolorado, o tapete era imundo e tinha queimaduras de cigarro embaixo da placa de "não fume"; e o colchão mole tinha manchas roxas escuras de algo que eu esperava que fosse bebida. Mesmo assim, gostei – eu ainda estava na idade de achar aquela pocilga romântica –, e passei a primeira noite acordado na cama, vendo os insetos formando enxames sobre a única lâmpada de teto abobadado e contando as horas para o café da manhã continental gratuito que me haviam prometido.

Na manhã seguinte, descobri que, no continente de Warrenton, café da manhã significava caixinhas individuais de cereal Froot Loops e leite azedo. Bem-vindo ao governo.

O Comfort Inn seria minha casa por seis meses. Meus colegas e eu fomos dissuadidos de contar a nossos entes queridos onde estávamos e o que estávamos fazendo. Eu seguia à risca os protocolos, raramente voltando para Maryland ou falando com Lindsay pelo telefone. De qualquer maneira, não tínhamos permissão para levar o celular à escola, pois as aulas eram confidenciais, e tínhamos aulas o tempo todo.

Warrenton nos mantinha ocupados demais para nos sentirmos sozinhos.

Se The Farm, a Fazenda, em Camp Peary, é a mais famosa instituição de treinamento da CIA, principalmente porque é a única sobre a qual o pessoal de relações públicas da agência pode falar com Hollywood, The Hill, a Colina, é, sem dúvida, a mais misteriosa. Conectada por meio de micro-ondas e fibra ótica ao edifício de transmissão por satélite da Brandy Station – parte da constelação de locais-irmãos do Centro de Treinamento de Warrenton –, a Colina é o coração da rede de comunicações de campo da CIA, estrategicamente localizada fora do alcance nuclear de DC. Os espertos velhos tecnólogos que trabalhavam lá gostavam de dizer que a CIA poderia sobreviver se perdesse sua sede em um ataque catastrófico, mas que morreria se perdesse Warrenton. E, agora que o topo da Colina abriga dois enormes centros de processamento de dados ultrassecretos – um dos quais eu ajudei a construir mais tarde –, sinto-me inclinado a concordar.

A Colina ganhou esse nome por causa de sua localização, que fica no topo, claro, de um grande e maciço declive. Quando eu cheguei, havia apenas uma estrada que levava para lá, passando por uma cerca perimetral propositalmente não sinalizada, e depois subia uma ladeira tão íngreme que sempre que a temperatura caía e a estrada congelava, os veículos perdiam tração e deslizavam para trás.

Um pouco além do posto de segurança fica o decadente edifício de treinamento de comunicações diplomáticas do Departamento de Estado, cuja localização proeminente pretendia reforçar seu papel de cobertura: fazer a Colina parecer apenas um lugar onde o serviço diplomático estadunidense treina tecnólogos. Além disso, no terreno de trás, ficavam os vários edifícios baixos e sem identificação nos quais eu estudava, e mais longe ainda ficava o campo de tiro que os puxadores de gatilho da CI usavam para treinamento especial. Ouviam-se tiros, de um estilo com o qual eu não estava familiarizado: pop-pop, pop; pop-pop, pop. Um tiro duplo significava incapacitar, seguido por outro direto para executar.

Lá, eu era membro da turma 6-06 do BTTP, Programa Básico de Treinamento em Telecomunicações (Basic Telecommunications Training Program), cujo nome intencionalmente discreto disfarça um dos currículos mais secretos e incomuns que existem. O objetivo do programa é treinar os TISOs (Agentes Técnicos em Segurança da Informação) – o grupo de comunicadores de elite da CIA ou, menos formalmente, os caras de comunicação. Um TISO é treinado para ser pau para toda obra, uma só pessoa para substituir as funções especializadas das gerações anteriores conhecidas como assistente de programação, operador de rádio, eletricista e mecânico, consultor de segurança física e digital e técnico de informática. A principal tarefa desse agente disfarçado é administrar a infraestrutura técnica para as operações da CIA, mais comumente no exterior, em estações escondidas dentro de missões, consulados e embaixadas dos EUA – daí a conexão com o Departamento de Estado. A ideia é: se você estiver em uma embaixada dos EUA, o que significa que está longe de casa, cercado por estrangeiros não confiáveis – sendo hostis ou aliados, ainda são estrangeiros indignos de confiança para a CIA –, vai ter que cuidar de todas as suas necessidades técnicas internamente. Se você pedir a um profissional local para consertar sua base secreta de espionagem, ele com certeza o fará, cobrando barato até, mas também instalará grampos para uma potência estrangeira, desses difíceis de encontrar.

Portanto, os TISOs precisam basicamente saber consertar todas as máquinas do edifício, desde computadores individuais e redes até sistemas de CCTV e HVAC, painéis solares, aquecedores e resfriadores, geradores de emergência, conexões via satélite, dispositivos de criptografia militar, alarmes, bloqueios, e assim por diante. A regra é: se o aparelho se conecta de alguma maneira, é problema do TISO.

Os TISOs também precisam saber como construir alguns desses sistemas, além de como destruí-los – quando uma embaixada está cercada, digamos, depois que todos os diplomatas e a maioria de seus colegas da CIA já foram evacuados. O TISO é sempre o último a sair. Seu trabalho é mandar a mensagem final – "Fora do ar" – para o quartel-general depois de haverem triturado, queimado, limpado, desmagnetizado e desintegrado qualquer coisa que tenha impressões digitais da CIA, desde documentos operacionais guardados em cofres até discos com material cifrado, para garantir que não sobre nada de valor para um inimigo apreender.

O porquê de isso ser trabalho da CIA, e não do Departamento de Estado – a entidade que realmente possui o prédio da embaixada – é mais que a grande diferença entre os dois em termos de competência e confiança; a verdadeira razão é a negação plausível. O segredo mais mal guardado da diplomacia moderna é que a principal função de uma embaixada hoje em dia é servir de plataforma para a espionagem. As antigas explicações para um país poder tentar manter uma presença física notoriamente soberana no solo de outro país se tornaram obsoletas com o surgimento das comunicações eletrônicas e aeronaves a jato. Hoje, a diplomacia mais significativa acontece diretamente entre ministérios e ministros. É verdade que as embaixadas ainda enviam ocasionais diligências diplomáticas e dão apoio a seus cidadãos no exterior; e também há os departamentos consulares, que emitem vistos e renovam passaportes. Mas, muitas vezes, ficam em outro edifício, e, de qualquer forma, nenhuma dessas atividades pode remotamente justificar a despesa de manter toda essa infraestrutura. O que justifica a despesa é a capacidade de um país usar seu Serviço de Relações Exteriores como cobertura para conduzir e legitimar sua espionagem.

Os TISOs trabalham sob cobertura diplomática, com credenciais que os ocultam entre esses agentes do serviço exterior, geralmente sob a identidade de adidos. As maiores embaixadas têm uns 5 adidos, talvez 3, mas a maioria tem só um. São chamados de *singletons*, e eu me lembro de ter ouvido dizer que, dentre todos os cargos que a CIA oferece, esse tem as maiores taxas de divórcio. Ser um *singleton* é ser o único agente técnico, longe de casa, em um mundo onde está tudo sempre quebrado.

Meu curso em Warrenton começou com cerca de 8 membros e perdeu apenas 1 antes da formatura – disseram-me que isso era bastante incomum. E essa equipe heterogênea também era incomum, embora bem representativa do tipo de pessoas descontentes que se candidatam voluntariamente para uma carreira que praticamente garante que vão passar a maior parte do serviço em condição de sigilo em um país estrangeiro. Pela primeira vez em minha carreira na CI, eu não era o mais novo da sala. Aos 24 anos, eu diria que estava na média, mas minha experiência de trabalho com sistemas no quartel-general com certeza me deu um empurrão em termos de familiaridade com as operações da agência. Os outros, na maioria, eram apenas garotos com inclinação para a tecnologia recém-saídos da faculdade, ou diretamente da rua, que haviam se candidatado on-line.

Em alusão às aspirações paramilitares dos ramos de atuação em campo estrangeiro da CIA, nós nos chamávamos por apelidos – logo atribuídos com base em excentricidades – com mais frequência que pelos nomes verdadeiros. Taco Bell era do subúrbio; grande, simpático e perdido. Aos 20 anos de idade, o único emprego que teve antes da CIA foi de gerente noturno de uma filial do restaurante de mesmo nome na Pensilvânia. Rainman tinha 20 e tantos anos e passara o semestre quicando, no espectro autista, entre a indiferença catatônica e a fúria arrepiante. Ele usava o nome que lhe demos com orgulho e afirmava ser um honorífico nativo americano. Flute ganhou esse apelido porque sua carreira de fuzileiro naval era muito menos interessante para nós que seu diploma em flauta de pã de um conservatório musical. Spo era um dos mais velhos, de 35 anos ou mais. Tinha esse apelido porque havia sido SPO – Special Police Officer –, agente da polícia especial, na sede da CIA, onde ficara tão entediado guardando o portão em McLean que estava determinado a fugir para o exterior mesmo que isso significasse enfiar toda sua família em um único quarto de motel (uma situação que durou até que a gerência encontrou a cobra de estimação de seus filhos vivendo em uma gaveta). O mais velho era Colonel (coronel), um ex-sargento de comunicações das Forças Especiais de meados dos anos 1940, que após numerosas excursões pelo Oriente Médio, estava tentando seu segundo ato. Nós o chamávamos de Colonel – ele era apenas um recruta, não um oficial – principalmente por sua semelhança com aquele simpático senhor do Kentucky cujo frango frito nós preferíamos à comida da lanchonete de Warrenton.

Meu apelido – acho que não o posso evitar – era Count (conde). Não por causa de meu porte aristocrático ou estilo dândi, mas porque, assim como o vampiro de feltro de *Vila Sésamo*, eu tinha o costume de levantar o dedo para falar na aula, como se fosse dizer: "Um, dois, três, ha, ha, ha, três coisas que você esqueceu!".

Essas eram as pessoas com quem eu passava por umas 20 aulas diferentes, uma de cada especialidade, mas a maioria relacionada a como disponibilizar a tecnologia em qualquer ambiente dado ao governo dos Estados Unidos, seja uma embaixada ou uma situação de fuga.

Um dos treinamentos era carregar para o telhado de um edifício o "pacote remoto", que era uma maleta mais velha que eu, de uns 35 quilos, cheia de equipamentos de comunicação. Com apenas uma bússola e uma folha plastificada com as coordenadas, eu tinha de encontrar em todo aquele vasto céu de estrelas cintilantes um dos satélites furtivos da CIA, que me conectaria à nave mãe da agência, seu Centro de Comunicação de Crise, em McLean – cujo código era Central –, e então, usar o kit da época da Guerra Fria para estabelecer um canal de rádio criptografado.

Esse exercício era um lembrete prático do motivo pelo qual o agente de comunicação é sempre o primeiro a chegar e o último a sair: o chefe da estação pode roubar o mais profundo segredo do mundo, mas isso não significa nada enquanto alguém não o levar para casa.

Naquela noite, fiquei na base até depois de escurecer. Peguei meu carro e fui até o topo da Colina; estacionei em frente a um celeiro onde estudávamos conceitos elétricos para impedir que os adversários monitorassem nossas atividades. Os métodos que aprendíamos às vezes pareciam vodu – como a capacidade de reproduzir o que estiver sendo exibido em qualquer monitor de computador usando apenas as minúsculas emissões eletromagnéticas causadas pelas correntes oscilantes de seus componentes internos, que podem ser captadas com uma antena especial, um método chamado Van Eck phreaking. Se está achando isso difícil de entender, garanto que nós sentimos o mesmo. O próprio instrutor logo admitiu que nunca compreendera totalmente os detalhes e não poderia demonstrá-los para nós, mas sabia que a ameaça era real. A CIA fazia isso com os outros, o que significava que outros poderiam fazer o mesmo conosco.

Eu me sentei no teto do carro, aquele velho Civic branco, e, enquanto olhava o que parecia ser a Virgínia inteira, liguei para Lindsay pela primeira vez em semanas, ou talvez em um mês. Conversamos até a bateria de meu celular morrer; minha respiração ia ficando visível à medida que a noite esfriava. O que eu mais queria era compartilhar a cena com ela – os campos escuros, as colinas ondulantes, o alto brilho astral –, mas descrevê-la era o máximo que eu podia fazer. Eu já estava quebrando as regras usando o celular; estaria quebrando a lei se tirasse uma foto.

Um dos principais temas de estudo de Warrenton era a manutenção de terminais e cabos, os componentes básicos – em muitos aspectos, primitivos – da infraestrutura de comunicação de qualquer estação da CIA. Um terminal, nesse contexto, é apenas um computador usado para enviar e receber mensagens por uma única rede segura. Na CIA, a palavra "cabos" tende a se referir às mensagens em si, mas os agentes técnicos sabem que os cabos são também muito mais tangíveis; são os fios que há cerca de meio século ligam os terminais da agência – especificamente, os antigos Terminais Pós-comunicação – por todo o mundo, abrindo um túnel subterrâneo que atravessa as fronteiras nacionais, enterrados no fundo do oceano.

Nosso ano foi o último em que os TISOs tiveram de ser hábeis em tudo isso: o hardware do terminal, os múltiplos pacotes de software, e também os cabos, claro. Para alguns dos meus colegas, era meio maluco ter de lidar com questões de isolamento e revestimento na era do *wireless*, do sem fio. Mas quando algum deles expressava dúvidas sobre a relevância de uma dessas tecnologias aparentemente antiquadas que estavam sendo ensinadas, nossos instrutores nos faziam recordar que nosso ano também era o primeiro na história da Colina em que os TISOs não precisavam aprender código Morse.

Com a formatura próxima, tivemos de preencher umas folhas que chamamos de folhas dos sonhos. Deram-nos uma lista das estações da CIA pelo mundo que precisavam de gente e nos pediram que as classificássemos por ordem de preferência pessoal. Essas folhas dos sonhos foram para a Divisão de Requisitos, que sem demora as amassou e jogou no lixo – pelo menos segundo os boatos.

Minha folha dos sonhos começava com a chamada SRD, Divisão de Requisitos Especiais. Tecnicamente, era um cargo, não em qualquer embaixada, e sim na Virgínia mesmo, de onde eu seria enviado em turnês periódicas por todos os lugares mais feios do Oriente Médio, onde a agência julgava que um posto permanente seria muito difícil ou perigoso – minúsculo, isolado das bases operacionais avançadas no Afeganistão, Iraque e regiões fronteiriças do Paquistão, por exemplo. Ao escolher a SRD, eu estava optando pelo desafio e pela variedade, em vez de ficar preso em uma cidade só, durante um período de até três anos. Meus instrutores estavam todos muito confiantes de que a SRD aproveitaria a chance de me ter com eles, e eu estava bastante confiante em minhas habilidades recentemente aperfeiçoadas. Mas as coisas não saíram conforme o esperado.

Como ficou evidente pelas condições do Comfort Inn, a escola estava cortando gastos. Alguns de meus colegas começaram a suspeitar que a administração na verdade estava – acredite ou não – violando as leis trabalhistas federais. Como um recluso obcecado pelo trabalho, de início eu não me incomodei com isso, nem ninguém de minha idade. Para nós, esse era o tipo de exploração básica que já havíamos sofrido com tanta frequência que confundíamos com o normal. Mas horas extras não pagas, negação de licenças e a recusa de honrar os benefícios da família faziam diferença para os colegas mais velhos. Colonel tinha de pagar pensão, e Spo tinha família; cada dólar contava, cada minuto importava.

Essas queixas vieram à tona quando as escadas decrépitas do Comfort Inn por fim desabaram. Felizmente, ninguém se feriu, mas todos ficaram assustados, e meus colegas de classe começaram a reclamar dizendo que, se o prédio houvesse sido financiado por outra entidade que não a CIA, teria sido condenado por violações das normas contra incêndio anos atrás. O descontentamento se espalhou, e logo o que era basicamente uma escola para sabotadores estava próximo de se sindicalizar. A administração, em resposta, negou-se a tomar providências e decidiu esperar que saíssemos, já que todos os envolvidos acabariam se formando ou sendo mandados embora.

Alguns colegas foram me procurar. Eles sabiam que os instrutores gostavam de mim, uma vez que minhas habilidades me colocavam no topo de minha classe. E, como eu havia trabalhado na sede, eles também sabiam que eu conhecia a burocracia. Além disso, eu escrevia muito bem – pelo menos para os padrões do mundo da tecnologia. Eles queriam que eu atuasse como uma espécie de representante de classe, ou mártir de classe, apresentando formalmente suas queixas ao diretor da escola.

Eu gostaria de dizer que estava motivado a assumir a causa apenas por meu senso de justiça. Mas, embora isso certamente tenha contribuído para a decisão, não posso negar que, para um jovem que de repente se destacava em quase tudo que tentava fazer, desafiar a administração corrupta da escola parecia divertido. Em menos de uma hora eu estava na rede interna compilando normas, e antes do fim do dia meu e-mail foi enviado.

Na manhã seguinte, o diretor da escola me chamou em sua sala. Ele admitiu que a escola havia saído dos trilhos, mas disse que os problemas não eram nada que ele pudesse resolver.

"Você está aqui há apenas doze semanas; faça-me um favor e diga a seus colegas para se resignarem. As designações aos cargos chegarão em breve, e então, vocês terão coisas melhores com que se preocupar. Só o que vocês vão se lembrar daqui é quem teve a melhor avaliação de desempenho."

Ele falou de tal maneira que poderia ter sido uma ameaça, ou talvez uma tentativa de suborno. De qualquer forma, isso me incomodou. Assim que saí de sua sala a diversão acabou, e o que eu queria era justiça.

Voltei para uma aula que achava que ia perder. Lembro-me de Spo notar minha carranca e dizer:

"Não fique assim, cara. Pelo menos você tentou."

Ele estava na agência havia mais tempo que qualquer outro colega nosso; sabia como ela funcionava e como era ridículo acreditar que a administração consertaria algo que ela própria teria estragado. Em comparação, eu era um inocente burocrata, perturbado com a perda e com a facilidade com que Spo e os outros se resignaram. Eu odiava sentir que só a ficção do processo era suficiente para desbaratar uma demanda genuína. Não que meus colegas não se importassem o bastante para lutar; é que não podiam se dar ao luxo: o sistema fora projetado de modo que o custo do aumento da briga excedia os benefícios esperados com a solução. Aos 24 anos, porém, eu pensava tão pouco nos custos quanto nos benefícios; só o que me importava era o sistema. Eu não havia terminado.

Eu reescrevi e reenviei o e-mail – não para o diretor da escola dessa vez, e sim para seu chefe, diretor do Field Service Group. Embora ele estivesse acima do diretor da escola, o D/FSG era praticamente equivalente, em nível hierárquico, a alguns agentes com quem eu tratara na sede. E também copiei o chefe do chefe no e-mail, que definitivamente não era do mesmo nível.

Alguns dias depois, estávamos tendo uma aula sobre algo tipo falsa subtração como recurso de criptografia de campo quando uma secretária administrativa entrou e declarou que o antigo regime havia caído. Horas extras não remuneradas não seriam mais necessárias e, de fato, em duas semanas fomos transferidos para um hotel muito mais legal. Eu me lembro do tolo orgulho dela ao anunciar: "Um Hampton Inn!".

Tive mais ou menos um dia para me deleitar com minha glória antes que a aula fosse interrompida de novo. Dessa vez, o diretor da escola estava à porta, chamando-me a sua sala. Spo logo pulou da cadeira, abraçou-me, fingiu enxugar uma lágrima e disse que jamais me esqueceria. O diretor da escola revirou os olhos.

Esperando na sala estava o diretor do Field Service Group – chefe do diretor da escola, chefe de quase todo mundo na carreira de TISO, abaixo apenas do chefão que eu copiara no e-mail. Ele foi excepcionalmente cordial e não apertou a mandíbula de raiva como o diretor da escola. Isso me deixou nervoso.

Tentei parecer calmo, mas estava suando. O diretor da escola começou reiterando que as questões que a classe trouxera à luz estavam em processo de solução. Mas seu superior o interrompeu:

"Mas não estamos aqui para falar sobre isso. Estamos aqui para falar sobre insubordinação e cadeia de comando."

Se ele houvesse me dado um tapa na cara, eu teria ficado menos chocado.

Eu não tinha ideia do que o diretor queria dizer com insubordinação, mas, antes que eu tivesse oportunidade de perguntar, ele prosseguiu. A CIA era bem diferente das outras agências civis, disse ele, mesmo que, no papel, os regulamentos insistissem que não era. E em uma agência que fazia um trabalho tão importante, nada era mais crucial que a cadeia de comando.

Erguendo o dedo indicador, de forma automática, mas educada, eu disse que, antes de mandar um e-mail para estâncias superiores, eu havia tentado falar com a cadeia de comando e não conseguira. O que era justamente a última coisa que eu deveria ter explicado para a própria cadeia de comando personificada sentada atrás de uma mesa a minha frente.

O diretor da escola olhou para os sapatos e depois pela janela.

"Escute", disse seu chefe, "Ed, eu não estou aqui para registrar um boletim de sentimentos feridos. Relaxe. Reconheço que você é um rapaz talentoso; falamos com todos os seus instrutores e eles disseram que você é talentoso e esperto. Que até se ofereceu para ir à zona de guerra. Nós gostamos disso. Queremos você aqui, mas precisamos saber se podemos contar com você. Você precisa entender que existe um sistema aqui; às vezes, todos temos que aturar coisas de que não gostamos, porque a missão vem em primeiro lugar, e não podemos completar a missão se todos os membros da equipe estiverem hesitantes."

Ele fez uma pausa, engoliu e prosseguiu:

"Em nenhum lugar isso é mais verdadeiro que no deserto. Muitas coisas acontecem no deserto, e acho que não chegamos ainda a um estágio no qual eu confiaria que você saberia lidar com elas."

Essa foi sua retaliação. E embora fosse totalmente contraproducente, o diretor da escola sorria agora olhando para o estacionamento. Ninguém além de mim – ninguém mesmo – havia colocado a SRD, nem nenhuma outra situação de combate ativo, como primeira, segunda ou até terceira escolha nas folhas de sonhos. Todos os outros haviam priorizado todas as paradas do circuito europeu do champanhe, todos os elegantes burgos onde passar doces férias com moinhos de vento e bicicletas, onde raramente se ouvem explosões.

De uma maneira quase perversa, eles me mandaram para um lugar desses. Mandaram-me para Genebra. Puniram-me dando-me o que eu nunca pedira, mas que todo mundo queria.

Como se estivesse lendo minha mente, o chefão disse:

"Isso não é um castigo, Ed; na verdade, é uma oportunidade. Alguém com seu nível de especialização seria um desperdício na zona de guerra. Você precisa de uma estação maior, que pilote os projetos mais novos, para realmente mantê-los ocupados e ampliar suas habilidades."

Todos os meus colegas que haviam me parabenizado antes, mais tarde ficariam com inveja e pensariam que eu havia sido comprado com uma posição de luxo para evitar mais reclamações. Mas, no momento, minha reação foi o oposto: achei que o diretor da escola tinha um informante na turma, que lhe dissera exatamente o tipo de estação que eu queria evitar.

O chefão se levantou com um sorriso, indicando que a reunião havia acabado.

"Muito bem, acho que temos um plano. Antes de ir, só quero ter certeza de que ficou tudo claro aqui: não precisarei conversar com você de novo, certo?"

15. GENEBRA

Frankenstein, de Mary Shelley, escrito em 1818, em grande parte se desenrola em Genebra, a agitada, limpa, rigorosamente organizada cidade suíça que passou a ser minha casa. Como muitos estadunidenses, eu cresci assistindo às várias versões em filmes e desenhos na TV, mas, na verdade, nunca havia lido o livro. Nos dias anteriores a minha partida dos Estados Unidos, eu estava procurando o que ler sobre Genebra, e em quase todas as listas que encontrei on-line, *Frankenstein* se destacava entre os guias para turistas e as histórias. Na verdade, acho que os únicos PDFs que baixei para ler no avião foram *Frankenstein* e as Convenções de Genebra, e só terminei o primeiro. Eu lia à noite nos longos e solitários meses que passei sozinho antes de Lindsay se juntar a mim, deitado em um colchão nu na sala de estar do apartamento comicamente chique, comicamente amplo, mas ainda quase totalmente sem mobília pago pela embaixada no Quai du Seujet, no distrito de Saint-Jean Falaises, com vista para o Ródano de uma janela e para a cordilheira de Jura da outra.

Basta dizer que o livro não era o que eu esperava. *Frankenstein* é um romance epistolar que se assemelha a um emaranhado de e-mails sobrescritos, alternando cenas de loucura e assassinato sangrento com um relato que advertia que a inovação tecnológica tende a superar todas as restrições morais, éticas e legais. O resultado é a criação de um monstro incontrolável.

Na CI, o efeito Frankenstein é amplamente citado, mas o termo militar mais popular para isso é *blowback*: situações em que as decisões políticas que deveriam promover os interesses dos EUA acabam por prejudicá-los irremediavelmente. Entre os exemplos proeminentes do efeito Frankenstein, citados por avaliações posteriores civis, governamentais, militares e inclusive da CI, estão o financiamento e treinamento dado aos mujahidin* pelos EUA para combater os soviéticos, o que resultou na militarização de Osama bin Laden e a fundação do Al Qaeda; também a remoção dos militares iraquianos da era Saddam Hussein do Partido Ba'ath, o que resultou na ascensão do Estado Islâmico. Mas, sem dúvida, o principal exemplo do efeito Frankenstein ao longo de minha breve carreira pode ser encontrado na campanha clandestina do governo dos EUA para reestruturar as comunicações do mundo. Em Genebra, na mesma paisagem em que a criatura de Mary Shelley fugiu do controle, os Estados Unidos estavam ocupados criando uma rede que acabaria adquirindo vida e missão próprias e causando estragos na vida de seus criadores – na minha, inclusive.

A estação da CIA na embaixada dos EUA em Genebra foi um dos principais laboratórios europeus desse experimento que durou décadas. Essa cidade, a refinada capital do velho mundo, das famílias de banqueiros e de uma tradição imemorial de sigilo financeiro, também ficava na interseção das redes de fibra ótica da União Europeia e internacionais, e, por acaso, à sombra dos principais satélites de comunicação que circulavam acima.

A CIA é a principal agência de inteligência dos EUA dedicada à HUMINT, ou coleta secreta de informações por meio de relacionamento interpessoal – contato pessoa a pessoa, cara a cara, sem a mediação de uma tela. Os COs (agentes de caso) especializados nisso eram cínicos inveterados, charmosos mentirosos que fumavam, bebiam e nutriam um profundo ressentimento pelo surgimento da SIGINT, ou coleta secreta de informações por meio de comunicações interceptadas, que a cada ano que passava reduzia o privilégio e o prestígio da HUMINT. Mas, embora os COs tivessem uma desconfiança generalizada em relação à tecnologia digital – reminiscências de Leland –, eles certamente entendiam o quanto ela poderia ser útil. Isso produziu uma camaradagem produtiva e uma rivalidade saudável. Mesmo o mais astuto e carismático CO, ao longo de sua carreira, encontraria pelo menos alguns zelosos idealistas cuja lealdade não poderia comprar com envelopes cheios de dinheiro. Esse era,

---

* Muçulmanos que seguem a Jihad.

tipicamente, o momento em que eles se voltavam para agentes técnicos de campo como eu – com perguntas, elogios e convites para festas.

Servir como agente técnico de campo entre essas pessoas era ser tanto um embaixador cultural quanto um consultor especializado, apresentando aos agentes de caso as tradições e costumes de um novo território não menos estranho para a maioria dos estadunidenses que os 26 cantões e 4 idiomas oficiais da Suíça. Na segunda-feira, um CO me pedia instruções para configurar um canal secreto de comunicações on-line com um potencial vira-casaca que tinham medo de assustar. Na terça-feira, outro me apresentava alguém dizendo que era um especialista de Washington – mas que era, na verdade, o mesmo CO do dia anterior, testando um disfarce de que ainda me envergonho de dizer que nem desconfiei – se bem que acho que esse era o objetivo. Na quarta-feira, poderiam me perguntar qual seria a melhor maneira de destruir após transmitir (a versão tecnológica do destruir depois de ler) um disco de registros de clientes que um CO conseguira comprar de um funcionário desonesto da Swisscom. Na quinta-feira, talvez eu tivesse de escrever e transmitir relatórios de violação de segurança por parte de COs, documentando pequenas infrações, como quando se esqueciam de trancar a porta do cofre quando iam ao banheiro – um dever que eu executaria com considerável compaixão, já que eu mesmo uma vez tive de reportar sobre mim por cometer exatamente o mesmo erro. Na sexta-feira, o chefe de operações poderia me chamar à sua sala para perguntar se, hipoteticamente falando, a sede poderia mandar um pen drive infectado que poderia ser usado por alguém para hackear os computadores usados pelos delegados nas Nações Unidas, cujo edifício principal ficava na mesma rua –, e se eu achava que havia muita chance de esse alguém ser pego.

Eu não achava, e eles não seriam pegos.

Em suma, durante o tempo que passei em campo, este mudava rapidamente. A agência estava cada vez mais inflexível quanto a garantir que os COs entrassem no novo milênio, e os agentes técnicos de campo como eu eram encarregados de ajudá-los com isso, além de executar todas as nossas outras tarefas. Nós os colocávamos on-line e eles nos toleravam.

Genebra era considerada o marco zero para essa transição porque continha o ambiente mais rico do mundo em alvos sofisticados, desde a sede global das Nações Unidas até os escritórios de numerosas agências especializadas da ONU e organizações não governamentais internacionais. Como a Agência Internacional de Energia Atômica, que promove a tecnologia nuclear e os padrões de segurança no mundo todo, incluindo os relacionados ao armamento nuclear; como a União Internacional de Telecomunicações, que, por meio de sua influência nos padrões técnicos para tudo – desde o espectro de rádio até as órbitas dos satélites –, determina o que pode ser comunicado e como; e a Organização Mundial do Comércio, que por meio de sua regulamentação do comércio de bens, serviços e propriedade intelectual entre as nações participantes determina o que pode ser vendido e como. Por fim, havia o papel de Genebra como a capital do financiamento privado, que permitia que grandes fortunas fossem escondidas e gastas sem muito escrutínio público, independentemente de serem ilícitas ou merecidas.

Os métodos notoriamente lentos e meticulosos da espionagem tradicional com certeza tiveram seus sucessos na manipulação desses sistemas para o benefício dos Estados Unidos, mas, em última análise, muito poucos para satisfazer o cada vez maior apetite dos estrategistas políticos estadunidenses que leram os relatórios da CI, especialmente com o setor bancário suíço – assim como do resto do mundo – se tornando digital. Com os segredos mais profundos do mundo agora armazenados em computadores, que, na maioria das vezes, estavam conectados à internet aberta, era lógico que as agências de inteligência dos Estados Unidos desejassem usar essas mesmas conexões para roubá-los.

Antes do advento da internet, se uma agência quisesse ter acesso ao computador de um alvo, teria de recrutar um ativo que tivesse acesso físico a ele. Obviamente, essa era uma proposta perigosa: o ativo poderia ser pego no ato de baixar os segredos ou de implantar o hardware e o software exploradores que transmitiriam os segredos para seus manipuladores. A disseminação global da tecnologia digital simplificou demais esse processo. Esse novo mundo de inteligência de rede digital, ou operações de redes de computadores, significava que o acesso físico quase nunca era necessário, o que reduzia o nível de risco humano e realinhava permanentemente o equilíbrio HUMINT/SIGINT. Um agente poderia enviar uma mensagem ao alvo, como um e-mail, com anexos e links que liberariam um malware e que permitiria à agência vigiar não apenas o computador do alvo, mas também toda sua rede. Dada essa inovação, a HUMINT da CIA se dedicaria à identificação de alvos de interesse, e a SIGINT cuidaria do resto. Em vez de um CO transformar um alvo em um ativo por meio de suborno em dinheiro em mãos – ou coerção e chantagem, se o suborno fracassasse –, hackear seu computador proporcionaria um benefício semelhante. Além disso, com esse método o alvo permaneceria inconsciente de tudo, o que, inevitavelmente, seria um processo mais limpo.

Pelo menos essa era a expectativa. Mas, à medida que a inteligência foi se tornando cada vez mais ciberinteligência (um termo usado para distingui-la das antigas formas de SIGINT off-line – o telefone e o fax), velhas preocupações também precisavam ser atualizadas para o novo meio da internet. Por exemplo: como fazer buscas on-line sobre um alvo mantendo-se anônimo.

Esse problema normalmente surge quando um CO pesquisa o nome de uma pessoa de um país como o Irã ou a China nos bancos de dados da agência e aparece de mãos vazias. Para buscas casuais de possíveis alvos como esses, não encontrar resultados era, na verdade, bastante comum. Quase todos os bancos de dados da CIA estavam cheios de pessoas que já interessavam à agência, ou cidadãos de países amigos cujos registros estavam mais facilmente disponíveis. Ao não encontrar resultados, o CO teria de fazer a mesma coisa que você faz quando quer achar alguém: usar a internet pública. E isso era arriscado.

Normalmente, quando você entra em qualquer site da internet, sua solicitação viaja de seu computador mais ou menos diretamente ao servidor que hospeda seu destino final, o site que está tentando visitar. Mas, em todas as paradas no caminho, sua solicitação anuncia com alegria e exatidão de que lugar da internet ela vem e a que lugar da internet vai, graças a identificadores chamados cabeçalhos de origem e destino, que seriam como as informações de endereço de um cartão postal. Por causa desses cabeçalhos, sua navegação na internet pode ser facilmente identificada como sua pelos, entre outros, webmasters, administradores de rede e serviços de inteligência estrangeiros.

Talvez seja difícil acreditar, mas, na época, a agência não tinha uma boa resposta para o que um agente deveria fazer nessa situação além de recomendar que pedisse à sede da CIA que assumisse a busca. Formalmente, esse procedimento ridículo funcionava assim: alguém em McLean entrava na internet de um terminal de computador específico e usava o que se chamava sistema de busca não atribuível. Isso era jogar uma consulta em um emissário – ou seja, a origem falsa – antes de mandá-la ao Google. Se alguém tentasse investigar quem havia feito aquela busca específica, só o que encontraria seria uma empresa anódina localizada em algum lugar dos Estados Unidos – uma das milhares de falsas empresas de headhunters de executivos ou de empregados que a CIA usava como cobertura.

Não posso dizer que alguém já me explicou por que a CIA gostava de usar empresas tipo agências de emprego como fachada; presumivelmente, porque eram as únicas empresas que poderiam, de uma maneira plausível, fazer buscas sobre um engenheiro nuclear no Paquistão um dia e sobre um general polonês aposentado no dia seguinte. Mas posso dizer com certeza absoluta que o processo era ineficaz, complicado e caro. Para criar só uma dessas coberturas, a agência precisava inventar o propósito e o nome de uma empresa, assegurar um endereço físico confiável em algum lugar dos Estados Unidos, registrar uma URL crível, criar um site confiável e depois alugar servidores em nome da empresa. Além disso, precisava criar uma conexão criptografada a partir desses servidores que permitisse a comunicação com a rede da CIA sem que ninguém percebesse a conexão. O problema é o seguinte: depois de fazer todo esse esforço e gastar todo esse dinheiro só para que pudéssemos pesquisar um nome de forma anônima, a empresa de fachada que estivesse sendo usada como emissário ficaria imediatamente queimada – ou seja, sua conexão com a CIA seria revelada a nossos adversários – no momento em que algum analista decidisse dar um tempo na busca para entrar em sua conta pessoal do Facebook no mesmo computador. Como poucas pessoas na sede trabalhavam disfarçadas, essa conta do Facebook declarava abertamente "Eu trabalho na CIA", ou "Eu trabalho no Departamento de Estado, mas em McLean".

Pode rir. Naquela época, isso acontecia o tempo todo.

Durante o tempo que passei em Genebra, quando um CO me perguntava se havia uma maneira mais segura, mais rápida e mais eficiente de fazer isso, eu lhe apresentava o Tor.

O Projeto Tor foi uma criação do Estado que acabou se tornando um dos poucos escudos efetivos contra a vigilância do governo. Tor é um software livre, de código aberto, que, se usado com cuidado, permite que o usuário navegue na internet em quase perfeito anonimato, o que pode ser praticamente alcançado em escala. Seus protocolos foram desenvolvidos pelo Laboratório de Pesquisa Naval dos EUA em meados da década de 1990, e em 2003, divulgados ao público – à população civil mundial, essencial para sua funcionalidade. Isso ocorre porque o Tor opera em um modelo de comunidade cooperativa, contando com voluntários especializados em tecnologia do mundo todo que administram seus próprios servidores Tor em seus porões, sótãos e garagens. Ao rotear o tráfego de internet de seus usuários por esses servidores, o Tor faz o mesmo trabalho de proteção à origem desse tráfego que o sistema de busca não atribuível da CIA. A diferença principal é que o Tor faz isso melhor, ou, no mínimo, de forma mais eficiente. Eu já tinha certeza disso, mas convencer os rudes COs era outra questão.

Com o protocolo Tor, seu tráfego é distribuído e rebota por caminhos gerados aleatoriamente de um servidor Tor para outro, com o objetivo de substituir sua identidade como fonte de uma comunicação pela do último servidor Tor da cadeia em constante mudança. Praticamente nenhum dos servidores Tor, que são chamados de camadas, conhece a identidade ou qualquer informação de identificação sobre a origem do tráfego. E em uma verdadeira manobra de gênio, o único servidor Tor que conhece a origem – o primeiro servidor da cadeia – não sabe para onde esse tráfego está indo. Para simplificar: o primeiro servidor Tor que conecta você à rede Tor, chamado de porta, sabe que você está enviando uma solicitação, mas como não pode lê-la, ele não faz ideia se você está procurando memes de animais de estimação ou informações sobre um protesto, e o servidor Tor final pelo qual sua solicitação passa, chamado de saída, sabe exatamente o que está sendo solicitado, mas não tem ideia de quem o solicitou.

Esse método de camadas se chamava *onion router*, roteamento cebola, de onde vem o nome Tor: The Onion Router. A piadinha que corre é que tentar vigiar a rede Tor faz os espiões chorarem. Essa é a ironia do projeto: ali estava uma tecnologia desenvolvida pelos EUA que tornava a ciberinteligência ao mesmo tempo cada vez mais fácil e difícil, aplicando conhecimentos de hackers para proteger o anonimato dos agentes da CI, pelo módico preço de conceder o mesmo anonimato aos adversários e a usuários comuns do mundo todo. Nesse sentido, o Tor era ainda mais neutro que a Suíça. Para mim, pessoalmente, o Tor foi uma mudança de vida ao me levar de volta à internet de minha infância, dando-me um leve gostinho de liberdade por não ser observado.

Nenhum desses relatos sobre a CIA se voltar para a ciberinteligência, ou da SIGINT na internet, pretende implicar que a agência não fazia mais um trabalho de HUMINT significativo, da mesma maneira que sempre fez, pelo menos desde o advento da moderna CI no rescaldo da Segunda Guerra Mundial. Até eu me envolvi, mas minha operação mais memorável foi um fracasso. Genebra foi a primeira e única vez em minha carreira na Inteligência em que eu conheci pessoalmente um alvo – a primeira e única vez que olhei diretamente nos olhos de um ser humano em vez de só registrar sua vida de longe. Devo dizer que achei a experiência inesquecivelmente visceral e triste.

Sentar para discutir como hackear um complexo da ONU sem rosto era psicologicamente muito mais fácil. O envolvimento direto, que pode ser difícil e emocionalmente desgastante, simplesmente não acontece tanto no lado técnico da inteligência, e quase nunca na computação.

Ocorre uma despersonalização da experiência promovida pela distância de uma tela. Olhar a vida por uma janela pode nos fazer abstrair de nossas ações e limitar qualquer confronto significativo com suas consequências.

Eu conheci o homem em um evento da embaixada, uma festa. A embaixada tinha muitos eventos desses, e os COs sempre iam, atraídos pelas oportunidades de identificar e avaliar possíveis candidatos para recrutamento e pelo open bar e os salões de charutos.

Às vezes os COs me levavam. Eu já havia falado bastante com eles sobre minha especialidade, acho, por isso eles ficavam muito felizes em poder me ensinar sobre a deles, treinar-me para ajudá-los a localizar o imbecil em um ambiente onde sempre havia mais pessoas para conhecer do que eles dariam conta. Minha natureza geek significava que eu poderia conseguir que os jovens pesquisadores do CERN (Conselho Europeu para Pesquisas Nucleares) falassem sobre seu trabalho com uma volúvel empolgação que os MBAs e especialistas em ciências políticas que compunham nossas fileiras de COs tinham problemas para despertar.

Sendo da área da tecnologia, achei incrivelmente fácil defender meu disfarce. No momento em que os cosmopolitas com roupa feita sob medida me perguntavam o que eu fazia e eu respondia com 4 palavras: "Eu trabalho com TI" (ou em meu francês que estava aperfeiçoando, *je travaille dans l'informatique*), o interesse deles por mim acabava. Não que isso acabasse com o papo. Quando você é um profissional novo no pedaço no meio de uma conversa fora de sua área, ninguém se surpreende quando faz muitas perguntas; e posso dizer, por minha experiência, que as pessoas aproveitam a oportunidade para explicar exatamente como elas possuem mais conhecimento que você sobre algo que lhes interessa profundamente.

A festa que mencionei agora aconteceu em uma noite quente no terraço de um café sofisticado em uma das ruas laterais ao lago Lemano. Alguns daqueles COs não hesitariam em me abandonar para sentar o mais perto possível de qualquer mulher que considerassem extremamente atraente, e não mais velha que uma estudante. Mas eu não me importava. Para mim, identificar alvos era um hobby que vinha acompanhado de jantar grátis.

Peguei meu prato e me sentei a uma mesa ao lado de um homem médio-oriental, bem vestido, com uma camisa suíça ostensivamente rosa com abotoaduras. Parecia solitário e totalmente exasperado por ninguém parecer interessado nele. Então, fiz perguntas sobre ele. Essa é a técnica usual: demonstre curiosidade e deixe-os falar. E o homem falou tanto que era como se eu nem estivesse ali. Ele era saudita, e falou sobre como amava Genebra, sobre as belezas relativas dos idiomas francês e árabe, e a beleza absoluta daquela garota suíça com quem ele saía regularmente para jogar Laser Tag. Em um tom de voz conspiratório, disse que trabalhava na gestão de riquezas privada. Em instantes, eu estava recebendo uma completa e refinada apresentação sobre o que exatamente torna uma instituição bancária um banco privado, e o desafio de investir sem movimentar os mercados quando seus clientes são do tamanho de fundos soberanos.

"Seus clientes?", perguntei.

Foi quando ele disse:

"A maior parte de meu trabalho é com contas sauditas."

Depois de alguns minutos, pedi licença para ir ao banheiro, e, no caminho, inclinei-me para dizer ao CO que trabalhava com alvos financeiros o que eu havia descoberto. Depois de um intervalo propositalmente longo arrumando meu cabelo, ou mandando uma mensagem para Lindsay na frente do espelho do banheiro, voltei a encontrar o CO sentado em minha cadeira. Acenei para o meu novo amigo saudita antes de me sentar ao lado do outro CO descartado pelo primeiro. Em vez de me sentir mal, foi como se eu houvesse feito por merecer os *Pavés de Genève* que estavam passando ao redor da mesa. Meu trabalho estava feito.

No dia seguinte, o CO, a quem chamarei de Cal, elogiou-me e me agradeceu efusivamente. Os COs são promovidos ou descartados com base especialmente em sua efetividade no recrutamento de ativos com acesso a informações sobre assuntos substanciais o bastante para serem formalmente reportados à sede, e em razão do suspeito envolvimento da Arábia Saudita no financiamento do terrorismo, Cal se sentia imensamente pressionado a cultivar uma fonte qualificada. Eu tinha certeza de que em um piscar de olhos nosso colega de festa receberia um segundo salário da agência.

Mas não foi bem assim. Apesar das saídas regulares de Cal com o banqueiro para casas de *strip-tease* e bares, o saudita não estava demonstrando interesse – pelo menos não a ponto de Cal poder fazer um lance –, e o CO estava ficando impaciente.

Depois de um mês de fracassos, Cal estava tão frustrado que levou o banqueiro para beber e o deixou completamente bêbado. Então, forçou a barra para que o sujeito fosse para casa dirigindo, em vez de pegar um táxi. O sujeito mal havia saído quando Cal ligou para a polícia de Genebra e passou o modelo e a placa do carro do homem, que em menos de quinze minutos estava sendo preso por dirigir embriagado. O banqueiro levou uma multa enorme, uma vez que na Suíça as multas não são valores fixos, e sim com base em uma porcentagem da renda; e sua carteira de motorista foi suspensa por três meses – tempo pelo qual Cal, como um amigo realmente maravilhoso com uma consciência falsamente culpada, levaria o sujeito de casa para o trabalho e vice-versa, todos os dias, para que sua empresa não descobrisse. Quando a multa foi cobrada, causando problemas de fluxo de caixa a seu amigo, Cal acenou com um empréstimo. O banqueiro se tornara dependente dele – o sonho de todo CO.

Houve apenas um problema: quando Cal por fim fez o lance, o banqueiro recusou. Ficou furioso ao descobrir o crime e a prisão premeditados, e se sentiu traído pelo fato de a generosidade de Cal não ter sido genuína. Cortou relações com ele. Cal fez mais uma tentativa, sem muito entusiasmo, de controlar os danos, mas já era tarde demais. O banqueiro que amava a Suíça havia perdido o emprego e estava voltando – ou sendo devolvido – à Arábia Saudita. O próprio Cal foi mandando de volta aos Estados Unidos.

Muito risco para pouco ganho. Foi um desperdício que eu mesmo pus em movimento e depois fui incapaz de impedir. Depois dessa experiência, a priorização da SIGINT sobre a HUMINT passou a fazer muito mais sentido para mim.

No verão de 2008, a cidade comemorou sua anual *Fête de Genève*, uma festa gigante que culmina em fogos de artifício. Lembro-me de estar sentado na margem esquerda do lago Lemano com o pessoal local do SCS, Serviço de Coleta Especial, um programa conjunto da CIA e da NSA responsável pela instalação e operação do equipamento de vigilância especial que permite às embaixadas estadunidenses espionar sinais estrangeiros. Esses sujeitos trabalhavam perto de meu cofre na embaixada, mas eram mais velhos que eu, e seu trabalho ficava não apenas acima de meu salário, como também muito além de minhas habilidades; eles tinham acesso a ferramentas da NSA que eu nem sabia que existiam. Mas fizemos amizade; eu os admirava, e eles zelavam por mim.

Enquanto os fogos de artifício explodiam acima de nossa cabeça, eu estava falando sobre o caso do banqueiro, lamentando o desastre que acontecera, quando um dos rapazes se voltou para mim e disse:

"Da próxima vez que você conhecer alguém, Ed, não se incomode em avisar os COs; basta nos dar o endereço de e-mail da pessoa que nós cuidaremos de tudo."

Lembro-me de anuir soturnamente, embora, na época, eu não tivesse a mínima ideia das implicações desse comentário.

Evitei as festas durante o resto do ano. Na maioria das vezes, ia a cafés e parques de Saint-Jean Falaises com Lindsay, tirando férias ocasionais com ela na Itália, França e Espanha. Mas algo azedou meu humor, e não foi só o desastre do banqueiro. Pensando bem, talvez tivesse a ver com bancos em geral. Genebra é uma cidade cara e descaradamente elegante, mas, quando 2008 chegou ao fim, sua elegância pareceu transformar-se em extravagância, com um afluxo maciço de super-ricos – a maioria do Golfo, muitos sauditas usufruindo dos lucros dos altos preços do petróleo no ápice da crise financeira global. Essa realeza reservava andares inteiros de grandes hotéis 5 estrelas e comprava todos os estoques das lojas de luxo do outro lado da ponte. Organizavam luxuosos banquetes em restaurantes agraciados com estrelas Michelin e aceleravam suas Lamborghinis de placas cromadas pelas ruas de paralelepípedos. Seria difícil, em qualquer época, não notar a ostentação de consumo conspícuo de Genebra, mas o esbanjamento que se via na época era particularmente irritante, visto que acontecia durante o pior desastre econômico – como dizia a mídia estadunidense – desde a Grande Depressão; e como dizia a mídia europeia, desde o período entreguerras e Versalhes.

Não que Lindsay e eu estivéssemos sofrendo: afinal, nosso aluguel era pago pelo Tio Sam. Mas toda vez que ela ou eu conversávamos com nossos pais, a situação parecia mais sombria. Tanto minha família quanto a dela conheciam pessoas que haviam trabalhado a vida toda, algumas para o governo dos EUA, e acabaram tendo sua casa tomada pelos bancos depois que uma doença inesperada lhes impossibilitara pagar algumas parcelas da hipoteca.

Morar em Genebra era viver em uma realidade alternativa, oposta até. Enquanto o resto do mundo ia ficando cada vez mais pobre, Genebra florescia e, embora os bancos suíços não se envolvessem em muitos negócios arriscados do tipo que haviam causado a quebra, escondiam de bom grado o dinheiro daqueles que haviam lucrado com a dor sem nunca serem responsabilizados. A crise de 2008, que assentou grande parte das bases das crises do populismo que uma década depois varreria a Europa e a América, ajudou-me a perceber que algo que é devastador para o público pode ser, e muitas vezes é, benéfico para as elites. Essa era uma lição que o governo dos EUA me confirmaria em outros contextos, repetidas vezes, durante os próximos anos.

16. TÓQUIO

A internet é fundamentalmente estadunidense, mas eu tive de deixar os EUA para entender completamente o que isso significa. A World Wide Web pode ter sido inventada em Genebra, no laboratório de pesquisa do CERN, em 1989, mas as maneiras pelas quais a Web é acessada são tão estadunidenses quanto o beisebol, o que dá à CI dos EUA a vantagem de jogar em casa. Os cabos e satélites, os servidores e as torres, grande parte da infraestrutura da internet está sob controle dos EUA; mais de 90% do tráfego mundial da internet passa por tecnologias desenvolvidas, possuídas e/ou operadas pelo governo e empresas dos EUA, cuja maioria está fisicamente localizada em território estadunidense. Países que tradicionalmente se preocupam com essa vantagem, como a China e a Rússia, tentaram criar sistemas alternativos, como o Grande Firewall, ou os mecanismos de busca censurados, ou as constelações de satélites nacionalizados que fornecem GPS seletivo. Mas os EUA continuam a ter a hegemonia, a ser os guardiões das chaves-mestras que podem ligar e desligar praticamente qualquer um, à vontade.

Não é só a infraestrutura da internet que estou definindo como fundamentalmente dos EUA; são os programas de computador (Microsoft, Google, Oracle) e hardwares (HP, Apple, Dell) também. É tudo, desde os chips (Intel, Qualcomm) até os roteadores e modems (Cisco, Juniper), os serviços e plataformas da Web que fornecem e-mails, redes sociais e armazenamento na nuvem (Google, Facebook – e a estruturalmente mais importante, mas invisível, Amazon, que fornece serviços de nuvem para o governo dos EUA). Algumas dessas empresas podem fabricar seus dispositivos na China, mas elas próprias são estadunidenses e estão sujeitas à lei dos EUA. O problema é que também estão sujeitas a políticas secretas, que pervertem a lei e permitem ao governo dos EUA vigiar praticamente todos os homens, mulheres e crianças que já tocaram em um computador ou pegaram um telefone na mão.

Dada a natureza estadunidense da infraestrutura de comunicações do planeta, deveria ser óbvio que o governo dos EUA se engajaria nesse tipo de vigilância em massa. Deveria ter sido especialmente óbvio para mim. No entanto, não foi – principalmente porque o governo insistia em afirmar que não fazia nada disso, e geralmente negava a prática nos tribunais e na mídia de uma maneira tão inflexível que os poucos céticos que o acusavam de mentir eram tratados como malucos viciados em teorias da conspiração. As suspeitas dessa gente sobre os programas secretos da NSA pareciam pouco diferentes das ilusões paranoicas envolvendo mensagens alienígenas transmitidas aos nossos rádios. Nós – eu, você, todos nós – éramos muito crédulos. Mas o que torna isso ainda mais doloroso para mim é que, da última vez que cometi esse erro, apoiei a invasão do Iraque e fui para o Exército. Quando cheguei à CI, eu tinha certeza de que nunca mais seria enganado, principalmente com a minha autorização secreta de acesso. Com certeza, isso tinha de garantir algum grau de transparência. Afinal, por que o governo guardaria segredos dos guardiões de seus segredos? Isso tudo é para dizer que o óbvio nem me passava pela cabeça até algum tempo depois de eu me mudar para o Japão, em 2009, para trabalhar na NSA, principal agência de inteligência de sinais dos EUA. Era um trabalho dos sonhos, não só porque era na agência de inteligência mais avançada do planeta, mas também porque ficava no Japão, um lugar que sempre fascinou a mim e a Lindsay. Parecia um país do futuro. Embora eu fosse oficialmente terceirizado, as responsabilidades do cargo e, principalmente, a localização, eram mais que suficientes para me atrair. É irônico o fato de minha volta ao setor privado ter me colocado em posição de entender o que meu governo estava fazendo.

No papel, eu era funcionário da Perot Systems, uma empresa fundada por aquele pequeno e hiperativo texano que fundou o Partido Reformista e disputou duas vezes a presidência. Mas quase imediatamente após minha chegada ao Japão, a Perot Systems foi adquirida pela Dell, de modo que, no papel, eu me tornei funcionário desta última. Assim como na CIA, esse status de terceirizado era apenas formalidade e disfarce; eu sempre trabalhei exclusivamente em edifícios da NSA.

O Pacific Technical Center (PTC) da NSA ocupava metade de um edifício dentro da enorme Base Aérea de Yokota. Como sede das Forças dos EUA no Japão, a base era cercada por muros altos, portões de aço e postos de segurança vigiados. Yokota e o PTC ficavam a uma curta viagem de bicicleta do local onde Lindsay e eu conseguimos um apartamento, em Fussa, uma cidade no extremo oeste da vasta extensão metropolitana de Tóquio.

O PTC cuidava da infraestrutura da NSA em todo o Pacífico e dava suporte ao *spoke site* da agência em países vizinhos. O foco da maioria era administrar as relações secretas que permitiam que a NSA cobrisse a borda do Pacífico com equipamentos de espionagem, desde que a agência prometesse compartilhar algumas informações recolhidas com os governos regionais – e enquanto seus cidadãos não descobrissem o que ela estava fazendo.

A interceptação de comunicações era a parte principal da missão. O PTC reunia cortes de sinais captados e os mandava pelo oceano para o Havaí; e o Havaí, por sua vez, mandava-os ao continente dos EUA.

Meu cargo oficial era analista de sistemas, responsável pela manutenção dos sistemas locais da NSA; mas grande parte de meu trabalho inicial foi como administrador de sistemas, ajudando a conectar a arquitetura de sistemas da NSA com a da CIA. Como eu era o único na área que conhecia a arquitetura da CIA, também viajava para as embaixadas dos Estados Unidos, como a que havia deixado em Genebra, estabelecendo e mantendo vínculos que permitiam que as agências compartilhassem informações de maneiras que antes não eram possíveis. Essa foi a primeira vez na vida que eu realmente percebi o poder de ser o único que conhecia não apenas o funcionamento interno de um sistema, mas também seu funcionamento – ou não funcionamento – com múltiplos sistemas. Mais tarde, quando os chefes do PTC chegaram a reconhecer que eu tinha o dom para hackear e resolver seus problemas, deram-me bastante rédea para propor projetos meus.

Duas coisas na NSA me surpreenderam logo de cara: ela era tecnologicamente mais sofisticada em comparação com a CIA, mas menos vigilante em relação à segurança em todas as interações, desde a compartimentagem da informação até a criptografia de dados. Em Genebra, tínhamos de tirar os HDs do computador todas as noites e guardá-los em um cofre – e, além disso, esses drives eram criptografados. Mas a NSA raramente se preocupava em criptografar qualquer coisa.

Na verdade, foi bem desconcertante descobrir que a NSA estava tão à frente em termos de ciberinteligência, mas tão atrás em termos de segurança cibernética, incluindo a mais básica: plano de recuperação, ou backup. Cada *spoke site* da NSA coletava sua própria informação, armazenava-a em seus próprios servidores, e em decorrência das restrições de largura de banda – limitações na quantidade de dados que poderiam ser transmitidos em velocidade –, muitas vezes não mandava cópias para o servidor principal na sede da NSA. Isso significava que se dados fossem destruídos em um determinado local, toda a informação que a agência havia coletado com tanto trabalho poderia ser perdida.

Meus chefes no PTC entendiam os riscos que a agência corria por não manter cópias de muitos arquivos, então fui encarregado de criar uma solução e jogá-la aos responsáveis por tomar as decisões na sede. O resultado foi um sistema de backup e armazenamento que funcionaria como uma NSA nas sombras: uma cópia completa, automatizada e em constante atualização de todo o material mais importante da agência, que permitiria que ela fosse reinicializada e funcionasse de novo, com todos os seus arquivos intactos, mesmo que Fort Meade fosse reduzido a escombros.

O maior problema da criação de um sistema global de plano de recuperação – ou, na verdade, na criação de qualquer tipo de sistema de backup que envolva um número impressionante de computadores – são os dados duplicados. Em termos simples, você tem situações em que, digamos, mil computadores têm cópias do mesmo arquivo: você precisa ter certeza de que não está fazendo backup do mesmo arquivo mil vezes, pois isso exigiria mil vezes mais largura de banda e espaço de armazenamento. Era essa duplicação desnecessária, em particular, que estava impedindo os *spoke sites* da agência de transmitir os backups diários de seus registros para Fort Meade; a conexão ficava entupida com mil cópias do mesmo arquivo contendo o mesmo telefonema interceptado, 999 das quais a agência não precisava.

A maneira de evitar isso era a "desduplicação": um método para avaliar a singularidade dos dados. O sistema que eu projetei varria constantemente os arquivos em todas as instalações nas quais a NSA armazenava registros, testando cada bloco de dados, até o menor fragmento de um arquivo, para descobrir se ele era ou não repetido. Se a sede da agência não tivesse uma cópia, só então os dados seriam automaticamente enfileirados para transmissão – reduzindo de uma queda d'água para uma gota d'água o volume que fluía pela conexão de fibra óptica trans-Pacífico da agência.

A combinação entre desduplicação e melhorias constantes na tecnologia de armazenamento foi permitindo à agência armazenar dados de inteligência por períodos de tempo cada vez mais longos. Durante minha carreira, a meta de poder de armazenamento da agência foi passando de dias a semanas, meses, até cinco anos ou mais depois da coleta. Até o momento da publicação deste livro, a agência já deveria ser capaz de armazená-los por décadas. A sabedoria convencional da NSA dizia que não fazia sentido coletar qualquer coisa se não pudessem armazená-la até que fosse útil, e não havia como prever quando exatamente seria isso. Esse argumento era combustível para o sonho supremo da agência, que é a permanência – armazenar para sempre todos os arquivos que já coletou ou produziu, e assim, criar uma memória perfeita. O registro permanente.

A NSA tem todo um protocolo que deve ser seguido para dar um codinome a um programa. É basicamente um procedimento estocástico do tipo *I-Ching,* que aleatoriamente escolhe palavras de duas colunas. Um site interno lança um dado imaginário para escolher um nome da coluna A, e o lança de novo para escolher outro da coluna B. É assim que acabamos com nomes que não significam nada, como FOXACID e EGOTISTICALGIRAFFE. O objetivo de um codinome é não fazer referência ao que o programa faz. (Como já foi relatado, FOXACID era o codinome para servidores NSA que hospedam versões de malwares de sites conhecidos; EGOTISTICALGIRAFFE era um programa da NSA destinado a explorar uma vulnerabilidade em certos navegadores que rodam o Tor, uma vez que não podem quebrar o próprio Tor.) Mas os agentes da NSA tinham tanta confiança em seu poder e na invulnerabilidade absoluta da agência que raramente cumpriam com os regulamentos.

Em suma, eles trapaceavam e ficavam jogando os dados até conseguir a combinação de nomes que queriam, qualquer uma que achassem legal. Juro que eu nunca fiz isso para dar nome a meu sistema de backup. Juro que rolei os dados e saiu EPICSHELTER.

Mais tarde, a agência adotou o sistema e o renomeou como Storage Modernization Plan (Plano de Modernização de Armazenamento) ou Storage Modernization Program (Programa de Modernização de Armazenamento). Dois anos após a invenção do EPICSHELTER, uma variante foi implementada e era de uso padrão, mas com outro nome.

O material que divulguei aos jornalistas em 2013 documentava uma série de abusos por parte da NSA, realizados por meio de uma diversidade tão grande de capacidades tecnológicas que nenhum agente no cumprimento diário de suas responsabilidades jamais teria condições de saber sobre todas elas. Nem mesmo um administrador de sistemas. Para descobrir uma fração do malefício, você tinha de procurar. E para procurar, você precisava saber que existia.

Foi algo banal – uma conferência – meu primeiro indício dessa existência, e despertou minha suspeita inicial sobre o escopo completo do que a NSA perpetrava.

No meio do desenvolvimento do EPICSHELTER, o PTC sediou uma conferência na China, patrocinada pela Academia de Treinamento de Contrainteligência (JCITA) para a Agência de Inteligência de Defesa (DIA), ligada ao Departamento de Defesa e especializada em espionar militares estrangeiros e assuntos relacionados a eles. Nessa conferência, especialistas de todos os componentes de inteligência, NSA, CIA, FBI e militares, apresentaram conteúdo sobre como os serviços de inteligência chineses estavam visando a CI e o que esta poderia fazer para lhes causar problemas. A China me interessava, sem dúvida, mas esse não era o tipo de trabalho do qual eu normalmente participaria, então não prestei muita atenção à conferência; até que anunciaram que o único palestrante sobre tecnologia de última hora não poderia comparecer. Não sei qual foi o motivo dessa ausência – talvez gripe, talvez o destino –, mas o diretor da conferência perguntou se havia alguém no PTC que pudesse participar como substituto, uma vez que era tarde demais para reagendar. Um dos chefes mencionou meu nome, e quando me perguntaram se eu queria tentar, eu disse que sim. Eu gostava de meu chefe e queria ajudá-lo. Além disso, eu era curioso, e aproveitei a oportunidade de fazer algo não relacionado com desduplicação de dados, para variar.

Meu chefe estava animado. Mas só então disse que a apresentação seria já no dia seguinte.

Liguei para Lindsay e disse que não iria para casa. Ia ficar a noite toda preparando a apresentação, cujo tema era a interseção entre uma disciplina superantiga, a contrainteligência, e uma nova, a ciberinteligência, que, juntas, tentavam frustrar e explorar as tentativas do inimigo de usar a internet para reunir vigilância e inteligência. Comecei pesquisando tudo que havia na rede da NSA (e da CIA, à qual eu ainda tinha acesso), tentei ler cada relatório ultrassecreto que encontrasse sobre o que os chineses estavam fazendo na internet. Especificamente, li sobre os chamados conjuntos de invasão, que são pacotes de dados sobre determinados tipos de ataques, ferramentas e alvos. Os analistas da CI usavam esses conjuntos de invasão para identificar ciberinteligência militar chinesa e grupos de hackers, assim como os detetives tentam identificar um suspeito responsável por uma série de arrombamentos utilizando um conjunto comum de características, ou *modus operandi*.

Mas o objetivo de minha pesquisa desse material amplamente disperso era fazer mais que simplesmente relatar como a China estava nos invadindo. Minha tarefa principal era fornecer um resumo da avaliação da CI sobre a capacidade da China de rastrear eletronicamente os funcionários e ativos estadunidenses que operavam na região.

Todo mundo sabe (ou acha que sabe) das medidas draconianas do governo chinês em relação à internet, e algumas pessoas sabem (ou acham que sabem) o ônus das revelações que fiz aos jornalistas em 2013 acerca das capacidades de meu próprio governo. Mas, veja bem: uma coisa é dizer casualmente, de um modo distópico, tipo ficção científica, que um governo pode, teoricamente, ver e ouvir tudo que seus cidadãos fazem, e outra muito diferente é um governo realmente tentar implementar um sistema desses. Aquilo que um escritor de ficção científica é capaz de descrever em uma frase pode requerer o trabalho conjunto de milhares de tecnólogos e milhões de dólares em equipamentos. Ler os detalhes técnicos da vigilância da China sobre as comunicações privadas – ler um relato completo e preciso sobre os mecanismos e maquinaria necessários para coleta, armazenamento e análise constantes dos bilhões de telefonemas diários e comunicações pela internet de mais de 1 bilhão de pessoas – é enlouquecedor. No começo, fiquei tão impressionado com a absoluta façanha e audácia do sistema que quase esqueci de ficar chocado com seus controles totalitários.

Afinal de contas, o governo da China era um Estado de partido único, explicitamente antidemocrático. Os agentes da NSA, mais ainda que a maioria dos estadunidenses, simplesmente davam por certo que esse lugar era um inferno autoritário. As liberdades civis chinesas não eram meu departamento. Não havia nada que eu pudesse fazer em relação a isso. Eu tinha certeza de que trabalhava para os mocinhos, e isso fazia de mim um sujeito bom também.

Mas certos aspectos do que eu estava lendo me deixaram perturbado. Recordei aquela que talvez seja a regra fundamental do progresso tecnológico: se algo puder ser feito, provavelmente será feito, e possivelmente já foi feito. Simplesmente não havia como os EUA terem tanta informação sobre o que os chineses estavam fazendo sem terem feito algumas das mesmas coisas; e enquanto examinava todo esse material da China, eu tinha a furtiva sensação de estar olhando para um espelho e vendo um reflexo dos EUA. Aquilo que a China fazia publicamente com seus próprios cidadãos poderia estar sendo feito pelos EUA em segredo.

E você talvez passe a me odiar por isso, mas devo confessar que, na época, eu abafei meu desconforto. De fato, fiz o melhor que pude para ignorá-lo. As distinções ainda eram bastante claras para mim. O Grande Firewall da China era severo e repressivo, destinava-se a manter seus cidadãos dentro e os Estados Unidos fora da maneira mais arrepiante e expressiva, ao passo que os sistemas dos EUA eram invisíveis e puramente defensivos. Segundo meu entendimento da vigilância dos EUA, qualquer pessoa no mundo poderia entrar pela infraestrutura de internet estadunidense e acessar qualquer conteúdo que desejasse, desbloqueado e não filtrado – ou pelo menos bloqueado e filtrado apenas por seus países de origem e empresas estadunidenses, que, supostamente, não estavam sob o controle do governo dos EUA. Somente aqueles que eram expressamente marcados, como sites de bombardeios jihadistas ou mercados de malwares, seriam rastreados e investigados.

Analisando dessa maneira, eu estava perfeitamente de acordo com o modelo de vigilância dos EUA. Mais que de acordo, na verdade; eu apoiava totalmente a vigilância defensiva e direcionada, um firewall que não impedia ninguém de entrar, que só detonava os culpados.

Mas, nos dias sem dormir depois daquela noite em claro, uma leve suspeita ainda rondava minha mente. Muito tempo depois de apresentar meu tema sobre a China, eu ainda não conseguia parar de fuçar.

Quando comecei a trabalhar na NSA, em 2009, eu estava só um pouco mais bem informado que o resto do mundo sobre suas práticas. Pelas reportagens de jornalistas, eu estava ciente das inúmeras iniciativas de vigilância da agência autorizadas pelo presidente George W. Bush no rescaldo do 11 de Setembro. Em particular, eu sabia sobre sua iniciativa mais contestada publicamente, o componente de escutas telefônicas não autorizadas do Programa de Vigilância do Presidente (PSP), divulgado pelo *The New York Times,* em 2005, graças à coragem de alguns denunciantes da NSA e do Departamento de Justiça.

Oficialmente falando, o PSP era uma ordem executiva, essencialmente um conjunto de instruções estabelecido pelo presidente estadunidense, que o governo tem de considerar como equivalente ao direito público – mesmo que sejam rabiscadas secretamente em um guardanapo. O PSP capacitou a NSA para coletar comunicações telefônicas e da internet entre os EUA e o exterior. Notavelmente, o PSP permitiu que a NSA fizesse isso sem precisar de um mandado especial de um Tribunal de

Vigilância de Inteligência Estrangeira, um tribunal federal secreto estabelecido em 1978 para supervisionar os pedidos da CI de mandados de vigilância, depois que as agências foram flagradas espionando os movimentos contra a Guerra do Vietnã e dos direitos civis.

Após o clamor que se seguiu às revelações do *Times*, e a contestação da União de Liberdades Civis Americanas à constitucionalidade do PSP em tribunais regulares e não secretos, o governo Bush alegou ter deixado o programa expirar em 2007. Mas a expiração foi uma farsa. O Congresso passou os últimos dois anos do governo Bush aprovando leis que legalizavam retroativamente o PSP. Também retroativamente, imunizou contra acusação as prestadoras de serviços de telecomunicações e internet que tinham participado dele. Essa legislação – a Protect America Act de 2007 e a FISA Amendments Act de 2008 – empregava linguagem intencionalmente enganosa para assegurar aos cidadãos estadunidenses que suas comunicações não estavam explicitamente sob mira, mesmo que efetivamente estendesse a alçada do PSP. Além de coletar todas as comunicações internas de países estrangeiros, a NSA agora também tinha políticas aprovadas para coleta sem mandado de todas as comunicações telefônicas e da internet originadas dentro das fronteiras dos EUA para além delas.

Pelo menos foi esse o cenário que vislumbrei depois de ler o resumo do governo sobre a situação, que foi divulgado ao público em uma versão não confidencial em julho de 2009, no mesmo verão em que passei a investigar as capacidades cibernéticas chinesas. Esse resumo, cujo título indefinido era *Unclassified Report on the President's Surveillance Program* (Relatório não confidencial sobre o programa de vigilância dos presidentes), foi compilado pelos gabinetes de inspetores gerais de 5 agências (Departamento de Defesa, Departamento de Justiça, CIA, NSA e o gabinete do diretor de Inteligência Nacional), e foi oferecido ao público no lugar de uma investigação completa do Congresso acerca do alcance da NSA na era Bush. O fato de o presidente Obama, uma vez no cargo, ter se recusado a pedir uma investigação completa do Congresso foi o primeiro sinal, pelo menos para mim, de que o novo presidente – para quem Lindsay havia feito uma campanha entusiasta – pretendia seguir adiante sem um acerto de contas com o passado. Uma vez que seu governo reformulou e certificou de novo os programas relacionados ao PSP, as esperanças de Lindsay depositadas nele, assim como as minhas, estariam cada vez mais descabidas.

Embora o relatório não confidencial fosse apenas uma notícia antiga, pareceu-me informativo em alguns aspectos. Lembro-me de ter ficado imediatamente impressionado com seu curioso tom eles-reclamam-demais, além de muitas distorções de lógica e linguagem que não batiam. Como o relatório expunha seus argumentos jurídicos em apoio a vários programas da agência – raramente nomeados e quase nunca descritos –, não pude deixar de notar o fato de que praticamente nenhum dos funcionários do poder executivo que haviam autorizado esses programas concordara em ser entrevistado pelos inspetores-gerais. Do vice-presidente Dick Cheney e o procurador-geral John Ashcroft aos advogados do DOJ, David Addington e John Yoo, quase todos os principais jogadores se recusaram a cooperar com os próprios gabinetes responsáveis por culpar a CI, e os inspetores não os obrigaram a cooperar, porque não era uma investigação formal com testemunhos. Para mim, foi difícil não interpretar a ausência deles do registro como uma admissão de atuação desonesta.

Outro aspecto do relatório que me desconcertou foram suas repetidas e obscuras referências a *Outras Atividades de Inteligência* (as iniciais maiúsculas estão no relatório) para as quais nenhuma justificativa legal viável ou nenhuma base legal poderia ser encontrada além da alegação de poderes executivos do Presidente Bush em tempos de guerra – tempo de guerra que não tinha um fim à vista. Naturalmente, essas referências não davam descrição alguma do que poderiam ser essas *Outras Atividades*, mas o processo de dedução apontava para a vigilância doméstica sem mandado, uma vez que era praticamente a única atividade de inteligência não prevista nos vários marcos legais que surgiram após o PSP.

Enquanto lia, eu não sabia bem se qualquer coisa revelada no relatório justificaria completamente as maquinações legais envolvidas, sem falar das ameaças do então procurador-geral, James Comey, e do então diretor do FBI, Robert Mueller, de renunciar caso certos aspectos do PSP fossem autorizados novamente. Também não notei nada que explicasse completamente os riscos assumidos por tantos outros membros da agência – agentes com décadas de experiência – e o pessoal do DOJ para entrar em contato com a imprensa e expressar suas dúvidas sobre quais aspectos do PSP estavam sendo utilizados de forma abusiva. Se estavam colocando sua carreira, sua família e sua vida em jogo, tinha de ser algo mais grave que escutas telefônicas sem mandado que já haviam feito manchetes.

Essa suspeita me fez procurar a versão confidencial do relatório, e não me senti nem um pouco dissuadido pelo fato de que tal versão parecia não existir. Eu não entendia; se a versão confidencial fosse apenas um registro dos pecados do passado, deveria estar facilmente acessível. Mas eu não a encontrava em lugar nenhum. Fiquei pensando se não estaria procurando no lugar errado. Depois de ampliar bastante a busca e não encontrar nada, decidi abandonar o assunto. A vida continuava e eu tinha trabalho a fazer. Quando lhe solicitam que dê recomendações a agentes e ativos da CI sobre como impedir que sejam descobertos e executados pelo Ministério de Segurança do Estado Chinês, é difícil lembrar o que você estava pesquisando na semana anterior.

Só mais tarde, muito depois de eu ter esquecido o Relatório, foi que a versão confidencial apareceu em meu desktop, como se, provando a veracidade da velha máxima, a melhor maneira de encontrar algo fosse parar de procurar. Quando essa versão apareceu, percebi por que não havia tido sorte em encontrá-la antes; ela não podia ser vista, nem mesmo pelos diretores das agências. Estava arquivada em um compartimento Informação Excepcionalmente Controlada (ECI), uma classificação de sigilo extremamente rara usada somente para garantir que algo permaneça escondido inclusive de quem possui acesso ultrassecreto de segurança.

Por conta de meu cargo, eu conhecia a maioria das ECIs da NSA, mas não essa. A designação completa de confidencialidade do Relatório era TOP SECRET//STLW//HCS/COMINT//ORCON/NOFORN, que significa: praticamente só algumas dezenas de pessoas no mundo têm permissão para ler isto.

Eu definitivamente não era uma delas. O Relatório chamou minha atenção por acaso; alguém no gabinete do inspetor geral da NSA havia deixado um rascunho em um sistema ao qual eu, como administrador de sistemas, tinha acesso. A advertência STLW, que eu não conhecia, era o que chamamos de palavrão em meu sistema: um rótulo que significa que um documento não deve ser armazenado em drives inferiores de segurança. Esses drives eram constantemente analisados em busca de palavrões que aparecessem recentemente, e quando um deles era encontrado eu recebia um alerta para decidir a melhor maneira de remover o documento do sistema. Mas, antes disso, eu mesmo teria de examinar o arquivo ofensivo, só para me certificar de que a busca por palavrões não havia indicado nada acidentalmente. Em geral, eu dava uma olhada rápida no arquivo. Mas, dessa vez, assim que abri o documento e li o título, sabia que o leria inteiro.

Ali estava tudo que faltava na versão não confidencial. Tudo que não saíra na imprensa, e que os processos judiciais que eu acompanhara haviam negado: um relato completo dos programas de vigilância mais secretos da NSA, e as diretivas da agência e políticas do Departamento de Justiça que haviam sido usadas para subverter a legislação estadunidense e contrariar a Constituição dos EUA. Depois de ler o material, eu entendi por que nenhum funcionário da CI jamais havia passado tais informações aos jornalistas, e nenhum juiz seria capaz de forçar o governo a apresentar aquilo em audiência pública. O documento era tão profundamente confidencial que qualquer pessoa que tivesse acesso a ele sem ser um administrador de sistemas seria imediatamente identificada. E as atividades descritas eram tão profundamente criminosas que nenhum governo jamais permitiria que aquilo fosse divulgado.

Imediatamente, surgiu um problema: estava claro que a versão não confidencial que eu conhecia não era uma versão da confidencial, como normalmente seria a prática. Pelo contrário, era um documento completamente diferente, que a versão confidencial expunha como uma mentira direta e cuidadosamente inventada. A desonestidade era espantosa, especialmente considerando que eu havia acabado de dedicar meses de meu tempo para desduplicar arquivos. Na maioria das vezes, quando você lida com duas versões do mesmo documento, as diferenças são triviais; uma vírgula aqui, uma palavra ali. Mas a única coisa que esses dois relatórios em particular tinham em comum era o título.

Enquanto a versão não confidencial fazia mera referência ao fato de que a NSA havia recebido ordens para intensificar suas práticas de coleta de informação após o 11 de Setembro, a versão confidencial expunha a natureza e a escala dessa intensificação. O histórico resumo da NSA foi alterado fundamentalmente: de coleta direcionada de comunicações para coleta em massa, que é o eufemismo da agência para vigilância em massa. E enquanto a versão não confidencial ofuscou essa mudança, defendendo a vigilância ampliada ao assustar o público com o espectro do terrorismo, a versão confidencial tornava essa mudança explícita, justificando-a como o corolário legítimo da capacidade tecnológica expandida.

A parte dos inspetores-gerais do relatório confidencial da NSA descrevia o que se chamava de lacuna de coleta, observando que a legislação vigente sobre vigilância (particularmente, a Lei de Vigilância de Inteligência Estrangeira) datava de 1978, uma época em que a maioria dos sinais de comunicação viajava via rádio ou linhas telefônicas, e não por cabos de fibra ótica e satélites. Em essência, a agência argumentava que a velocidade e o volume da comunicação contemporânea ultrapassaram e superaram a lei dos EUA – nenhum tribunal, nem mesmo secreto, poderia emitir garantias individuais suficientemente precisas para acompanhar esse ritmo –, e que um mundo verdadeiramente global exigia uma agência de inteligência verdadeiramente global. Tudo isso apontava, na lógica da NSA, para a necessidade de coleta em massa de todas as comunicações feitas via internet. O codinome para essa coleta em massa com foco na internet estava indicado no próprio palavrão que o sinalizou em meu sistema: STLW, abreviação de STELLARWIND. Esse acabou sendo o único componente principal do PSP que continuou, e até cresceu, em segredo, depois que o resto do programa foi divulgado na imprensa.

STELLARWIND era o segredo mais profundo do relatório confidencial. Era, na verdade, o mais profundo segredo da NSA e aquele cujo status sigiloso do Relatório deveria proteger. A existência do programa era uma indicação de que a missão da agência havia sido transformada; passara do uso da tecnologia para defender os EUA para o uso da tecnologia para controlar o país, redefinindo as comunicações privadas dos cidadãos na internet como possíveis sinais de inteligência.

Essas redefinições fraudulentas perpassavam o Relatório, mas, talvez o aspecto mais fundamental e transparentemente desesperador fosse o vocabulário do governo.

O STELLARWIND colecionava comunicações desde a origem do PSP em 2001, mas, em 2004 – quando os oficiais do Departamento de Justiça se recusaram a dar continuidade à iniciativa –, o governo Bush tentou legitimá-lo *ex post facto,* alterando o significado de palavras básicas, como *adquirir* e *obter.* Segundo o Relatório, a posição do governo era que a NSA poderia coletar qualquer registro de comunicação que quisesse, sem precisar de um mandado, porque só se poderia dizer que os *adquiriu* ou *obteve,* no sentido legal, se e quando a agência procedesse sua busca e recuperação em seu banco de dados.

Esse sofisma lexical foi particularmente irritante para mim, pois eu sabia muito bem que o objetivo da agência era reter o máximo de dados possível durante o tempo que pudesse – a eternidade. Se os registros de comunicações só fossem considerados definitivamente obtidos depois de utilizados, poderiam permanecer não obtidos, mas armazenados para sempre; dados brutos aguardando manipulação futura. Redefinindo os termos *adquirir* e *obter* – que em vez de descrever a entrada de dados em um banco de dados, passavam a descrever o ato de uma pessoa (ou, mais provavelmente, um algoritmo) consultar esse banco de dados e obter uma entrada ou resultado em qualquer momento concebível no futuro –, o governo dos EUA estava desenvolvendo a capacidade de uma eterna agência com força de polícia. A qualquer momento, em busca de um crime, o governo poderia vasculhar as comunicações anteriores de qualquer pessoa que quisesse perseguir (e as comunicações de todo mundo contêm evidências de alguma coisa). A qualquer momento, para todo o sempre, qualquer nova administração – qualquer futuro diretor desonesto da NSA – poderia facilmente, apertando um botão, rastrear imediatamente qualquer pessoa que tenha um telefone ou um computador, saber quem são, onde estão, o que estão fazendo, com quem, e o que fizeram no passado.

O termo *vigilância em massa* é mais claro para mim, e acho que para a maioria das pessoas, do que o *coleta em massa* preferido pelo governo, que, em minha opinião, passa uma impressão falsamente confusa do trabalho da agência. Coleta em massa faz parecer uma agência dos correios movimentada, ou um departamento de saneamento, em oposição a um esforço histórico para obter acesso total aos registros de todas as comunicações digitais existentes e se apossar clandestinamente delas.

Mas mesmo que se estabeleça uma base terminológica comum, ainda podem ser abundantes as percepções errôneas. A maioria das pessoas, até hoje, tende a pensar em vigilância em massa em termos de conteúdo: as palavras reais que usam quando fazem uma ligação telefônica ou escrevem um e-mail. Quando descobrem que o governo se preocupa relativamente pouco com esse conteúdo, tendem a se preocupar relativamente pouco com a vigilância do governo. Esse alívio é compreensível, até certo ponto, em decorrência do que cada um de nós considera como a natureza única e reveladora de nossas comunicações: o som de nossa voz, quase tão pessoal quanto uma impressão digital; a expressão facial inimitável que colocamos em uma selfie enviada por mensagem de texto. Mas a lamentável verdade é que o conteúdo de nossas comunicações raramente é tão revelador quanto seus outros elementos – as informações não escritas e não ditas que podem expor o contexto e os padrões mais amplos de comportamento.

A NSA chama isso de metadados. O prefixo do termo, *meta*, que tradicionalmente é traduzido como "acima" ou "além", aqui é usado no sentido de "sobre, acerca de": metadados são dados sobre dados. Mais exatamente, são dados feitos por dados – um punhado de tags e marcadores que permitem que os dados sejam úteis. A maneira mais direta de pensar nos metadados, no entanto, é como dados de atividade: todos os registros de tudo que você faz em seus dispositivos eletrônicos e tudo que eles fazem por conta própria. Você faz uma ligação telefônica, por exemplo: seus metadados podem incluir a data e a hora dessa ligação, a duração, o número de origem da chamada, o que está sendo chamado e a localização de ambos. Os metadados de um e-mail podem incluir informações sobre o tipo de computador em que foi gerado, onde e quando, a quem pertence, quem enviou o e-mail, quem o recebeu, de onde e quando foi enviado e onde e quando foi recebido, se o remetente ou o destinatário o acessou, onde e quando. Metadados podem informar a quem os vigia o endereço de onde você dormiu na noite passada e a que horas acordou hoje de manhã. Eles revelam cada lugar que você visitou durante o dia e quanto tempo passou lá. Mostram com quem você entrou em contato e quem entrou em contato com você.

É esse fato que oblitera qualquer afirmação do governo de que os metadados não são, de forma alguma, uma janela voltada diretamente para a substância de uma comunicação. Com o volume estonteante de comunicações digitais no mundo, simplesmente não há como cada telefonema ser ouvido e cada e-mail ser lido. E mesmo que isso fosse viável, não seria útil; e, de qualquer maneira, os metadados tornam isso desnecessário ao identificar o terreno. Por isso, é melhor considerar os metadados não como uma abstração benigna, mas sim como a essência em si do conteúdo: é justamente a primeira linha de informação que requer a parte que está vigiando.

Há outra coisa também: o conteúdo é, em geral, definido como algo que você conscientemente produz. Você sabe o que está dizendo durante um telefonema ou o que está escrevendo em um e-mail. Mas praticamente não tem controle sobre os metadados que produz, porque são gerados automaticamente. Assim como são coletados, armazenados e analisados por máquinas, são feitos também por máquinas, sem sua participação ou seu consentimento. Seus dispositivos eletrônicos estão constantemente se comunicando por você, quer você queira ou não. E, ao contrário dos seres humanos com os quais você se comunica por vontade própria, seus dispositivos não retêm informações privadas nem usam palavras em código na tentativa de ser discretos. Eles simplesmente atingem as torres de celular mais próximas com sinais que nunca mentem.

A grande ironia é que a lei, que sempre fica atrás da inovação tecnológica em pelo menos uma geração, dá substancialmente mais proteção ao conteúdo de uma comunicação que a seus metadados – e, ainda assim, as agências de inteligência estão muito mais interessadas nos metadados. Os registros de atividades permitem que tenham capacidade de analisar dados em grande escala e de criar com perfeição mapas, cronologias e sinopses associativas da vida de uma pessoa, dos quais ousam extrapolar previsões de comportamento. Em suma, os metadados podem dizer a quem o monitora praticamente tudo que ele quer ou precisa saber sobre você, exceto o que realmente está se passando dentro de sua cabeça.

Depois de ler o relatório confidencial, passei as semanas seguintes, os meses até, atordoado. Fiquei triste, desanimado, tentando negar tudo que estava pensando e sentindo. Era isso que passava por minha cabeça no final do período que passei no Japão.

Eu me sentia longe de casa, mas monitorado. Eu me sentia mais adulto que nunca, mas também amaldiçoado pelo conhecimento de que todos havíamos sido reduzidos a crianças, forçados a viver o resto da vida sob uma onisciente supervisão parental. Eu me sentia uma fraude, inventando desculpas para Lindsay, tentando explicar meu mau humor. Eu me sentia um tolo, pois, supostamente sendo alguém com grandes habilidades técnicas, de alguma forma ajudara a construir um componente essencial desse sistema sem perceber seu propósito. Eu me sentia usado, um funcionário da CI que só então percebia que o tempo todo não estivera protegendo seu país, e sim o contrário. Eu me senti, acima de tudo, violentado. E estar no Japão só acentuava essa sensação.

Eu explico.

O japonês que eu consegui pegar durante a faculdade comunitária e meus interesses por anime e mangá foram suficientes para eu falar e manter conversas básicas, mas leitura era outra coisa. Em japonês, cada palavra pode ser representada por um caractere único, ou uma combinação deles, chamada *kanji*, ou seja, existiam dezenas de milhares, demais para eu decorar. Muitas vezes, eu só conseguia decodificar determinados *kanji* quando acompanhados da transcrição fonética, ou *furigana*, que mais comumente se destina a estrangeiros e jovens leitores, e, portanto, está ausente dos textos públicos, como as placas de rua. O resultado disso era que eu andava por ali como um analfabeto funcional. Eu ficava confuso e acabava virando à direita quando deveria ter virado à esquerda, ou vice-versa. Eu andava pelas ruas erradas e pedia errado ao ler os cardápios. Eu era um estrangeiro, e muitas vezes perdido em vários sentidos. Houve vezes em que, acompanhando Lindsay em suas viagens ao interior para fazer fotografias, de repente eu parava e percebia, no meio de uma aldeia ou de uma floresta, que não sabia nada sobre o que me cercava.

E, mesmo assim, tudo sobre mim era conhecido. Passei a entender que eu era totalmente transparente para meu governo. O telefone que me indicava as direções e me corrigia quando eu pegava o caminho errado, e me ajudava a traduzir as placas de trânsito, e me dava os horários dos ônibus e trens, também se certificava de que todas as minhas ações fossem legíveis para meu patrão. Ele dizia a meus chefes onde eu estava, e quando, mesmo que eu nem tocasse nele, só o deixasse no bolso.

Lembro-me de ter me forçado a rir disso uma vez, quando Lindsay e eu nos perdemos em uma caminhada, e ela – que não sabia de nada – disse espontaneamente:

"Por que você não manda uma mensagem para Fort Meade e pede que eles nos encontrem?"

Ela continuou brincando com isso, e eu tentei achar engraçado. Mas não consegui.

"Olá", disse ela, imitando-me, "vocês podem nos ajudar a achar o caminho?"

Mais tarde, eu moraria no Havaí, perto de Pearl Harbor, onde os EUA foram atacados e arrastados para aquela que poderia ter sido sua última guerra justa. No Japão, eu estava mais perto de Hiroshima e Nagasaki, onde a guerra terminara de forma ignominiosa. Lindsay e eu sempre queríamos visitar essas cidades, mas toda vez que planejávamos ir, acabávamos cancelando. Em um dos meus primeiros dias de folga, estávamos prontos para ir de Honshu a Hiroshima, mas fui chamado pelo trabalho e mandado na direção oposta – para a Base Aérea de Misawa, no norte gelado. No dia da tentativa seguinte, Lindsay adoeceu, e depois quem ficou doente fui eu. Por fim, na noite anterior ao dia que pretendíamos ir a Nagasaki, Lindsay e eu fomos acordados por nosso primeiro grande terremoto; pulamos do futon, descemos 7 lances de escadas e passamos o resto da noite na rua com nossos vizinhos, de pijama, tremendo.

Para meu sincero arrependimento, nunca fomos. Esses lugares são sagrados, cujos memoriais homenageiam as 200 mil pessoas incineradas e as incontáveis envenenadas pela poeira radiativa, fazendo-nos recordar a amoralidade da tecnologia.

Eu penso sempre no chamado momento magnético nuclear – termo que na física descreve o momento magnético de um núcleo atômico que surge a partir da rotação de prótons e nêutrons; mas, popularmente, isso é entendido como o advento da era nuclear, cujos isótopos permitiram avanços na produção de energia, agricultura, potabilidade da água e diagnóstico e tratamento de doenças mortais. Mas também criou a bomba atômica.

A tecnologia não tem um juramento hipocrático. Muitas decisões já tomadas por tecnólogos em ambiente acadêmico, na indústria, nas forças armadas e no governo, desde pelo menos a Revolução Industrial, tiveram como base o "nós podemos", não o "deveríamos?". E a intenção que leva à invenção de uma tecnologia raramente – ou nunca – limita sua aplicação e uso.

Claro que não pretendo comparar armas nucleares com vigilância cibernética em termos de custo humano. Mas há uma semelhança quando se trata dos conceitos de disseminação de armas e desarmamento. Os dois únicos países que eu sabia que já haviam praticado vigilância em massa eram os outros dois grandes combatentes da Segunda Guerra Mundial – um, inimigo dos Estados Unidos; o outro, aliado. Tanto na Alemanha nazista quanto na Rússia soviética, as primeiras indicações públicas dessa vigilância assumiram a forma superficial e inócua de um censo, a enumeração oficial e o registro estatístico de uma população. O Primeiro Recenseamento Geral da União Soviética, em 1926, tinha um objetivo secundário além da simples contagem: inquiria abertamente os cidadãos soviéticos sobre sua nacionalidade. Suas descobertas convenceram os russos étnicos que compunham a elite soviética de que eles eram minoria em comparação com as massas agregadas de cidadãos que alegavam uma herança da Ásia Central, como uzbeques, cazaques, tajiques, turcomanos, georgianos e armênios. Essas descobertas reforçaram significativamente a determinação de Stalin de erradicar essas culturas, reeducando sua população na ideologia do marxismo-leninismo.

O Censo Alemão Nazista de 1933 era um projeto estatístico semelhante, mas com o auxílio da tecnologia da computação. Começaram a contar a população do Reich para controlá-la e depurá-la – principalmente de judeus e ciganos – antes de aplicar seus esforços assassinos em populações além de suas fronteiras. Para isso, o Reich fez uma parceria com a Dehomag, uma subsidiária alemã da IBM estadunidense, que detinha a patente da máquina tabuladora, uma espécie de computador analógico que contava os furos feitos em uns cartões. Cada cidadão era representado por um cartão, e cada furo representava um marcador de identidade. A coluna 22 computava o tema religião: o furo 1 era protestante, o 2 católico, e o 3, judeu. Em 1933, os nazistas ainda consideravam oficialmente os judeus não como raça, e sim como religião. Esse ponto de vista foi abandonado alguns anos depois, quando as informações do censo passaram a ser usadas para identificar e deportar a população judaica da Europa para os campos de concentração.

Um modelo atual e simples de smartphone tem mais poder de computação que todo o maquinário de guerra do Reich e da União Soviética juntos. Lembrar-se disso é o caminho mais seguro para contextualizar não apenas o domínio tecnológico da moderna CI estadunidense, mas também a ameaça que isso representa para a governança democrática. Cerca de um século depois dos esforços do censo, a tecnologia fez um progresso surpreendente, mas o mesmo não pode ser dito em relação à lei ou a escrúpulos humanos que a possam restringir.

Os Estados Unidos também têm um censo, claro. A Constituição estabeleceu o censo estadunidense e o consagrou como a contagem federal oficial da população de cada estado, a fim de determinar sua delegação proporcional na Câmara dos Representantes. Isso foi uma espécie de princípio revisionista, uma vez que governos autoritários, incluindo a monarquia britânica que governava as colônias, tradicionalmente, usavam o censo como um método para avaliar impostos e averiguar o número de jovens elegíveis para o recrutamento militar. Foi um toque de gênio da Constituição redirecionar para a democracia aquilo que havia sido um mecanismo de opressão. Determina-se que o censo, que está oficialmente sob a jurisdição do Senado, seja realizado a cada dez anos, que era mais ou menos o tempo que se levava para processar os dados da maioria dos censos estadunidenses após o primeiro censo de 1790. Esse período de uma década foi encurtado pelo censo de 1890, que foi o primeiro do mundo a fazer uso de computadores (os protótipos dos modelos que a IBM depois vendeu para a Alemanha nazista). Com a tecnologia da computação, o tempo de processamento caiu para a metade.

A tecnologia digital não apenas simplificou essa contagem, como a está tornando obsoleta. A vigilância em massa é, agora, um censo sem fim, muito mais perigoso que qualquer questionário enviado pelo correio. Todos os nossos dispositivos eletrônicos, desde os celulares até os computadores, são basicamente recenseadores em miniatura que carregamos na mochila e no bolso; recenseadores que se lembram de tudo e não perdoam nada.

O Japão foi meu momento magnético nuclear. Foi quando percebi para onde essas novas tecnologias se dirigiam, e que se minha geração não interviesse, a escalada só continuaria. Seria uma tragédia se, no momento em que, por fim, resolvêssemos resistir, já seria inútil. As futuras gerações teriam que se habituar a um mundo no qual a vigilância não seria algo ocasional e dirigido em circunstâncias legalmente justificadas, e sim uma presença constante e indiscriminada: o ouvido que sempre ouve, o olho que sempre vê, uma memória permanente que nunca dorme.

Uma vez que a onipresença da coleta foi combinada com a permanência do armazenamento, tudo que qualquer governo teria de fazer era selecionar uma pessoa ou um grupo para servir de bode expiatório e procurar – enquanto eu procurava nos arquivos da agência – evidências de um crime apropriado.

17. CASA NA NUVEM

Em 2011, eu estava de novo nos Estados Unidos trabalhando para o mesmo empregador nominal, a Dell, mas, dessa vez, ligado a minha antiga agência, a CIA. Em um dia ameno de primavera, voltei para casa depois de meu primeiro dia no novo emprego e achei engraçado notar que a casa em que morava tinha caixa de correio. Não era nada extravagante, só um daqueles retângulos subdivididos comuns nas comunidades de casas geminadas, mas, mesmo assim, isso me fez sorrir. Eu não tinha uma caixa de correio havia anos, e nunca havia checado essa. Eu poderia nem ter notado sua existência se não estivesse transbordando, cheia de porcarias endereçadas a Mr. Edward J. Snowden ou Residente Atual. Os envelopes continham cupons e folhetos de produtos domésticos. Alguém sabia que eu havia acabado de me mudar para lá.

Surgiu uma recordação de minha infância. Lembrei-me de checar a correspondência e encontrar uma carta para minha irmã. Eu quis abri-la, mas minha mãe não deixou.

Lembro que eu perguntei por quê.

"Porque não é para você", disse ela.

Ela explicara que abrir correspondência destinada a outra pessoa, mesmo que fosse só um cartão de aniversário ou uma corrente, não era uma coisa muito boa de se fazer. Na verdade, era um crime.

Eu queria saber que tipo de crime.

"Um crime grande", disse minha mãe. "Um crime federal."

Fiquei parado no estacionamento, rasguei os envelopes ao meio e os levei até a lixeira.

Eu tinha um novo iPhone no bolso de meu novo terno Ralph Lauren. Tinha novos óculos Burberry. Um novo corte de cabelo. Tinha as chaves dessa nova casa em Columbia, Maryland, o maior lugar onde eu já havia morado e o primeiro que parecia realmente meu. Eu era rico – pelo menos meus amigos pensavam assim. Mas eu mal me reconhecia.

Eu estava tentando esquecer o Japão. Havia decidido que era melhor viver em negação e ganhar dinheiro, melhorar a vida das pessoas que eu amava – afinal de contas, não era isso que todo mundo fazia? Mas era mais fácil falar que fazer – refiro-me à negação. O dinheiro veio fácil. Tão fácil que eu me sentia culpado.

Contando Genebra, e sem contar as viagens periódicas para casa, estive ausente por quase quatro anos. Para mim, os EUA ao qual eu voltara pareciam um país mudado. Não vou tão longe a ponto de dizer que me senti como um estrangeiro, mas encontrei-me participando de muitas conversas que não entendia. As palavras referiam-se a algum programa de TV ou filme que eu não conhecia, ou a um escândalo sobre celebridades de quem eu não gostava, e eu não conseguia responder – não tinha nada com que responder.

Pensamentos contraditórios caíam em minha mente como blocos de Tetris, e eu lutava para escapar deles, fazê-los desaparecer. Eu pensava: que dó dessas pobres pessoas, doces e inocentes; elas são vítimas, observadas pelo governo, observadas pelas próprias telas que adoram. Mas, então, dizia a mim mesmo: cale-se, deixe de ser tão dramático; eles estão felizes, não se importam, e você também não precisa se importar. Cresça, faça seu trabalho, pague suas contas. A vida é isso.

Lindsay e eu queríamos uma vida normal. Estávamos prontos para o próximo passo, e decidimos dá-lo. Tínhamos um belo quintal com uma cerejeira que me lembrava um Japão mais doce, um lugar à margem do rio Tama, onde nós dois ríamos e rolávamos sobre o fragrante tapete de flores de Tóquio.

Lindsay estava tirando o certificado de instrutora de ioga. Eu, enquanto isso, estava me acostumando com meu novo cargo – na área de vendas.

Um dos vendedores externos com quem eu trabalhara no projeto EPICSHELTER acabou trabalhando na Dell, e me convenceu de que eu estava perdendo tempo ganhando por hora. Disse que eu deveria ir para o lado de vendas da Dell, onde eu poderia ganhar uma fortuna com mais ideias como o EPICSHELTER. Eu estaria dando um salto astronômico na escala corporativa, e ele receberia um bônus substancial por me indicar. Eu estava pronto para ser convencido, especialmente porque isso significava me distrair de minha crescente sensação de desconforto, que só poderia me causar problemas. O cargo oficial era consultor de soluções. Essencialmente, eu teria de resolver os problemas criados por meu novo parceiro, a quem chamarei de Cliff, o gerente de contas.

Cliff seria o rosto e eu seria o cérebro. Quando nos sentávamos com a realeza técnica e com os agentes de compras da CIA, seu trabalho era vender os equipamentos e a experiência da Dell utilizando qualquer meio necessário. Isso significava fazer promessas ilimitadas e escorregadias acerca de coisas que faríamos para a agência – coisas que definitivamente não eram possíveis para nossos concorrentes (e, na realidade, nem para nós). Meu trabalho era liderar uma equipe de especialistas na construção de algo que reduzisse o grau de mentiras de Cliff o suficiente para que, quando a pessoa que assinasse o cheque apertasse o botão liga/desliga, não fôssemos todos para a cadeia.

Sem pressão.

Nosso projeto principal era ajudar a CIA a alcançar o topo – ou apenas os padrões técnicos da NSA – criando a mais excitante nova tecnologia, uma nuvem privada. O objetivo era unir o processamento e armazenamento da agência e distribuir as maneiras pelas quais os dados poderiam ser acessados. Nos EUA, queríamos fazer que alguém em uma tenda no Afeganistão pudesse fazer exatamente o mesmo trabalho, exatamente da mesma maneira, que era feito na sede da CIA. A agência – e, de fato, toda a liderança técnica da CI – reclamava constantemente dos silos: o problema de ter 1 bilhão de dados espalhados por todo o mundo que eles não conseguiam rastrear ou acessar. Então, eu liderava uma equipe composta por algumas das pessoas mais inteligentes da Dell para criar uma maneira de qualquer pessoa, em qualquer lugar, alcançar qualquer coisa.

Durante a etapa de prova de conceito, o nome de nossa nuvem era Frankie. Não me culpe: nós da área técnica só a chamávamos de *Nuvem privada*. Cliff foi quem deu o nome, no meio de uma demonstração para a CIA, dizendo que eles amariam nosso pequeno Frankenstein: "porque é um verdadeiro monstro".

Quanto mais promessas Cliff fazia, mais ocupado eu ficava, e Lindsay e eu tínhamos somente os fins de semana para conversar com nossos pais e velhos amigos. Tentamos mobiliar e equipar nossa nova casa de 3 andares, que estava vazia. Tínhamos de comprar tudo, ou tudo que nossos pais não haviam generosamente nos dado. Isso parecia uma tarefa muito madura, mas, ao mesmo tempo, muito reveladora sobre nossas prioridades: compramos pratos, talheres, uma escrivaninha e uma cadeira, mas ainda dormíamos em um colchão no chão. Eu havia ficado alérgico a cartões de crédito em razão de todo o rastreamento que fazem, por isso compramos tudo com dinheiro. Quando precisamos de um carro, por 3 mil dólares em dinheiro comprei um Acura Integra 1998 por meio de um anúncio classificado. Ganhar dinheiro era uma coisa, mas nem Lindsay nem eu gostávamos de gastá-lo; a menos que fosse para equipamentos de informática, ou para uma ocasião especial. No Dia dos Namorados, eu comprei para Lindsay o revólver que ela sempre quis.

Nosso novo condomínio ficava a vinte minutos de carro de quase uma dezena de shoppings, incluindo o Columbia Mall, que tem quase 1,5 milhão de metros quadrados ocupados por cerca de 200 lojas, um multiplex AMC de 14 telas, um PF Chang e uma Cheesecake Factory. Enquanto percorríamos as estradas familiares no Integra, eu ficava impressionado, mas também meio surpreso, com todo o desenvolvimento que ocorrera em minha ausência. A onda de gastos do governo pós-11 de Setembro certamente pôs muito dinheiro em muitos bolsos dali. Foi uma experiência desconcertante, avassaladora até, voltar para os EUA depois de ter ficado um tempo longe e perceber quanto essa parte do país era rica, e quantas opções oferecia aos consumidores – quantas megalojas e showrooms de design de interiores de ponta. E todas tinham liquidações; no Dia do Presidente, Memorial Day, Dia da Independência, Dia do Trabalho, Dia de Colombo, Dia dos Veteranos... Banners festivos anunciavam os descontos mais recentes, logo abaixo de todas as bandeiras.

O foco de nossa missão eram basicamente os eletrodomésticos nessa tarde que menciono agora; estávamos na Best Buy. Depois de chegar a um acordo sobre um novo micro-ondas, estávamos olhando, por insistência de Lindsay, os liquidificadores. Ela pegou seu celular, e estava pesquisando quais dentre os cerca de 10 aparelhos tinham as melhores críticas quando me vi vagando até o departamento de informática, no final da loja.

Mas, no caminho, parei. Ali, no fim da seção de utensílios de cozinha, abrigada em cima de uma plataforma elevada brilhantemente decorada e iluminada, havia uma geladeira nova e reluzente. Era uma geladeira inteligente, e segundo o anúncio, equipada com internet.

Isso simplesmente me deixou atônito.

Um vendedor se aproximou, interpretando minha estupefação como interesse.

"É incrível, não é?"

E começou a demonstrar algumas características da geladeira. Havia uma tela embutida na porta, e ao lado da tela, um suporte para uma caneta pequena para escrever mensagens. Se não quisesse escrever, você poderia gravar áudios e vídeos. Também poderia usar a tela como se fosse um computador normal, porque a geladeira tinha Wi-Fi. Você poderia ver seus e-mails ou sua agenda. Poderia assistir a clipes no YouTube ou ouvir MP3s. Poderia até fazer ligações. Eu tive de me conter para não digitar o número de Lindsay e dizer, do outro lado do andar: "Oi, estou ligando de uma geladeira".

O vendedor prosseguia: o computador da geladeira controlava a temperatura interna, e escaneando os códigos de barras, o frescor da comida. Também fornecia informações nutricionais e sugeria receitas. Acho que custava mais de 9 mil dólares – com o frete incluso, disse o vendedor.

Eu me lembro de voltar para casa dirigindo em silêncio, confuso. Esse não era exatamente o deslumbrante futuro tecnológico que havíamos prometido. Eu tinha certeza de que a única razão pela qual aquela coisa era equipada com internet era para que pudesse informar ao fabricante sobre o uso do proprietário e sobre quaisquer outros dados domésticos que pudessem ser obtidos. O fabricante, por sua vez, monetizaria esses dados vendendo-os. E nós é que tínhamos de pagar pelo privilégio.

Fiquei pensando: para que ficar tão tenso em relação à vigilância exercida pelo governo, se meus amigos, vizinhos e concidadãos ficavam mais que felizes em convidar a vigilância corporativa para dentro de sua casa, permitindo que fossem rastreados enquanto navegavam em suas despensas com a mesma eficiência que se estivessem navegando na web. Ainda faltava mais meia década para a revolução *domotic* (tecnologia da informação em casa), para que assistentes virtuais, como o Amazon Echo e o Google Home, fossem recebidos nos dormitórios e colocados orgulhosamente na mesa de cabeceira para gravar e transmitir todas as atividades a seu alcance, para registrar todos os hábitos e preferências (para não dizer fetiches e excentricidades), que seriam então transformados em algoritmos de publicidade e convertidos em dinheiro. Os dados que geramos só vivendo – ou simplesmente nos deixando vigiar enquanto vivemos – enriqueceriam a iniciativa privada e empobreceriam nossa existência privada na mesma medida. Se a vigilância do governo estava transformando o cidadão em um sujeito à mercê do poder estatal, a vigilância corporativa estava transformando o consumidor em um produto que as corporações vendiam para outras empresas, corretores de dados e anunciantes.

Enquanto isso, parecia que todas as grandes empresas de tecnologia, incluindo a Dell, estavam lançando novas versões civis daquilo com que eu trabalhava para a CIA: uma nuvem (Na verdade, até quatro anos atrás, a Dell tentou registrar o termo computação em nuvem, mas lhe foi negado). Fiquei impressionado com a quantidade de pessoas que se registravam – estavam tão empolgadas com a perspectiva de ter um backup universal de fotos, vídeos, músicas e e-books que não deram muita importância para o motivo pelo qual uma solução de armazenamento tão sofisticada e conveniente lhes estava sendo oferecida grátis ou baratinho.

Acho que nunca vi um conceito ser tão uniformemente aceito, por todos os lados. A nuvem era algo tão fácil de a Dell vender para a CIA quanto a Amazon, a Apple e o Google a seus usuários. Fecho os olhos e ainda posso ouvir Cliff levando no papo alguns engravatados da CIA dizendo que: "com a nuvem, você poderá mandar atualizações de segurança para todos os computadores da agência no mundo todo"; ou "quando a nuvem estiver em funcionamento, a agência poderá rastrear mundialmente quem leu qual arquivo". A nuvem era branca, fofa e pacífica, pairando acima da briga. Embora muitas nuvens pudessem formar um céu tempestuoso, uma única nuvem fornecia um pouco de sombra agradável. Era protetora. Acho que isso fez todo mundo pensar no paraíso.

A Dell, junto com as maiores empresas privadas baseadas na nuvem – Amazon, Apple e Google – considerou o surgimento da nuvem como uma nova era de computação. Mas, conceitualmente, pelo menos, era uma espécie de regressão à antiga arquitetura de *mainframe* da história inicial da computação, na qual muitos usuários dependiam de um único núcleo central poderoso cuja manutenção só podia ser feita por um quadro de profissionais de elite. O mundo havia abandonado esse modelo impessoal de *mainframe* uma geração antes, uma vez que empresas como a Dell desenvolveram computadores pessoais baratos e simples para atrair os reles mortais. O renascimento que se seguiu produziu desktops, notebooks, tablets e smartphones, dispositivos que permitiam às pessoas a liberdade de fazer uma imensa quantidade de trabalho criativo. O único problema era: como armazená-lo?

Essa foi a gênese da computação em nuvem. Então, não importava que tipo de computador pessoal você possuísse, porque os computadores em que você realmente confiava estavam armazenados nos enormes centros de dados que as empresas de nuvem construíram em todo o mundo. Esses eram, em certo sentido, os novos *mainframes*, fileiras e mais fileiras de servidores idênticos, interligados de tal maneira que cada máquina individual agia em conjunto dentro de um sistema de computação coletivo. A perda de um único servidor, ou até mesmo de um centro de processamento de dados inteiro, não importava mais, porque eram meras gotas na nuvem global maior.

Do ponto de vista de um usuário comum, uma nuvem é apenas um mecanismo de armazenamento que garante que seus dados sejam processados ou armazenados, não em seu dispositivo pessoal, e sim em uma série de servidores diferentes, que podem pertencer e ser operados por diferentes empresas. O resultado é que seus dados não são mais seus. Eles são controlados por empresas que podem usá-los para praticamente qualquer finalidade.

Leia os termos de serviço de armazenamento na nuvem, que são mais longos a cada ano; os atuais têm mais de 6 mil palavras, mais ou menos o dobro do tamanho de um capítulo deste livro. Quando decidimos armazenar nossos dados na nuvem, estamos com frequência cedendo nosso direito a eles. As empresas podem decidir que tipo de dados vão guardar para nós e excluir intencionalmente todos aqueles a que façam objeções. E se não mantivermos uma cópia em nossos dispositivos, esses dados serão perdidos para sempre. Se algum dado nosso for considerado particularmente censurável ou violar os termos de serviço, as empresas podem excluir unilateralmente nossas contas, negar acesso a nossos próprios dados, e ainda, guardar uma cópia de seus próprios registros, que podem ser entregues às autoridades sem nosso conhecimento ou consentimento.

Em última análise, a privacidade de nossos dados depende da propriedade deles. Não existe propriedade menos protegida, e, no entanto, mais privada.

A internet com a qual cresci, a internet que me criou, estava desaparecendo. E, com ela, minha juventude. O simples ato de entrar na internet, que antes parecia uma aventura maravilhosa, passou a ser uma provação assustadora. A autoexpressão passou a exigir uma autoproteção tão forte que impedia a liberdade e anulava o prazer que deveria proporcionar.

A comunicação não era uma questão de criatividade, e sim de segurança. Cada transação era um perigo em potencial.

Enquanto isso, o setor privado estava ocupado potencializando nossa dependência de tecnologia para se consolidar do mercado. A maioria dos internautas estadunidenses viveu toda sua vida digital em e-mails, mídias sociais e plataformas de e-commerce pertencentes a um triunvirato imperial de empresas (Google, Facebook e Amazon), e a CI estadunidense tentava aproveitar esse fato obtendo acesso a suas redes – tanto por meio de ordens diretas que eram escondidas do público quanto por esforços de subversão clandestina que eram escondidos das próprias empresas. Nossos dados de usuários estavam gerando grandes lucros para as empresas, e o governo os roubava de graça. Acho que nunca me senti tão impotente.

Mas havia outra emoção; uma curiosa sensação de estar à deriva e, ao mesmo tempo, de ter minha privacidade violada. Era como se eu estivesse espalhado, como se tivesse partes de minha vida dispersas pelos servidores do mundo todo e, ainda assim, fosse um intruso. Todas as manhãs, quando eu saía de casa, via-me acenando com a cabeça para as câmeras de segurança espalhadas pelo condomínio. Antes, eu nunca havia prestado atenção nelas; mas, agora, quando um semáforo ficava vermelho em meu trajeto, eu não podia deixar de pensar em seu sensor malicioso, que vigiava se eu passava pelo cruzamento ou parava. Leitores de placas gravavam minhas idas e vindas, mesmo que eu não ultrapassasse os 60 km/h.

A legislação fundamental dos Estados Unidos existe não para facilitar a aplicação da lei, e sim para dificultar. Isso não é um *bug*, é uma característica fundamental da democracia. No sistema estadunidense, espera-se que a aplicação da lei proteja os cidadãos uns dos outros. Por sua vez, espera-se que os tribunais restrinjam esse poder quando for um abuso, e que forneça reparação contra os únicos membros da sociedade com a autoridade doméstica para deter, prender e usar a força – inclusive a força letal. Entre as mais importantes dessas restrições estão a proibição de a polícia vigiar os cidadãos dentro de suas propriedades e de se apossar de seus registros privados sem mandado. Mas há algumas leis que restringem a vigilância à propriedade pública; isso inclui a maioria das ruas e calçadas dos Estados Unidos.

O uso de câmeras de vigilância pela polícia em propriedade pública foi originalmente concebido como uma maneira de impedir crimes e ajudar os investigadores após uma ocorrência. Mas, como o custo desses dispositivos foi caindo, eles tornaram-se onipresentes, e seu papel se tornou preventivo – a polícia passou a usá-los para rastrear pessoas que não haviam cometido crime algum, que não eram suspeitas de nada. E o maior perigo ainda está por vir, com o refinamento das capacidades de inteligência artificial, como o reconhecimento facial e de padrões. Uma câmera de vigilância equipada com IA não seria um mero dispositivo de gravação; poderia se transformar em algo mais próximo de um policial automatizado – um verdadeiro robocop que procura atividades suspeitas, como aparente compra e venda de drogas (isto é, pessoas se abraçando ou trocando um aperto de mãos) e aparente formação de gangues (como pessoas usando cores e estilos de roupas específicos). Já em 2011, ficou claro para mim que era para isso que a tecnologia nos guiava, sem nenhum debate público substancial.

Potenciais abusos de monitoramento se acumulavam em minha mente para produzir uma visão de futuro terrível. Um mundo no qual todas as pessoas fossem totalmente vigiadas, pela lógica, tornaria-se um mundo no qual todas as leis seriam totalmente aplicadas, automaticamente, por computadores.

Afinal, é difícil imaginar um dispositivo com inteligência artificial capaz de perceber que uma pessoa está infringindo a lei e, mesmo assim, não a responsabilizar. Nenhum algoritmo de policiamento jamais seria programado – mesmo que fosse possível – para a indulgência ou o perdão.

Eu me perguntava se esse seria o definitivo, mas grotesco, cumprimento da promessa original dos EUA, que diz que todos os cidadãos serão iguais perante a lei: uma igualdade de opressão por meio da aplicação total da força da lei automatizada. Imaginei a futura geladeira inteligente instalada em minha cozinha, monitorando minha conduta e meus hábitos e usando minha mania de beber direto da caixa de leite ou de não lavar as mãos para avaliar a probabilidade de eu ser um criminoso.

Um mundo assim, de total aplicação da força da lei automatizada – de, digamos, todas as leis de propriedade de animais de estimação, ou todas as leis de zoneamento que regulam as empresas –, seria intolerável. A extrema justiça pode se revelar uma extrema injustiça, não apenas em termos da gravidade da punição por uma infração, mas também em termos de quão consistente e completamente a lei é aplicada e processada. Quase todas as sociedades grandes e longevas estão cheias de leis não escritas que todos devem seguir, ao lado de vastas bibliotecas de leis escritas que não se espera que ninguém cumpra, nem mesmo conheça. Segundo a Seção 10-501 da Legislação Criminal de Maryland, o adultério é ilegal e punível com uma multa de 10 dólares. Já na Carolina do Norte, a lei 14-309.8 torna ilegal que um jogo de bingo dure mais de cinco horas. Essas leis vêm de um passado mais pudico, e por uma razão ou outra, nunca foram revogadas. A maior parte de nossa vida, mesmo que não percebamos, não ocorre em preto e branco, e sim em uma área cinza, onde atravessamos fora da faixa, colocamos lixo reciclável na lixeira de orgânicos e vice-versa, andamos de bicicleta fora da ciclovia e pegamos emprestado o Wi-Fi de um estranho para baixar um livro pelo qual não pagamos.

Simplificando, em um mundo no qual toda lei fosse sempre aplicada, todos seriam criminosos.

Tentei falar com Lindsay sobre tudo isso. Em geral, ela era solidária com minhas preocupações, mas não a ponto de sair do Facebook ou do Instagram.

"Se eu fizesse isso", dizia ela, "estaria desistindo de minha arte e abandonando meus amigos. Você gostava de manter contato com outras pessoas."

Ela tinha razão. E estava certa em se preocupar comigo. Ela achava que eu estava muito tenso, sob muito estresse. Eu estava; não por causa do trabalho, mas por causa de meu desejo de lhe contar a verdade. Eu não podia dizer a Lindsay que meus antigos colegas de trabalho da NSA poderiam fazer dela um alvo para vigiar e ler os poemas de amor que ela me mandava. Eu não podia dizer que eles poderiam acessar todas as fotos que ela já tirara; não só suas fotos públicas, mas também as íntimas. Eu não podia lhe dizer que as informações sobre ela estavam sendo coletadas, que as informações sobre todos estavam sendo coletadas, o que seria equivalente a uma ameaça do governo: "se sair da linha, usaremos sua vida privada contra você".

Tentei explicar isso ela de um jeito oblíquo, com uma analogia. Disse a ela para imaginar abrir seu notebook um dia e encontrar uma planilha em sua área de trabalho.

"Por quê? Eu não gosto de planilhas."

Eu não estava preparado para essa resposta, então disse a primeira coisa que me passou pela cabeça:

"Ninguém gosta. Mas essa se chama *O Fim*."

"Oh, quanto mistério!"

"Você não se lembra de ter criado essa planilha, mas, depois de abri-la, reconhece seu conteúdo. Porque dentro dela está tudo, absolutamente tudo que poderia acabar com você. Cada partícula de informação que poderia destruir sua vida."

Lindsay sorriu.

"Posso ver a sua?"

Ela estava brincando, mas eu não. Uma planilha contendo cada dado sobre você representaria um risco mortal. Imagine: todos os segredos, grandes e pequenos, que poderiam acabar com seu casamento, com sua carreira, envenenar até seus relacionamentos mais íntimos e deixar você falido, sem amigos e na prisão. Talvez a planilha incluísse o baseado que você fumou no último final de semana na casa de um amigo, ou a única fileira de cocaína que você cheirou sobre a tela de seu celular em um bar na faculdade. Ou uma única noite que passou, bêbado, com a namorada de seu amigo, que agora é esposa dele, coisa de que os dois se arrependem e que concordaram em nunca contar a ninguém. Ou um aborto que você fez quando era adolescente, que escondeu de seus pais e gostaria de esconder de seu cônjuge. Ou talvez seja apenas uma informação sobre uma petição que você assinou, ou um protesto de que participou. Todo mundo tem alguma coisa, alguma informação comprometedora enterrada entre seus bytes – se não em seus arquivos, em seus e-mails; se não em seus e-mails, em seu histórico de navegação. E essa informação estava sendo armazenada pelo governo dos EUA.

Algum tempo depois dessa conversa, Lindsay me disse:

"Descobri o que estaria em minha Planilha de Destruição Total, o segredo que acabaria com minha vida."

"O quê?"

"Não vou lhe contar."

Tentei relaxar, mas estava tendo estranhos sintomas físicos. Tornei-me estranhamente desajeitado, caía das escadas – mais de uma vez – ou trombava com os batentes das portas. Às vezes eu tropeçava, ou deixava cair a colher que estava segurando, ou não media as distâncias com precisão e não conseguia pegar alguma coisa. Derramava água em mim mesmo, ou engasgava com ela. Lindsay e eu estávamos conversando e eu esquecia o que ela havia dito. Ela me perguntava para onde eu havia ido; era como se eu estivesse congelado em outro mundo.

Um dia, quando fui encontrar Lindsay depois da aula de pole-fitness, fiquei tonto. Esse foi o sintoma mais perturbador que havia sentido até então. Fiquei assustado, e Lindsay também, especialmente quando isso levou a uma diminuição gradual de meus sentidos. Eu tinha muitas explicações para esses incidentes: má alimentação, falta de exercícios, falta de sono. Eu racionalizava bastante: o prato estava perto demais da beira do balcão, os degraus estavam escorregadios. Eu não sabia o que seria pior: que aquilo que eu estava sentindo fosse psicossomático ou físico mesmo. Resolvi ir ao médico, mas o único horário que ele tinha era para semanas depois.

Um dia ou dois depois, eu estava em casa por volta do meio-dia tentando ao máximo trabalhar remotamente. Eu estava ao telefone com um oficial de segurança da Dell quando senti uma tontura forte. Imediatamente inventei uma desculpa para desligar, gaguejando; e enquanto me esforçava para desligar o telefone, tinha certeza de que ia morrer.

Para quem já sentiu isso, essa sensação de morte iminente não precisa de descrição; e para quem nunca sentiu, não há explicação. A sensação vem de forma tão repentina e primitiva que apaga todas as outras sensações, todos os pensamentos afora a resignação impotente. Minha vida havia acabado. Eu desabei em minha cadeira, uma grande Aeron preta acolchoada que se inclinou sob meu peso quando caí no vazio, e perdi a consciência.

Quando voltei a mim, o relógio de minha mesa marcava quase uma da tarde. Havia apagado por menos de uma hora, mas estava exausto. Era como se eu estivesse acordado desde o início dos tempos.

Ao tentar pegar o telefone, em pânico, eu errava e minha mão ficava pegando o ar. Quando consegui pegá-lo e fazê-lo dar linha, percebi que não conseguia lembrar o número de Lindsay; ou talvez me lembrasse dos dígitos, mas não da ordem.

Não sei como consegui descer, dando cada passo com cuidado e com as mãos na parede. Peguei um suco na geladeira, e com as duas mãos na caixa, bebi, deixando escorrer uma boa quantidade pelo queixo. Então, deitei-me no chão, com a bochecha no linóleo gelado, e adormeci. Foi assim que Lindsay me encontrou.

Eu havia acabado de ter um ataque epiléptico.

Minha mãe teve epilepsia e, durante um tempo, esteve propensa a convulsões tônico-clônicas: espumava pela boca, seus membros se debatiam e seu corpo rolava até se acalmar em uma horrível rigidez inconsciente. Eu não podia acreditar que não havia associado meus sintomas aos dela; se bem que ela manteve essa mesma negação por décadas, atribuindo suas frequentes quedas ao fato de ser desajeitada ou à falta de coordenação. Só foi diagnosticada quando teve sua primeira convulsão tônico-clônica, aos 30 e tantos anos, e após um breve período de medicação, os ataques pararam. Ela sempre havia dito para mim e para minha irmã que a epilepsia não era hereditária, e até hoje não sei se foi isso que o médico lhe disse ou se ela só estava tentando nos assegurar que nosso destino não seria como o dela.

Não há exame para diagnosticar a epilepsia. O diagnóstico se dá com duas ou mais convulsões inexplicáveis; só isso. Muito pouco se sabe sobre essa doença. A medicina tende a tratar a epilepsia fenomenologicamente. Os médicos não falam em epilepsia, falam em convulsões; eles tendem a dividir as convulsões em dois tipos: localizadas e generalizadas, sendo a primeira uma falha elétrica em certa seção do cérebro que não se espalha, e a última uma falha elétrica que cria uma reação em cadeia. Basicamente, uma onda de sinapses defeituosas rola pelo cérebro, fazendo que a pessoa perca a função motora e, por fim, a consciência.

A epilepsia é uma síndrome estranha. Seus portadores sentem coisas diferentes, dependendo da parte do cérebro onde ocorre a falha inicial da cascata elétrica. Quem tem a falha no centro auditivo, notoriamente ouve sinos. Quem a tem no centro visual, fica com a visão escurecida ou vê brilhos. Se a falha acontecer nas áreas centrais mais profundas do cérebro – que foi onde a minha ocorreu –, pode causar vertigem grave. Com o tempo, passei a conhecer os sinais de alerta, para poder me preparar para uma convulsão iminente. Esses sinais são chamados de aura na linguagem popular da epilepsia, mas, em termos científicos, essas auras são a própria convulsão. São a experiência proprioceptiva da falha.

Eu consultei o maior número de especialistas em epilepsia que pude encontrar – a melhor parte de trabalhar para a Dell era o convênio médico. Fiz exames de tomografia computadorizada, ressonância magnética, pacote completo. Enquanto isso, Lindsay, que foi meu fiel anjo durante tudo isso e me levava a todas as consultas, pesquisava todas as informações disponíveis sobre a síndrome. Ela procurou tão intensamente no Google tratamentos alopáticos e homeopáticos que basicamente todos os seus anúncios do Gmail eram de produtos farmacêuticos para epilepsia.

Eu me sentia derrotado. As duas grandes instituições de minha vida haviam me traído: meu país e a internet. E agora, meu corpo estava seguindo o exemplo.

Meu cérebro, literalmente, estava em curto-circuito.

18. NO SOFÁ

Era tarde da noite de 1º de maio de 2011 quando notei o alerta de notícias em meu celular: Osama bin Laden havia sido rastreado até Abbottabad, no Paquistão, e morto por uma equipe de fuzileiros navais.

Era isso. O homem que havia planejado os ataques que me levaram ao Exército, e de lá para a CI, estava morto; alvejado enquanto fazia diálise no abraço de suas várias esposas em seu suntuoso complexo na mesma rua da maior academia militar do Paquistão. Site após site mostrava mapas indicando onde diabos ficava Abbottabad, alternando com cenas externas em cidades em todos os EUA, onde as pessoas erguiam o punho, batiam no peito, gritavam, embebedavam-se. Até Nova York estava comemorando, o que quase nunca acontece.

Desliguei o celular. Não queria participar disso. Não me entenda mal: eu estava feliz que o filho da puta estava morto, mas é que estava em um momento pensativo, sentindo um círculo se fechar.

Dez anos. Esse foi o tempo que se passou desde que aqueles dois aviões se lançaram sobre as Torres Gêmeas, e o que tínhamos de mostrar? O que a última década havia realmente realizado? Eu me sentei no sofá que havia herdado do apartamento de minha mãe e olhei para a rua, pela janela, enquanto um vizinho buzinava em seu carro estacionado. Eu não conseguia me livrar da sensação de ter desperdiçado a última década de minha vida.

Os dez anos anteriores haviam sido uma cavalgada de tragédias estadunidenses: a guerra eterna no Afeganistão, a catastrófica mudança de regime no Iraque, detenções indefinidas na Baía de Guantánamo, rendições extraordinárias, tortura, assassinatos de civis – civis estadunidenses, inclusive –, ataques por drones. Internamente, havia a *Homeland Securitization*[*], que atribuía uma classificação de ameaça a tudo (Vermelho: grave; Laranja: alto; Amarelo: elevado), e a partir do Patriot Act, a constante erosão das liberdades civis, as mesmas liberdades que nós supostamente lutávamos para proteger. O dano cumulativo – o mal agregado – era desconcertante de se contemplar e parecia totalmente irreversível; e, mesmo assim, tocávamos buzinas e piscávamos as luzes em júbilo.

O maior ataque terrorista em solo estadunidense aconteceu concomitantemente com o desenvolvimento da tecnologia digital, e deu mais atenção ao solo estadunidense, gostemos ou não. O terrorismo, claro, foi o motivo declarado pelo qual a maioria dos programas de vigilância de meu país foi implementada, em um momento de grande medo e oportunismo. Mas descobriu-se que o medo era o verdadeiro terrorismo, perpetrado por um sistema político cada vez mais disposto a usar praticamente qualquer justificativa para autorizar o uso da força. Os políticos do país tinham menos medo do terrorismo que de parecerem fracos, ou de serem desleais a seu partido ou a seus doadores de campanha, que tinham grande apetite por contratos governamentais e produtos petrolíferos do Oriente Médio. A política do terror tornou-se mais poderosa que o próprio terrorismo, resultando em contraterrorismo: as ações de um país em pânico, de incomparável capacidade, irrestrito pela política e descaradamente despreocupado em defender o Estado de Direito. Depois do 11 de Setembro, as ordens da CI haviam sido "nunca mais" – uma missão que jamais poderia ser cumprida. Uma década depois, ficou claro, pelo menos para mim, que as repetidas evocações de terrorismo pela classe política não eram uma resposta a qualquer ameaça ou preocupação específica, e sim uma tentativa cínica de transformar o terrorismo em um perigo permanente que exigiria vigilância permanente perpetrada por uma autoridade inquestionável.

Após uma década de vigilância em massa, a tecnologia provou ser uma arma potente contra o terrorismo e mais ainda contra a liberdade. Ao dar continuidade a esses programas, a essas mentiras, os Estados Unidos estavam protegendo pouco, ganhando nada e perdendo muito – até

---

[*] Em relações internacionais, no processo de *Homeland Securitization* os atores estatais transformam os indivíduos em questões de segurança, permitindo que meios extraordinários sejam usados em nome da segurança. (N.T.)

que restassem poucas distinções entre os polos *Nós* e *Eles* do pós-11 de Setembro.

O segundo semestre de 2011 passou com uma sucessão de ataques epiléticos e inúmeros consultórios médicos e hospitais. Fiz exames e tomei medicamentos que estabilizaram meu corpo, mas ofuscaram minha mente, deixando-me deprimido, letárgico e incapaz de me concentrar.

Eu não sabia como poderia viver com o que Lindsay chamava de minha *condição* sem perder o emprego. Ser o principal tecnólogo da conta da CIA na Dell dava-me uma imensa flexibilidade: meu escritório era meu telefone e eu podia trabalhar de casa. Mas as reuniões eram um problema. Eram sempre na Virgínia, e eu morava em Maryland, um estado cujas leis impediam que pessoas com epilepsia dirigissem. Se eu fosse pego ao volante, poderia perder a carteira de habilitação, e, com isso, minha capacidade de comparecer às reuniões, que eram o único requisito não negociável de meu cargo.

Por fim cedi ao inevitável; tirei uma licença de curto prazo por incapacidade e me joguei no sofá de segunda mão de minha mãe. Sua cor combinava com meu estado de ânimo, mas era confortável. Durante semanas ele foi o centro de minha existência – o lugar onde eu dormia, comia, lia e dormia um pouco mais, onde eu geralmente chafurdava desolado enquanto o tempo zombava de mim.

Não me lembro dos livros que tentei ler, mas recordo que nunca conseguia ler mais de uma página antes de fechar os olhos e afundar de novo nas almofadas. Eu não conseguia me concentrar em nada além de minha própria fraqueza, o fardo não cooperativo que era eu esparramado no estofado, imóvel, exceto por um dedo solitário passando pela tela do celular, que era a única fonte de luz da sala.

Eu rolava as notícias, e depois tirava um cochilo; depois rolava de novo e cochilava, enquanto manifestantes na Tunísia, Líbia, Egito, Iêmen, Argélia, Marrocos, Iraque, Líbano e Síria estavam sendo presos e torturados ou simplesmente baleados nas ruas pelos agentes secretos de regimes agressivos, muitos dos quais os EUA ajudaram a manter no poder. O sofrimento daquela temporada foi imenso, e brotava em espiral do ciclo regular de notícias. O que eu testemunhava era desespero, e em comparação, minhas próprias lutas pareciam fúteis. Pareciam moral e eticamente pequenas e privilegiadas.

Por todo o Oriente Médio, civis inocentes viviam sob constante ameaça de violência, com o trabalho e as aulas suspensos, sem eletricidade, sem esgoto. Em muitas regiões, não tinham sequer acesso aos cuidados médicos mais rudimentares. Mas, se a qualquer momento eu duvidasse de que minha ansiedade a respeito da vigilância e da privacidade eram relevantes ou apropriadas, em face de tal perigo e privação imediatos eu só tinha de prestar um pouco mais de atenção nas multidões nas ruas e nas proclamações que faziam no Cairo e Sanaã, em Beirute e Damasco, em Ahvaz, Khuzistão e em todas as outras cidades da Primavera Árabe e do Movimento Verde Iraniano. As multidões pediam o fim da opressão, da censura e da precariedade. Defendiam que em uma sociedade verdadeiramente justa as pessoas não tinham que responder perante o governo, e sim o governo perante o povo. Embora cada multidão em cada cidade, em cada dia até, parecesse ter sua motivação e objetivos específicos, todas tinham uma coisa em comum: a rejeição ao autoritarismo, o compromisso renovado com o princípio humanitário que diz que os direitos de um indivíduo são inatos e inalienáveis.

Em um Estado autoritário, os direitos derivam do Estado e são concedidos ao povo. Em um Estado livre, os direitos derivam do povo e são concedidos ao Estado. No primeiro, as pessoas são súditos, que só podem possuir propriedades, estudar, trabalhar, orar e falar porque o governo lhes concede permissão para isso. No último, as pessoas são cidadãos, que concordam em ser governados sob um pacto de consentimento, que deve ser periodicamente renovado e revogável constitucionalmente. É esse embate entre o autoritarismo e a democracia liberal que eu acredito ser o maior conflito ideológico de meu tempo – não a noção preconceituosa de uma divisão entre o Oriente e o Ocidente, ou de uma ressuscitada cruzada contra a cristandade ou o islamismo.

Os estados autoritários normalmente não são governos de leis, e sim de líderes, que exigem lealdade de seus súditos e são hostis à dissidência. Os estados democráticos liberais, em contrapartida, fazem poucas ou nenhuma dessas exigências, mas dependem quase exclusivamente de cada cidadão assumir a responsabilidade de proteger as liberdades de todos que o cercam, independentemente de raça, etnia, credo, capacidade, sexualidade ou gênero. Toda garantia coletiva baseada não em sangue, e sim em consentimento, acabará favorecendo o igualitarismo; e embora a democracia muitas vezes fique bem aquém de seu ideal, eu ainda acredito que essa seja a única forma de governança que permite que pessoas de origens diferentes vivam juntas e sejam iguais perante a lei.

Essa igualdade consiste não apenas em direitos, mas também em liberdades. De fato, muitos dos direitos mais acalentados pelos cidadãos das democracias sequer são previstos em lei, exceto por insinuação. Eles existem naquele espaço vazio criado pela restrição do poder do governo. Por exemplo, os estadunidenses só têm direito à liberdade de expressão porque o governo é proibido de fazer qualquer lei que restrinja essa liberdade; e direito a uma imprensa livre porque o governo é proibido de fazer qualquer lei para abreviá-la. Eles só têm direito de adorar livremente porque o governo é proibido de fazer qualquer lei referente a um estabelecimento religioso, e o direito de se reunir pacificamente porque o governo é proibido de fazer qualquer lei que diga que não podem.

Na vida contemporânea, temos um conceito único que engloba todo esse espaço negativo ou potencial que fica fora dos limites do governo. Esse conceito é a privacidade. É uma zona vazia que está além do alcance do Estado; um vão no qual a lei só pode se aventurar com um mandado – e não um mandado para todos, como aquele que o governo dos EUA criou para si na busca pela vigilância em massa, mas um mandado para uma pessoa ou propósito específico apoiado por uma causa provável específica.

A palavra *privacidade* em si é meio vazia, porque, essencialmente, é indefinível ou metadefinível. Cada um de nós tem uma ideia do que é. Privacidade significa alguma coisa para todo mundo. Não há ninguém para quem não signifique nada.

É decorrente dessa falta de definição comum que os cidadãos de democracias pluralistas e tecnologicamente sofisticadas sentem que precisam justificar seu desejo de privacidade e defini-la como um direito. Mas os cidadãos das democracias não precisam justificar esse desejo – o Estado, ao contrário, deve justificar sua violação. Recusar-se a reivindicar sua privacidade é cedê-la, seja a um Estado que ultrapasse suas restrições constitucionais ou a uma empresa privada.

Simplesmente não há como ignorar a privacidade. Como as liberdades de cada cidadão são interdependentes, renunciar à própria privacidade significa renunciar à de todos. Você pode optar por abrir mão dela por conveniência, ou sob o popular pretexto de que só exige privacidade aquele que tem algo a esconder. Mas dizer que você não precisa de privacidade, ou que não a quer porque não tem nada a esconder, é assumir que ninguém deveria ter, ou poderia ter, nada a esconder – incluindo o status de imigração, o histórico de desemprego, o histórico financeiro e os registros de saúde. Você está pressupondo que ninguém, inclusive você, pode se opor a revelar a qualquer um informações sobre suas crenças religiosas, afiliações políticas e atividades sexuais, tão casualmente quanto alguns escolhem revelar seus gostos sobre filmes, músicas e suas preferências de leitura.

Em última análise, dizer que você não se importa com a privacidade porque não tem nada a esconder não é diferente de dizer que não se importa com a liberdade de expressão porque não tem nada a dizer. Ou que não se importa com a liberdade de imprensa porque não gosta de ler. Ou que não se importa com a liberdade de religião porque não acredita em Deus. Ou que não se importa com a liberdade de se reunir pacificamente porque é um antissocial preguiçoso que sofre de agorafobia. Só porque esta ou aquela liberdade pode não ter significado para você hoje, não significa que ela não terá significado amanhã, para você ou para seu vizinho – ou para aquela multidão de dissidentes de princípios que eu acompanhava pelo celular que estava protestando do outro lado do planeta na esperança de ganhar só uma parte das liberdades que meu país estava empenhadamente desmantelando.

Eu queria ajudar, mas não sabia como. Já me sentia impotente o suficiente, um babaca de pijama de flanela deitado em um sofá puído comendo Doritos Cool Ranch e tomando Coca-cola Diet enquanto o mundo pegava fogo.

Os jovens do Oriente Médio estavam se rebelando por salários mais altos, preços mais baixos, aposentadorias melhores, mas eu não podia lhes dar nada disso; e ninguém podia lhes dar uma chance melhor de autogoverno que aquele que eles mesmos estavam tomando. Mas também estavam lutando por uma internet mais livre. Eles afrontavam o aiatolá Khameini, do Irã, que vinha censurando e bloqueando cada vez mais o conteúdo da Web, rastreando e hackeando o tráfego para plataformas e serviços ofensivos, e fechando completamente certos provedores estrangeiros. Eles protestavam contra o presidente do Egito, Mubarak, que havia cortado o acesso à internet em todo o país – o que só deixaria todos os jovens do país ainda mais furiosos e entediados, levando-os às ruas.

Desde que conheci o Projeto Tor, em Genebra, passei a usar o navegador e gerenciar meu próprio servidor Tor, pois queria fazer meu trabalho em casa e minha navegação pessoal sem monitoramento. Então, sacudi o desespero, levantei do sofá e fui cambaleando até meu escritório para criar uma ponte de retransmissão que contornaria os bloqueios da internet iraniana. E a seguir, distribuí sua identidade de configuração criptografada para os desenvolvedores do Tor.

Era o mínimo que eu poderia fazer. Se houvesse a menor chance de pelo menos um garoto iraniano, que não podia navegar na internet, passar pelos filtros e restrições impostos e se conectar comigo por meio do sistema Tor e do anonimato de meu servidor, certamente meu mínimo esforço teria valido a pena.

Imaginei essa pessoa checando seu e-mail ou suas mídias sociais para saber se seus amigos e familiares não haviam sido presos. Eu não tinha como saber se era isso o que eles fariam, ou se alguém no Irã se conectaria a meu servidor. Mas essa era a ideia, a ajuda que ofereci era privada.

O sujeito que deu início à Primavera Árabe tinha quase a minha idade; vendia frutas e legumes com um carrinho na Tunísia. Em protesto contra repetidos assédios e extorsões por parte das autoridades, ele ficou no meio da praça e pôs fogo em sua vida, morrendo como um mártir. Se queimar-se até a morte foi o último ato livre que ele conseguiu fazer em desafio a um regime ilegítimo, eu certamente poderia levantar minha bunda do sofá e apertar alguns botões.

PARTE III

19. O TÚNEL

Imagine que você está entrando em um túnel. Ao olhar para o caminho que se estende a sua frente, note que as paredes parecem se estreitar até chegar ao minúsculo ponto de luz na outra ponta. A luz no fim do túnel é um símbolo de esperança, também o que as pessoas dizem ver nas experiências de quase morte. Dizem que têm de ir para a luz, que são atraídas por ela. Mas onde mais há para ir dentro de um túnel senão através dele? Ele não levava a isso?

Meu túnel era O Túnel: uma enorme fábrica de aviões da época de Pearl Harbor transformada em uma instalação da NSA localizada sob uma plantação de abacaxi em Kunia, na ilha de Oahu, Havaí. A instalação era toda feita de concreto armado, e seu túnel homônimo era um tubo de um quilômetro de comprimento na encosta de uma colina que dava para 3 andares cavernosos de cofres e escritórios. Quando o Túnel foi construído, a colina estava coberta de enormes quantidades de areia, terra, folhas secas de pés de abacaxi e pedaços de grama seca para camuflá--lo dos bombardeiros japoneses. Sessenta anos depois, parecia o imenso túmulo de uma civilização perdida, ou uma pilha árida e gigantesca que um deus estranho havia amontoado no meio de uma caixa de areia de tamanho divino. Seu nome oficial era Centro Regional de Operações de Segurança de Kunia.

Eu fui para lá, ainda contratado pela Dell, mas dessa vez trabalhando para a NSA de novo, no começo de 2012. Certo dia, naquele verão – na verdade, era meu aniversário –, enquanto eu passava pelas checagens de segurança e seguia pelo túnel, a ficha caiu: aquilo a minha frente era meu futuro.

Não estou dizendo que tomei alguma decisão naquele instante. As decisões mais importantes da vida nunca são tomadas assim. São tomadas inconscientemente e só se expressam na consciência quando já completamente formadas – quando, por fim, já estamos fortes o suficiente para admitir para nós mesmos que foi isso que nossa consciência escolheu, que esse é o curso que nossas crenças decretaram. Esse foi meu presente de 29 anos para mim: a consciência de que eu havia entrado em um túnel que reduziria minha vida a um único ato ainda indistinto.

Da mesma maneira que o Havaí sempre foi uma estação importante – historicamente, os militares dos EUA viam a cadeia de ilhas como pouco mais que um terminal de reabastecimento para barcos e aviões no meio do Pacífico –, também se tornou um importante entroncamento para as comunicações estadunidenses, que incluem as informações que fluem entre os 48 estados contíguos e o meu antigo local de trabalho, o Japão, bem como outros locais na Ásia.

O cargo que eu havia adquirido era um retrocesso significativo em minha carreira, com tarefas que eu poderia fazer dormindo. Era para ser menos estressante, um fardo mais leve. Eu era o único funcionário do apropriadamente chamado gabinete de compartilhamento de informação, onde eu era administrador de sistemas do Sharepoint. O Sharepoint é um produto da Microsoft, um programa – ou melhor, um pacote de programas – bobo e lento focado na administração interna de documentos: quem pode ler o quê, quem pode editar o quê, quem pode enviar e receber o quê, e assim por diante. Ao me tornar administrador de sistemas do Sharepoint no Havaí, a NSA me fez gestor da administração de documentos. Eu era, na verdade, o leitor chefe em uma das mais importantes instalações da agência. Como era meu costume em todo novo cargo técnico, eu passei os primeiros dias automatizando minhas tarefas – o que significa escrever scripts para fazerem meu trabalho por mim, liberando meu tempo para coisas mais interessantes.

Antes de prosseguir, quero enfatizar uma coisa: minha busca ativa sobre os abusos da NSA não começou com a cópia de documentos, e sim com a leitura deles. Minha intenção inicial era só confirmar as suspeitas que eu tive em 2009 em Tóquio. Três anos depois, eu estava determinado a descobrir se existia um sistema estadunidense de vigilância em massa e, se existisse, como funcionava. Eu não sabia como conduzir essa investigação, mas tinha pelo menos uma certeza: eu precisava entender exatamente como o sistema funcionava antes de decidir o que fazer – e se faria – algo a respeito.

Naturalmente, não foi por isso que Lindsay e eu fomos para o Havaí. Nós não havíamos ido para o paraíso só para poder jogar nossa vida fora em nome de um princípio. Nós fomos para começar de novo. Para começar do zero mais uma vez.

Meus médicos haviam dito que o clima e o estilo de vida mais descontraído do Havaí poderiam ser benéficos para minha epilepsia, já que a falta de horas de sono era o principal desencadeador das convulsões. Além disso, a mudança eliminou o problema de dirigir: o Túnel ficava perto – dava para ir de bicicleta – de várias comunidades de Kunia, o coração silencioso do interior seco e vermelho da ilha. Era um passeio agradável de vinte minutos para o trabalho, passando por plantações de cana-de-açúcar sob o sol brilhante. Com as montanhas se erguendo calmas e altas na distância azul-claro, o humor sombrio dos últimos meses desapareceu como a névoa da manhã.

Lindsay e eu encontramos uma casa do tipo bangalô, de tamanho decente, na rua Eleu, em Royal Kunia, Waipahu, que mobiliamos com nossas coisas de Columbia, Maryland, uma vez que a Dell pagou as despesas de mudança. Os móveis não eram muito usados, pois o sol e o calor frequentemente faziam que entrássemos pela porta, tirássemos a roupa e ficássemos deitados nus no tapete sob o ar-condicionado sobrecarregado. Lindsay acabou transformando a garagem em um estúdio de ginástica, enchendo-o de tapetes de ioga e a barra de pole dance que havíamos levado de Columbia. Eu configurei um novo servidor Tor. Logo, o tráfego do mundo todo estava acessando a internet via um notebook situado em nossa sala de TV, cujo ruído tinha o benefício adicional de esconder minha própria atividade on-line.

Certa noite, durante o verão em que completei 29 anos, Lindsay por fim me convenceu a ir a um luau com ela. Ela estava insistindo nisso havia um tempo, porque alguns de seus amigos de pole fitness tinham alguma coisa a ver com dança hula-hula, mas eu não queria. Parecia coisa brega de turista e, de certa forma, desrespeitoso. A cultura havaiana é antiga, mas suas tradições estão muito vivas; a última coisa que eu queria era perturbar o ritual sagrado de alguém e transformá-lo em um espetáculo com minha presença.

Mas, por fim, capitulei. E não me arrependo. O que mais me impressionou não foi o luau em si – que parecia mais um espetáculo com fogo girando –, mas o velho que estava fazendo sucesso em um pequeno anfiteatro à beira-mar. Era um havaiano nativo, um homem erudito com aquela voz suave, anasalada da ilha, que contava a um grupo de pessoas reunidas em volta de uma fogueira as histórias da criação dos povos indígenas das ilhas.

A única história de que recordo falava sobre as 12 ilhas sagradas dos deuses. Aparentemente, havia uma dúzia de ilhas no Pacífico tão bonitas, puras e abençoadas com água doce que a humanidade não podia saber delas, porque as estragaria. Três delas eram especialmente reverenciadas: Kanehunamoku, Kahiki e Paliuli. Os afortunados deuses que habitavam essas ilhas decidiram mantê-las ocultas, pois eles acreditavam que um vislumbre de suas dádivas deixaria as pessoas loucas.

Depois de pensar em vários esquemas para poder esconder essas ilhas – inclusive tingi-las da cor do mar, ou afundá-las no oceano –, eles, por fim, decidiram fazê-las flutuar no ar.

Uma vez que as ilhas estavam no ar, eram sopradas de um lugar para outro, ficando em constante movimento. Ao nascer e ao pôr do sol, especialmente, uma pessoa poderia pensar ter visto uma pairando ao longe no horizonte. Mas, no momento em que apontasse para ela, de repente, se afastava ou assumia uma forma inteiramente diferente, como uma balsa de pedra-pomes, um pedaço de rocha ejetado por uma erupção vulcânica, ou uma nuvem.

Eu pensava muito nessa lenda enquanto fazia minhas pesquisas. As revelações que eu buscava eram exatamente como aquelas ilhas: coisas exóticas que um panteão de governantes autonomeados e cheios de si se convenceram de que deveriam esconder da humanidade. Eu queria saber exatamente qual era a capacidade de vigilância da NSA; se e como ela se estendia além das reais atividades de vigilância da agência; quem a aprovara; quem sabia sobre isso; e, por último, mas não menos importante, como esses sistemas funcionavam tanto técnica quanto institucionalmente.

Quando eu achava ter visto uma dessas ilhas – algum codinome em letras maiúsculas que eu não entendia, algum programa citado em uma nota enterrada no fim de um relatório –, ia em busca de outras menções a ela em outros documentos, mas não encontrava nada. Era como se o programa que eu estava procurando ficasse flutuando para longe de mim e se perdesse. Então, dias depois, ou semanas depois, ele podia aparecer de novo sob uma designação diferente, em um documento de outro departamento.

Às vezes eu encontrava um programa com um nome reconhecível, mas sem uma explicação do que ele fazia. Outras vezes encontrava uma explicação sem nome, sem indicação de que o que estava descrito fosse um programa ativo ou um desejo ambicioso. Eu esbarrava em compartimentos dentro de compartimentos, advertências dentro de advertências, programas dentro de programas. Essa era a natureza da NSA: intencionalmente, a mão esquerda raramente sabia o que a mão direita fazia.

De certa forma, o que eu estava fazendo me lembrou um documentário que eu havia assistido sobre a confecção de mapas – especificamente sobre como eram feitas as cartas náuticas antes da tecnologia de imagens e do GPS. Os capitães dos navios mantinham diários de bordo e anotavam suas coordenadas, que os cartógrafos terrestres tentavam interpretar. Foi por meio do acréscimo gradual desses dados, ao longo de centenas de anos, que toda a extensão do Pacífico se tornou conhecida e todas as suas ilhas identificadas.

Mas eu não tinha centenas de anos, nem centenas de navios. Eu era sozinho, um homem debruçado sobre um oceano azul vazio tentando descobrir a que lugar esse ponto de terra seca, esse ponto de dados, pertencia em relação a todos os outros.

20. O HEARTBEAT

Em 2009, no Japão, quando fui àquela fatídica conferência na China como palestrante substituto, acho que fiz alguns amigos, especialmente na Academia de Treinamento da Junta de Contrainteligência (JCITA) e sua agência mãe, a Agência de Inteligência de Defesa (DIA). Nos três anos que se passaram desde então, a JCITA me convidou meia dúzia de vezes para dar seminários e palestras nas instalações da DIA. Essencialmente, eu dava aulas sobre como a CI estadunidense poderia se proteger de hackers chineses e explorar as informações obtidas a partir da análise de suas invasões para hackeá-los de volta.

Eu sempre gostei de dar aulas; sem dúvida, mais do que gostava de ser estudante, e nos primeiros dias de minha desilusão, perto do fim da temporada no Japão e durante o tempo em que passei na Dell, tive a sensação de que se eu ficasse trabalhando com inteligência pelo resto de minha carreira, os cargos em que meus princípios ficariam menos comprometidos e minha mente seria mais desafiada certamente seriam acadêmicos. Dar aulas na JCITA era uma maneira de manter essa porta aberta. Também era uma maneira de me manter atualizado – quando você dá aulas, não pode deixar seus alunos passarem a sua frente, especialmente em tecnologia.

Isso me fez criar o hábito de ler atentamente o que a NSA chamava de *readboards*. São painéis de leitura que funcionam como blogs de notícias, só que as notícias são produtos de atividades secretas de inteligência. Cada grande instalação da NSA tem o seu, e sua equipe local o atualiza diariamente com aquilo que considerava os documentos mais importantes e interessantes do dia – tudo que um funcionário precisa ler para se manter atualizado.

Em decorrência da preparação para as aulas na JCITA – e, também, francamente, porque eu estava entediado no Havaí –, adquiri o hábito de todos os dias ler vários desses painéis de leitura: o de minha instalação no Havaí, o de meu posto anterior em Tóquio, e vários outros de Fort Meade. Esse novo cargo de pouca pressão me dava o tempo que eu quisesse para ler. O escopo de minha curiosidade poderia ter provocado algumas perguntas em um estágio anterior de minha carreira, mas, nesse momento, eu era o único funcionário do gabinete de compartilhamento de informação – *eu era* o gabinete de compartilhamento de informação –, meu trabalho era conhecer todas as informações compartilháveis. Enquanto isso, a maioria dos meus colegas do Túnel passava seus intervalos assistindo à Fox News.

Na tentativa de organizar todos os documentos desses vários painéis que eu queria ler, fiz uma lista com os melhores painéis de leitura. Logo os arquivos começaram a se acumular, até que a moça que administrava as cotas de armazenamento digital reclamou do tamanho da pasta. Percebi que meu painel pessoal era menos um resumo diário e mais um arquivo de informações confidenciais com relevância muito além do imediatismo do dia. Como não queria apagá-lo ou deixar de alimentá-lo – o que seria um desperdício –, resolvi compartilhá-lo com os outros. Essa foi a melhor justificativa que me ocorreu para o que eu estava fazendo, especialmente porque me permitiu coletar mais ou menos legitimamente material de uma ampla gama de fontes. Então, com a aprovação de meu chefe, comecei a criar um painel de leitura automatizado, que não dependesse de ninguém postar coisas, que se editasse sozinho.

Assim como o EPICSHELTER, minha plataforma de painel de leitura automatizado foi projetada para permanentemente buscar documentos novos e exclusivos. Mas ela fazia isso de maneira muito mais abrangente, espionando, além da NSAnet – a rede da NSA –, as redes da CIA e do FBI, bem como o Sistema da Junta de Comunicações de Inteligência Mundiais (JWICS), a intranet mais secreta do Departamento de Defesa. A ideia era que suas descobertas fossem disponibilizadas para todos os agentes da NSA comparando seus crachás de identidade digital – chamados de certificados PKI – ao nível de confidencialidade dos documentos, gerando um painel personalizado para a autorização, interesses e afiliações de cada um. Essencialmente, seria um painel de painéis de leitura, um agregador de feeds de notícias individualizado, levando a cada agente todas as informações mais recentes pertinentes ao seu trabalho, todos os documentos que teria de ler para se manter atualizado. Rodaria a partir de um servidor que só eu administrava, localizado no final do corredor em que eu ficava. Esse servidor também armazenaria uma cópia de todos os documentos gerados, facilitando para mim a realização de pesquisas interagências profundas, com as quais os diretores da maioria das agências só poderiam sonhar.

Eu chamei esse sistema de Heartbeat, porque tinha o pulso da NSA e da CI mais ampla. O volume de informações que caía em suas veias era simplesmente enorme, pois ele retirava documentos de sites internos dedicados a todas as especialidades, desde atualizações dos mais recentes projetos de pesquisa criptográfica até atas de reuniões do Conselho de Segurança Nacional. Eu o configurei cuidadosamente para armazenar material em um ritmo lento e constante, para não monopolizar o cabo de fibra ótica submarino que liga o Havaí a Fort Meade; mas, mesmo assim, ele conseguia reunir tantos documentos mais que qualquer ser humano que se tornou o painel de leitura mais abrangente da NSAnet.

Logo que entrou em operação, recebi um e-mail que quase acabou com o Heartbeat para sempre. Um administrador distante – aparentemente o único em toda a CI que se deu o trabalho de examinar seus registros de acesso – queria saber por que um sistema no Havaí estava copiando, um por um, todos os registros de seu banco de dados. Por precaução, ele imediatamente me bloqueou, o que efetivamente me impediu de entrar, e exigiu uma explicação. Eu lhe expliquei o que estava fazendo e lhe mostrei como usar o site interno que lhe permitiria ler o Heartbeat. Sua resposta me lembrou uma característica incomum do lado tecnológico do Estado de segurança: uma vez que lhe dei acesso, sua cautela instantaneamente se transformou em curiosidade. Ele poderia duvidar de uma pessoa, mas nunca duvidaria de uma máquina. Ele pôde ver que o Heartbeat estava só fazendo aquilo para o que havia sido programado, e com perfeição. Ficou fascinado; desbloqueou-me e até ofereceu me ajudar fazendo circular informações para seus colegas sobre o Heartbeat.

Quase todos os documentos que mais tarde revelei aos jornalistas chegaram a mim por meio do Heartbeat. Ele me mostrou não só os alvos, mas também as habilidades do sistema de vigilância em massa da CI. Eu quero enfatizar o seguinte: em meados de 2012, eu estava apenas tentando entender como funcionava a vigilância em massa. Quase todos os jornalistas que mais tarde relataram as revelações estavam especialmente preocupados com os alvos da vigilância – os esforços para espionar os cidadãos estadunidenses, por exemplo, ou os líderes dos aliados dos Estados Unidos. Ou seja, estavam mais interessados nos tópicos dos relatórios de vigilância que no sistema que os produzia. Eu respeito esse interesse, claro, eu mesmo o senti, mas minha curiosidade primordial ainda era de natureza técnica. É muito bom ler um documento ou clicar nos slides de uma apresentação de PowerPoint para descobrir o que um programa *pretende* fazer, mas quanto melhor você entender a mecânica de um programa, melhor entenderá seu potencial de abuso.

Isso significava que eu não estava muito interessado em material tipo *briefing* – por exemplo, aquele que talvez tornara-se o arquivo mais conhecido dos que divulguei: um slide de uma apresentação de PowerPoint de 2011 que definia a nova postura de vigilância da NSA como uma questão de 6 protocolos: "Farejar tudo, saber tudo, coletar tudo, processar tudo, explorar tudo, compartilhar tudo". Isso era só papo de RP, para usar o jargão de marketing. O objetivo era impressionar os aliados dos Estados Unidos: Austrália, Canadá, Nova Zelândia e Reino Unido, os principais países com os quais os EUA compartilham inteligência. (Ao lado dos EUA, esses países formam a Aliança Cinco Olhos.) Farejar tudo significava encontrar uma fonte de dados; Saber tudo significava descobrir quais eram esses dados; Coletar tudo significava capturar esses dados; Processar tudo significava analisar os dados para obter informações utilizáveis; Explorar tudo significava usar essas informações para promover os objetivos da agência; e Compartilhar tudo significava dividir a nova fonte de dados com os aliados. Embora essa taxonomia de 6 pontas fosse fácil de lembrar, fácil de vender e uma medida precisa do nível de ambição da agência e o grau de conluio com governos estrangeiros, não me deu nenhuma pista de como exatamente isso se realizava em termos tecnológicos.

Muito mais revelador foi uma ordem que encontrei no tribunal da FISA, uma exigência legal para que uma empresa privada entregasse as informações privadas de seus clientes ao governo federal. Hipoteticamente, ordens como essas eram emitidas pela autoridade da legislação pública; no entanto, seu conteúdo, inclusive sua existência, eram classificados como ultrassecretos. Segundo a Seção 215 do Patriot Act, conhecida como provisão de registros comerciais, o governo foi autorizado a obter ordens do tribunal da FISA que obrigaram terceiros a apresentar qualquer coisa tangível que fosse relevante para investigações estrangeiras de inteligência ou terrorismo. Mas, como a ordem judicial que eu encontrei deixava claro, a

NSA havia interpretado secretamente essa autorização como uma licença para coletar todos os registros comerciais, ou metadados de comunicações telefônicas provenientes de empresas de telecomunicações estadunidenses, como Verizon e AT & T, diariamente. Claro que isso incluía registros de comunicações telefônicas entre cidadãos estadunidenses, cuja prática era inconstitucional.

Além disso, a Seção 702 da Amendments Act da FISA permite que a CI pouse sua mira sobre qualquer estrangeiro fora dos EUA que possa comunicar informações de inteligência estrangeira – uma ampla categoria de alvos em potencial que inclui jornalistas, funcionários corporativos, acadêmicos, trabalhadores de ajuda humanitária e inúmeros outros inocentes de qualquer delito. Essa legislação estava sendo usada pela NSA para justificar seus dois mais proeminentes métodos de vigilância de internet: o programa PRISM e o Upstream Collection.

O PRISM permitia à NSA coletar rotineiramente dados da Microsoft, do Yahoo, do Google, do Facebook, do PalTalk, do YouTube, do Skype, da AOL e da Apple, incluindo e-mails, fotos, bate-papos por vídeo e áudio, conteúdo de navegação na Web, consultas a mecanismos de busca e outros dados armazenados em suas nuvens, transformando essas empresas em coconspiradoras. Já o Upstream Collection era possivelmente mais invasivo ainda. Permitia a captura rotineira de dados diretamente da infraestrutura de internet do setor privado – os *switches* e roteadores que desviam o tráfego da internet no mundo todo por meio de satélites em órbita e cabos de fibra ótica de alta capacidade que passam sob o oceano. Essa coleção de dados era administrada pela Unidade de Operações Especiais da NSA, que construiu um equipamento de interceptação telefônica secreta e o embutiu nas instalações dos prestativos fornecedores de serviços de internet no mundo todo. Juntos, o PRISM (captura direta dos servidores dos principais provedores de serviços) e o Upstream Collection (captura direta da infraestrutura da internet) garantiam que as informações do mundo, tanto armazenadas quanto em trânsito, fossem monitoradas.

A etapa seguinte de minha investigação foi descobrir como essa captura havia sido realizada, ou seja, examinar os documentos que explicam quais ferramentas davam suporte a esses programas, e como eram escolhidas entre o vasto arrastão de comunicações aquelas consideradas dignas de uma inspeção mais próxima. A dificuldade era que essa informação não existia em outro formato, independentemente do nível de confidencialidade, que não fosse diagramas de engenharia e esquemas crus. Esse era o material mais importante de encontrar. Diferentemente do discurso da Aliança Cinco Olhos, isso constituiria provas concretas de que aquilo que eu estava lendo não era só fantasia de um gerente de projetos com excesso de cafeína no corpo. Como um cara de sistemas sempre estimulado a construir mais depressa e entregar mais, eu sabia que as agências às vezes anunciavam tecnologias antes mesmo de existirem – às vezes porque um vendedor tipo Cliff fazia promessas demais, e às vezes por ambição genuína e absoluta.

Neste caso, a tecnologia por trás do Upstream Collection existiam. Como descobri, essas ferramentas são os elementos mais invasivos do sistema de vigilância em massa da NSA, porque são as mais próximas do usuário – ou seja, mais próximas da pessoa que está sendo vigiada. Imagine-se sentado diante de um computador pronto para visitar um site. Você abre um navegador da Web, digita uma URL e aperta o Enter. A URL é, na verdade, uma solicitação, e essa solicitação sai em busca de seu servidor de destino. Mas, em algum lugar no meio de suas viagens, antes que seu pedido chegue a esse servidor, ele terá de passar pelo TURBULENCE, uma das armas mais poderosas da agência.

Especificamente, sua solicitação passa por alguns servidores empilhados, que têm, juntos, mais ou menos o tamanho de uma estante de 4 prateleiras. Encontram-se instalados em salas especiais nos principais edifícios de empresas privadas de telecomunicações em todos os países aliados, bem como em embaixadas e bases militares dos EUA, e contêm 2 ferramentas cruciais. A primeira, TURMOIL, faz a coleta passiva, fazendo uma cópia dos dados que entrarem. A segunda, TURBINE, é responsável pela coleta ativa – ou seja, por manipular ativamente os usuários.

Pense no TURMOIL como um guarda posicionado diante de uma porta corta-fogo invisível através da qual todo o tráfego da internet deve passar. Ao ver sua solicitação, ele verifica os metadados à procura de seletores, ou critérios, o que a marcaria como merecedora de mais escrutínio. Esses seletores podem ser o que a NSA escolher, seja o que for que ela ache suspeito: um endereço de e-mail específico, um número de cartão de crédito ou de telefone; ou a origem ou destino geográfico de sua atividade na internet; ou simplesmente determinadas palavras-chave, como proxy de internet anônimo ou protesto.

Se o TURMOIL marcar seu tráfego como suspeito, ele o levará ao TURBINE, que desviará sua solicitação para os servidores da NSA. Lá, algoritmos decidirão quais *exploits* – programas de malware – da agência usarão contra você. Essa escolha se baseia no tipo de site que você está tentando visitar, tanto quanto no software do computador e sua conexão com a internet. Os *exploits* escolhidos serão mandados de volta ao TURBINE (por programas do pacote QUANTUM, caso queira saber), que os injetará no canal de tráfego e entregará junto com o site que você solicitou. O resultado será que você obterá todo o conteúdo que desejava, com toda a vigilância que não desejava, e tudo acontecerá em menos de 686 milissegundos. Completamente sem seu conhecimento.

Uma vez que os *exploits* ficam armazenados em seu computador, a NSA poderá acessar não apenas seus metadados, mas também seus dados. Toda sua vida digital pertencerá a eles.

21. A DELAÇÃO

Se algum funcionário da NSA que não trabalhasse com o software Sharepoint, que eu administrava, conhecesse algo sobre ele, seriam as agendas. Eram praticamente iguais às agendas de empresas não governamentais, só que muito mais caras, e forneciam a interface de calendário básico para o pessoal da NSA no Havaí – onde e quando haveria uma reunião da qual cada um teria de participar. Você pode imaginar como era emocionante administrar isso... Foi por isso que tentei apimentar as coisas, certificando-me de que a agenda sempre tivesse lembretes de todos os feriados; todos mesmo, não só os feriados federais. Rosh Hashaná, Eid al-Fitr, Festa do Sacrifício, Diwali...

E o meu favorito, 17 de setembro, Dia da Constituição e da Cidadania. Esse é o nome formal do feriado que comemora o momento, em 1787, em que os delegados para a Convenção Constitucional ratificaram, ou assinaram, oficialmente o documento. Tecnicamente, o Dia da Constituição não é um feriado federal, apenas uma observância federal, o que significa que o Congresso não achava que o documento fundador de nosso país e a mais antiga constituição nacional ainda em uso no mundo era importante o bastante para justificar um dia de folga para as pessoas.

A CI sempre teve um relacionamento desconfortável com o Dia da Constituição; seu envolvimento tipicamente se limitava a circular um e-mail insípido elaborado pela assessoria de imprensa das agências e assinado pelo diretor fulano, e montar uma triste mesa em um canto esquecido da lanchonete. Na mesa, colocavam alguns exemplares gratuitos da Constituição, impressos, encadernados e doados ao governo pelos gentis e generosos demagogos em lugares como o Cato Institute ou a Heritage Foundation, uma vez que a CI raramente se interessava em gastar parte de seus bilhões na promoção das liberdades civis por meio de um punhado de papel grampeado.

Suponho que os funcionários entendiam a mensagem; ou não. Durante os sete Dias da Constituição que passei na CI, acho que nunca vi ninguém, além de mim mesmo, pegar uma cópia da Constituição da mesa. Como eu adoro uma ironia quase tanto quanto adoro brindes, sempre pego algumas; uma para mim e as outras para espalhar pelas estações de trabalho de meus amigos. Eu deixava minha cópia encostada no cubo mágico em minha mesa, e por um tempo tive o hábito de lê-la na hora do almoço, tentando não engordurar o "Nós, o Povo" com uma das fatias da pizza horrível da lanchonete.

Eu gostava de ler a Constituição, em parte porque suas ideias são ótimas e, em parte, porque a prosa é boa; mas mais ainda porque assustava meus colegas de trabalho. Em um lugar onde tudo que se imprimia tinha de ser jogado no triturador depois de lido, alguém sempre ficaria intrigado com a presença de páginas impressas sobre uma mesa. Sempre perguntavam:

"O que você tem aí?"

"A Constituição."

Então, a pessoa fazia uma careta e se afastava lentamente.

No Dia da Constituição, em 2012, eu peguei o documento para ler a sério. Eu não o lia inteiro fazia alguns anos, mas fiquei feliz em ver que ainda sabia o preâmbulo de cor. Dessa vez, eu a li inteira, dos artigos às emendas. Fiquei surpreso ao perceber que 50% da Declaração de Direitos – as 10 primeiras emendas do documento – tinham a intenção de dificultar o trabalho da aplicação da lei. A quarta, quinta, sexta, sétima e oitava emendas foram deliberadas e cuidadosamente projetadas para criar ineficiências e dificultar a capacidade do governo de exercer seu poder e conduzir vigilância.

Isso é especialmente verdadeiro na Quarta Emenda, que protege as pessoas e suas propriedades do escrutínio do governo: *o direito do povo de estar seguro em sua pessoa, sua casa, documentos e pertences, contra buscas e apreensões não razoáveis não deve ser violado, e nenhum mandado deve ser emitido, exceto por causa provável, apoiado por juramento ou afirmação, e particularmente descrevendo o local a ser revistado e as pessoas ou coisas a serem apreendidas*. Tradução: se a polícia quiser escavar sua vida, primeiro terá de comparecer perante um juiz e, sob juramento, mostrar uma causa provável. Ou seja, ela precisa explicar a um juiz por que tem motivos para acreditar que você pode ter cometido um crime específico, ou quais evidências específicas de um crime específico podem ser encontradas em uma parte específica de sua propriedade. Então, ela tem de jurar que essa razão foi dada honestamente e de boa fé. Somente se o juiz aprovar um mandado a polícia terá permissão para fazer uma busca, e, mesmo assim, só por um tempo limitado.

A Constituição foi escrita no século XVIII, quando os únicos computadores eram os ábacos, as calculadoras de engrenagem e os teares, e uma comunicação podia levar semanas ou meses para atravessar o oceano de navio. É óbvio que os arquivos digitais, seja qual for seu conteúdo, são nossa versão dos documentos da Constituição. Nós certamente os usamos como documentos, particularmente os arquivos de texto e as planilhas, nossas mensagens e histórico de busca. Já os dados são nossa versão de pertences, um termo abrangente para todas as coisas que possuímos, produzimos, vendemos e compramos on-line. Isso inclui, por padrão, metadados, que é o registro de todas as coisas que possuímos, produzimos, vendemos e compramos on-line – um perfeito livro-razão de nossa vida privada.

Nos séculos que se passaram desde o Dia da Constituição original, nossas nuvens, computadores e telefones se tornaram nosso lar, tão pessoais e íntimos quanto nossas casas atuais. Se você não concordar, responda: você preferiria deixar seus colegas de trabalho sozinhos em sua casa por uma hora, ou apenas dez minutos com seu celular desbloqueado na mão?

Os programas de vigilância da NSA, os de vigilância doméstica em particular, desrespeitaram a Quarta Emenda completamente. A agência alegava que as proteções da emenda não se aplicavam à vida moderna. As políticas internas da agência não consideravam os dados das pessoas como sua propriedade pessoal legalmente protegida, nem a coleta desses dados como uma busca ou apreensão. A NSA dizia que como você já compartilhava seus registros telefônicos com um terceiro – seu provedor de telefonia –, havia aberto mão de qualquer interesse de privacidade constitucional que poderia ter tido. E insistia em que busca e apreensão ocorriam somente quando seus analistas, não seus algoritmos, consultavam ativamente o que já havia sido coletado de forma automática.

Se os mecanismos de supervisão constitucional funcionassem adequadamente, essa interpretação extremista da Quarta Emenda – efetivamente defendendo que o próprio ato de usar tecnologias modernas equivaleria a abrir mão de nossos direitos de privacidade – teria sido rejeitada pelo Congresso e pelos tribunais. Os fundadores dos EUA eram qualificados engenheiros do poder político, particularmente em sintonia com os perigos impostos pelos subterfúgios legais e as tentações da presidência de exercer autoridade monárquica. Para evitar essas eventualidades, eles criaram um sistema, definido nos 3 primeiros artigos da Constituição, que estabeleceu o governo dos EUA em 3 ramos coiguais, cada um supostamente dando supervisão e equilíbrio aos outros. Mas, quando foi a vez de proteger a privacidade dos cidadãos estadunidenses na era digital, cada um desses ramos falhou a sua maneira, fazendo todo o sistema travar e pegar fogo.

O poder legislativo, as duas casas do Congresso, abandonaram voluntariamente seu papel de supervisão: enquanto o número de funcionários da CI governamental e de terceirizados estava explodindo, o número de congressistas que eram informados sobre as capacidades e atividades dessa comunidade continuava diminuindo, até que só poucos membros do comitê especial eram informados em audiências a portas fechadas. Mesmo assim, eram informados só de algumas, não de todas as atividades da CI. Quando se realizavam as raras audiências públicas sobre a CI, a posição da NSA era clara: a agência não cooperaria, não seria honesta, e o que era pior, por meio da confidencialidade e de alegações de sigilo, forçaria as legislaturas federais estadunidenses a colaborar com a trapaça. No início de 2013, por exemplo, James Clapper, então diretor de Inteligência Nacional, testemunhou sob juramento ao Seleto Comitê de Inteligência do Senado dos EUA que a NSA não estava envolvida na coleta em massa das comunicações dos cidadãos estadunidenses. À pergunta "a NSA coleta algum tipo de dados de milhões ou centenas de milhões de estadunidenses?" Clapper respondeu: "Não, senhor", e acrescentou: "Há casos em que ela poderia inadvertidamente coletar, mas não intencionalmente". Isso era uma mentira descarada, claro, não apenas para o Congresso, mas para o povo estadunidense. Vários congressistas diante dos quais Clapper estava testemunhando sabiam muito bem que o que ele estava dizendo era falso, mas, mesmo assim, recusaram-se – ou sentiram-se legalmente impotentes – a confrontá-lo.

O fracasso do judiciário foi ainda mais decepcionante. O Tribunal de Vigilância de Inteligência Estrangeira (FISC), que supervisiona a vigilância de inteligência dentro dos Estados Unidos, é um órgão especializado que reúne-se em segredo e só dá ouvidos ao governo. Fora criado para conceder mandados individuais para coleta de inteligência estrangeira e sempre foi especialmente flexível para com a NSA, aprovando bem mais de 99% dos pedidos da agência – uma taxa que sugere mais um carimbo ministerial que um processo judicial deliberativo. Após o 11 de Setembro, o tribunal expandiu seu papel de autorizar a vigilância de indivíduos específicos e passou a decidir sobre a legalidade e constitucionalidade da ampla vigilância programática, sem qualquer escrutínio em contrário. Um corpo que antes havia sido encarregado de aprovar a vigilância do Terrorista Estrangeiro nº 1, ou do Espião Estrangeiro nº 2, passou a ser usado para legitimar toda a infraestrutura combinada do PRISM e do Upstream Collection. A revisão judicial dessa infraestrutura foi reduzida – nas palavras da ACLU (União Americana pelas Liberdades Civis) – a um tribunal secreto que mantinha programas secretos, reinterpretando sigilosamente a legislação federal.

Quando grupos da sociedade civil como a ACLU tentaram desafiar as atividades da NSA em tribunais federais comuns e abertos, uma coisa curiosa aconteceu. O governo não se defendeu alegando que as atividades de vigilância eram legais ou constitucionais; simplesmente declarou que a ACLU e seus clientes não tinham o direito de estar no tribunal, porque a ACLU não podia provar que seus clientes haviam sido realmente vigiados. Além disso, a ACLU não poderia usar o litígio para buscar evidências de vigilância, porque a existência (ou inexistência) dessas evidências era um segredo de Estado, e vazamentos para a imprensa não contavam. Em outras palavras, o tribunal não poderia reconhecer as informações publicamente conhecidas por terem sido divulgadas na mídia; só poderia reconhecer as informações que o governo confirmasse oficialmente como sendo publicamente conhecidas. A invocação de confidencialidade significava que nem a ACLU nem qualquer outra pessoa poderia estabelecer uma contestação legal em audiência pública. Para minha repugnância, em fevereiro de 2013, a Suprema Corte dos EUA decidiu por 5 contra 4 aceitar a argumentação do governo, sem sequer considerar a legalidade das atividades da NSA, e indeferiu uma ação da ACLU e da Anistia Internacional que desafiava a vigilância em massa.

Por fim, temos o poder executivo, a principal causa dessa violação constitucional. O gabinete da presidência, por meio do departamento de Justiça, cometeu o pecado original de secretamente emitir diretivas que autorizavam a vigilância em massa após o 11 de Setembro. Esse excesso executivo continuou nas décadas seguintes, com as administrações dos dois partidos tentando agir unilateralmente e estabelecer diretivas políticas que contornassem diretivas legislativas – diretivas políticas que não podem ser contestadas, uma vez que sua confidencialidade as impede de ser publicamente conhecidas.

O sistema constitucional só funciona como um todo se e quando cada um dos seus 3 ramos funcionar devidamente. Quando os 3 não apenas falham, mas fracassam deliberada e coordenadamente, o resultado é uma cultura de impunidade. Eu percebi que era loucura imaginar que a Suprema Corte, ou o Congresso, ou o presidente Obama, tentando distanciar sua administração da do presidente George W. Bush, responsabilizaria a CI por qualquer coisa. Era hora de encarar o fato de que a CI julgava estar acima da lei, e dada a falha do processo, ela tinha razão. A CI passou a entender as regras de nosso sistema melhor do que as pessoas que o criaram, e usou esse conhecimento em proveito próprio.

Eles hackearam a Constituição.

Os EUA nasceram de um ato de traição. A Declaração de Independência foi uma violação ultrajante das leis da Inglaterra e a mais completa expressão do que os Fundadores chamavam de *as Leis da Natureza*, entre as quais estava o direito de desafiar os poderes do dia e se rebelar por questão de princípios, segundo os ditames da consciência de alguém. Os primeiros estadunidenses a exercer esse direito, os primeiros delatores da história dos Estados Unidos, apareceram um ano depois, em 1777.

Esses homens, como muitos homens de minha família, eram oficiais da Marinha Continental, que em defesa de sua nova terra haviam ido para o mar. Durante a Revolução, eles serviram na *U.S.S. Warren*, uma fragata de 32 canhões sob o comando do comodoro Esek Hopkins, comandante-chefe da Marinha Continental. Hopkins era um líder preguiçoso e intratável que se recusou a levar seu navio a combate. Seus oficiais também alegaram ter testemunhado o comodoro surrando prisioneiros de guerra britânicos e deixando-os morrer de fome. Dez oficiais do *Warren* – depois de consultar sua consciência e mal pensando em sua carreira – relataram tudo isso à cadeia de comando, escrevendo ao Comitê da Marinha:

Mui respeitados Senhores,
Nós que apresentamos esta petição estamos engajados a bordo do navio Warren com um desejo sincero e a firme expectativa de prestar algum serviço a nosso país. Ainda estamos ansiosos pelo bem-estar dos EUA e nada desejamos mais fervorosamente que a ver em paz e prosperidade. Estamos prontos

para arriscar tudo que nos é caro, e, se necessário, sacrificar nossa vida pelo bem-estar de nosso país. Desejamos ser ativos na defesa de nossas liberdades e privilégios constitucionais contra as injustas e cruéis reivindicações de tirania e opressão; mas, em vista das circunstâncias a bordo desta fragata, parece não haver nenhuma perspectiva de sermos úteis em nosso posto atual. Estamos nessa situação há um considerável espaço de tempo. Estamos pessoalmente bem familiarizados com o verdadeiro caráter e a conduta de nosso comandante, comodoro Hopkins, e nos utilizamos deste método não tendo uma oportunidade mais conveniente de solicitar, de forma sincera e humilde, ao honorável Comitê da Marinha que investiguem seu caráter e conduta, pois consideramos que seu caráter é tal, e que ele é culpado de crimes que o tornam inadequado para o departamento público que agora ocupa; crimes esses que nós, aqui subscritos, podemos atestar suficientemente.

Depois de receber essa carta, o Comitê da Marinha investigou o comodoro Hopkins. Sua reação foi demitir seus oficiais e tripulação e, em um ataque de raiva, entrou com uma ação criminal por difamação contra o aspirante Samuel Shaw e o terceiro tenente Richard Marvin, os dois oficiais que admitiram ter sido os autores da petição. O processo foi aberto nos tribunais de Rhode Island, cujo último governador colonial fora Stephen Hopkins, signatário da Declaração de Independência e irmão do comodoro.

O caso foi atribuído a um juiz nomeado pelo governador Hopkins, mas, antes que o julgamento começasse, Shaw e Marvin foram salvos por um oficial da Marinha, John Grannis, que se rebelou e apresentou o caso diretamente ao Congresso Continental. O Congresso Continental ficou tão alarmado com o precedente que se estabeleceria ao permitir que queixas militares sobre abandono do dever ficassem sujeitas a acusação criminal de difamação que interveio. Em 30 de julho de 1778, encerrou o comando do comodoro Hopkins, ordenou à Secretaria do Tesouro que pagasse os honorários advocatícios de Shaw e Marvin, e por unanimidade, promulgou a primeira lei de proteção aos delatores dos Estados Unidos. Essa lei declarava "o dever de todas as pessoas a serviço dos Estados Unidos, bem como de todos os seus habitantes, de fornecer as primeiras informações ao Congresso ou a qualquer outra autoridade apropriada sobre qualquer má conduta, fraude ou contravenção cometida por qualquer oficial ou pessoa a serviço dessas instâncias que possam chegar a seu conhecimento".

Essa lei me deu esperança, e ainda dá. Mesmo no momento mais sombrio da Revolução, com a própria existência do país em jogo, o Congresso não apenas acolheu um ato de dissensão por princípios, como também consagrou tais atos como deveres. No segundo semestre de 2012, eu estava decidido a desempenhar esse dever, mas sabia que faria minhas revelações em um momento muito diferente – um tempo mais confortável e mais cínico. Poucos superiores meus da CI teriam sacrificado sua carreira pelos mesmos princípios estadunidenses pelos quais os militares sacrificam regularmente sua vida. E em meu caso, recorrer à cadeia de comando, que a CI prefere chamar de canais apropriados, não era uma opção como foi para os 10 homens que tripulavam o *Warren*. Meus superiores não só estavam cientes do que a agência estava fazendo, como também dirigiam essas atividades; eram cúmplices.

Em organizações como a NSA – onde a desonestidade se tornou estrutural a ponto de não ser uma iniciativa particular, e sim uma ideologia –, os canais apropriados podem ser uma armadilha para capturar os hereges e os contrários. Eu já havia experimentado o fracasso do comando em Warrenton, e de novo em Genebra, onde, no curso normal de minhas funções, havia descoberto uma vulnerabilidade de segurança em um programa crítico. Eu relatei a vulnerabilidade e, como nada foi feito, relatei isso também. Meus supervisores não ficaram felizes com minha atitude, porque seus supervisores também não estavam contentes. A cadeia de comando é realmente uma cadeia que amarra, e os elos inferiores só podem ser erguidos pelo mais alto.

Proveniente de uma família que serviu na Guarda Costeira, eu sempre fui fascinado pela quantidade de palavras inglesas do vocabulário referente a uma revelação que têm influência náutica. Desde antes da época do *U.S.S. Warren*, ocorriam *vazamentos* (*leaks*) nas empresas, assim como nos navios. Quando o vapor substituiu o vento como propulsor, passou-se a usar apitos (*whistles*) para sinalizar intenções e emergências: 1 apito para passar pelo porto, 2 para passar a estibordo, 5 para um alerta.

Já os mesmos termos nas línguas europeias com frequência têm valências políticas carregadas, condicionadas pelo contexto histórico. Os franceses usaram *denonciateur* durante a maior parte do século XX, até que a associação da palavra com *denouncer* ou *informant* dos alemães na Segunda Guerra Mundial levou a uma preferência por *lanceur d'alerte* (aquele que lança um alerta). O alemão, uma língua que tem lutado com o passado nazista e Stasi de sua cultura, evoluiu de seu próprio *denunziant* e *informant* e decidiu pelo insatisfatório *hinweisgeber* (aquele que dá dicas), *enthueller* (revelador), *skandalaufdecker* (revelador de escândalo), e inclusive o decididamente político *ethische dissidenten* (dissidente ético).

Mas o alemão usa pouco essas palavras on-line; no que diz respeito às revelações de hoje na internet, o idioma simplesmente pegou emprestado o substantivo *whistleblower* (delator) e o verbo *leaken* (vazar). As línguas de regimes como o da Rússia e o da China, por sua vez, empregam termos que carregam o sentido pejorativo de informante e traidor. Seria necessária a existência de uma imprensa livre forte nessas sociedades para imbuir essas palavras de uma conotação mais positiva, ou para cunhar novas que enquadrariam esse tipo de revelação não como uma traição, e sim como um dever honroso.

Em última análise, todas as línguas, incluindo o inglês, demonstram a relação de sua cultura com o poder pelo modo como escolhem definir o ato de fazer uma denúncia. Até as palavras náuticas inglesas que parecem neutras e benignas enquadram o ato na perspectiva da instituição que se percebe prejudicada, e não do público com quem a instituição falhou. Quando uma instituição denuncia um vazamento, deixa implícito que o vazador prejudicou ou sabotou algo.

Hoje, vazamento e delação são frequentemente tratados como intercambiáveis. Mas, em minha opinião, o termo vazamento deveria ser usado de forma diferente do que normalmente é. Deveria ser usado para descrever revelações feitas não pelo interesse público, e sim por interesse próprio, ou em busca de objetivos institucionais ou políticos. Para ser mais preciso, eu entendo um vazamento como algo mais próximo de uma planta, ou uma semeadura de propaganda; ou seja, a liberação seletiva de informações protegidas para influenciar a opinião popular ou afetar o curso da tomada de decisões. É raro que se passe um dia sequer sem que um alto funcionário do governo sem nome ou anônimo vaze, por meio de uma sugestão ou dica para um jornalista, algum item confidencial que alavanque seus próprios interesses ou os esforços de sua agência ou partido.

Essa dinâmica talvez seja mais descaradamente exemplificada por um incidente ocorrido em 2013, em que oficiais da CI, provavelmente tentando inflar a ameaça de terrorismo e desviar das críticas à vigilância em massa, vazaram para alguns sites de notícias relatos extraordinariamente detalhados de uma teleconferência entre o líder do Al Qaeda, Ayman a-Zawahiri e seus afiliados globais. Nessa chamada teleconferência da morte, al--Zawahiri supostamente discutia a cooperação organizacional com Nasser al-Wuhayshi, líder do Al Qaeda no Iêmen, e representantes do Talibã e do Boko Haram. Ao revelar a capacidade de interceptar essa teleconferência – isso se acreditarmos nesse vazamento, que consistia em uma descrição da chamada, não em uma gravação –, a CI irrevogavelmente queimou um meio extraordinário de se informar sobre os planos e as intenções dos mais altos escalões da liderança terrorista, puramente por uma vantagem política momentânea no ciclo de notícias. Nem uma única pessoa foi processada por causa desse truque publicitário, embora certamente fosse ilegal, e custou aos estadunidenses a capacidade de continuar escutando a suposta linha direta do Al Qaeda.

De tempos em tempos, a classe política dos EUA se mostra disposta a tolerar, inclusive a gerar, vazamentos que atendam a seus próprios objetivos. A CI frequentemente anuncia seus sucessos, independentemente de sua confidencialidade e das consequências. Em nenhum lugar na história recente isso foi mais aparente que nos vazamentos relacionados ao assassinato extrajudicial do clérigo extremista estadunidense Anwar al-Aulaqi no Iêmen. Ao divulgar ao *The Washington Post* e ao *The New York Times*, esbaforido, seu ataque com drones a al-Aulaqi, o governo Obama admitiu tacitamente a existência do programa de drones da CIA e sua *disposition matrix*, ou lista de mortes, sendo que ambos eram oficialmente ultrassecretos. Além disso, o governo estava implicitamente confirmando que se envolvia não apenas em assassinatos direcionados, mas em assassinatos direcionados de cidadãos estadunidenses. Esses vazamentos, realizados na forma coordenada de uma campanha de mídia, foram chocantes demonstrações da abordagem situacional do Estado ao sigilo: algo que deve ser mantido para que o governo aja com impunidade, mas que pode ser quebrado sempre que ele pretenda reivindicar créditos.

É só nesse contexto que a relação latitudinal do governo dos EUA com os vazamentos pode ser totalmente compreendida. Ele perdoou vazamentos não autorizados quando resultaram em benefícios inesperados, e esqueceu vazamentos autorizados quando causaram danos. Mas se a nocividade e a falta de autorização de um vazamento, para não dizer sua ilegalidade essencial, faz pouca diferença na reação do governo, o que conta? O que torna uma revelação permissível e outra não?

A resposta é poder. A resposta é controle. Uma revelação é considerada aceitável somente se não desafiar as prerrogativas fundamentais de uma instituição. Se todos os componentes díspares de uma organização, desde sua sala de correspondência até sua suíte executiva, supostamente têm o mesmo poder para discutir questões internas, seus executivos terão entregado o controle das informações, e o funcionamento contínuo da organização estará em risco. Apropriar-se dessa igualdade de voz, qualquer que seja a hierarquia administrativa ou a tomada de decisão de uma organização, é o que propriamente a CI entende por delação – um ato particularmente ameaçador para ela, que opera por estrita compartimentagem sob um véu de sigilo legalmente codificado.

Um delator, em minha definição, é uma pessoa que por meio da dura experiência concluiu que sua vida dentro de uma instituição se tornou incompatível com os princípios desenvolvidos na – e com a lealdade devida à – sociedade maior fora dela, à qual essa instituição deveria responder. Essa pessoa sabe que não pode permanecer na instituição e sabe que esta não pode ser ou não será desmantelada. Reformar a instituição pode ser possível; portanto, ele faz a revelação para fazer pressão pública.

Essa é uma descrição adequada de minha situação, com um acréscimo crucial: todas as informações que eu pretendia divulgar eram classificadas como ultrassecretas. Para revelar programas secretos, eu também teria que revelar o sistema maior de sigilo, expô-lo não como a prerrogativa absoluta de Estado que a CI alegava que era, mas sim como um privilégio ocasional do qual ela abusava para subverter a supervisão democrática. Sem trazer à luz todo o escopo desse sigilo sistêmico, não haveria esperança de restabelecer um equilíbrio de poder entre os cidadãos e sua governança. Esse motivo de restauração é o que considero essencial à denúncia: marca a revelação não como um ato radical de dissensão ou resistência, e sim como um ato convencional de sinalização de que o navio está voltando ao porto, onde será desmanchado, reformado e seus vazamentos serão remendados antes que possa começar de novo.

Uma exposição total do aparato de vigilância em massa – não por mim, mas pela mídia, o quarto ramo *de facto* do governo dos EUA, protegido pela Declaração de Direitos: essa era a única resposta apropriada à escala do crime. Afinal, não seria suficiente revelar apenas um abuso ou um conjunto de abusos em particular, que a agência poderia interromper (ou fingir interromper) enquanto preservaria intacto o resto do aparato sombrio. Por isso, resolvi trazer à luz um fato único e abrangente: meu governo havia desenvolvido e implantado um sistema global de vigilância em massa sem o conhecimento ou consentimento de seus cidadãos.

Os delatores podem ser eleitos por circunstâncias em qualquer nível de operação de uma instituição. Mas a tecnologia digital nos trouxe a uma era na qual, pela primeira vez na história registrada, os mais eficazes virão de baixo, das fileiras tradicionalmente menos incentivadas a manter o *status quo*. Na CI, como em praticamente todas as outras instituições descentralizadas que dependem de computadores, essas camadas mais baixas estão cheias de tecnólogos como eu, cujo acesso legítimo a infraestruturas vitais é totalmente desproporcional à autoridade formal de influenciar decisões institucionais. Em outras palavras, geralmente, há um desequilíbrio entre o que pessoas como eu pretendem saber e o que temos capacidade de saber, e entre o pequeno poder que temos para mudar a cultura institucional e o vasto poder que temos para mostrar nossas preocupações à cultura em geral. Embora seja possível abusar desses privilégios tecnológicos – afinal, a maioria dos tecnólogos no nível de sistemas tem acesso a tudo –, o maior exercício desse privilégio está nos casos que envolvem a própria tecnologia. Habilidades especializadas implicam maiores responsabilidades. Os tecnólogos que buscam informar sobre o mau uso sistêmico da tecnologia devem fazer mais que apenas levar suas descobertas a público, se o significado dessas descobertas for compreendido. Eles têm o dever de contextualizar e explicar; de desmistificar.

Algumas dezenas de pessoas mais bem posicionadas para fazer isso no mundo todo estavam ali, sentadas ao meu redor no Túnel. Meus colegas tecnólogos chegavam todos os dias, sentavam-se diante de seus terminais e promoviam o trabalho do Estado. Não eram apenas alheios a seus abusos, tinham dúvidas sobre eles, e essa falta de curiosidade não fez deles pessoas más, e sim trágicas. Não importava se haviam chegado à CI por patriotismo ou oportunismo: uma vez que entravam na máquina, eles próprios se tornavam máquinas.

22. O QUARTO PODER

Nada é mais difícil que viver com um segredo que não pode ser contado. Mentir para estranhos sobre um disfarce ou esconder o fato de que seu escritório fica sob a mais secreta plantação de abacaxi do mundo não é fácil, mas pelo menos você faz parte de uma equipe; seu trabalho pode ser secreto, mas é um segredo compartilhado, portanto, um fardo compartilhado. Há miséria, mas também há risos.

Mas, quando você tem um verdadeiro segredo, que não pode compartilhar com ninguém, até seu riso é uma mentira. Eu poderia falar sobre minhas preocupações, mas nunca sobre aonde estavam me levando. Até o dia que eu morrer vou me lembrar de explicar a meus colegas como nosso trabalho estava sendo usado para violar os juramentos que havíamos nos comprometido a defender, e de vê-los responder com indiferença: "E o que você pode fazer?". Eu odiava essa pergunta, a sensação de resignação e derrota que trazia em si; mas, mesmo assim, era válida o bastante para eu ter que perguntar a mim mesmo: *Então, o quê?*.

Quando surgiu a resposta, decidi me tornar um delator. Mas insinuar para Lindsay, o amor de minha vida, mesmo que só uma palavra a respeito dessa decisão, teria sido um teste ainda mais cruel para nosso relacionamento que não dizer nada. Como não queria lhe causar mais mal do que já estava resignado a causar, fiquei calado, e em meu silêncio, eu estava sozinho.

Achava que a solidão e o isolamento seriam fáceis para mim, ou pelo menos mais fáceis do que foram para meus antecessores no mundo da delação. Por acaso cada passo de minha vida não havia sido uma espécie de preparação? Acaso não havia me acostumado a ficar sozinho depois de todos aqueles anos que passara calado e enfeitiçado diante de uma tela? Eu havia sido um hacker solo, o capitão do porto do turno da noite, o guardião das chaves em um escritório vazio. Mas também era humano, e a falta de companhia era difícil. Cada dia meu era assombrado pela luta, pois eu tentava e não conseguia conciliar o moral e o legal, meus deveres e meus desejos. Eu tinha tudo que sempre havia desejado: amor, família e um sucesso muito maior do que jamais merecera; e vivia no Éden, entre árvores abundantes, e só uma delas era proibida para mim. O mais fácil deveria ter sido seguir as regras.

E mesmo que eu já houvesse aceitado os perigos de minha decisão, ainda não estava ajustado ao papel. Afinal, quem era eu para pôr essa informação diante do público dos EUA? Quem me elegera presidente dos segredos?

A informação que eu pretendia revelar sobre o regime secreto de vigilância em massa de meu país era tão explosiva, e ao mesmo tempo tão técnica, que eu tinha medo tanto de ser questionado quanto de ser mal interpretado. Por isso, minha primeira decisão depois de resolver ir a público foi fazê-lo munido de documentação. Para revelar um programa secreto eu poderia meramente descrever sua existência, mas para revelar o sigilo programático tinha que descrever seu funcionamento. Isso exigia documentos, os arquivos verdadeiros da agência – tantos quantos necessários para expor o escopo do abuso; mas eu sabia que divulgar até mesmo um PDF seria o suficiente para me levar à prisão.

A ameaça de vingança governamental contra qualquer entidade ou plataforma para a qual eu fizesse a revelação levou-me a brevemente considerar uma autopublicação. Esse teria sido o método mais conveniente e seguro; simplesmente reunir os documentos que melhor comunicassem minhas preocupações e publicá-los na internet, do jeito que eram, depois fazer circular um link. Mas uma das razões para não seguir esse caminho tinha a ver com autenticação. Dezenas de pessoas postam informações confidenciais na internet todos os dias, muitas sobre tecnologias de viagem no tempo e alienígenas. Eu não queria que minhas revelações, que já eram bastante inacreditáveis, fossem incluídas entre as bizarras e se perdessem entre as loucuras.

Desde o estágio inicial do processo, estava claro para mim que eu queria – e que o público merecia – que uma pessoa ou instituição atestasse a veracidade dos documentos. Também queria um parceiro que avaliasse os potenciais perigos da revelação de informações confidenciais e que ajudasse a explicá-las colocando-as no contexto tecnológico e legal. Eu confiava em mim mesmo para apresentar os problemas de vigilância e até analisá-los, mas teria de confiar em outras pessoas para resolvê-los. Por maior que fosse a desconfiança que eu tinha àquela altura em relação às instituições, eu estava muito mais preocupado em tentar agir como eu mesmo. Cooperar com algum tipo de mídia me defenderia contra as piores acusações de atividade desonesta e corrigiria qualquer viés que eu tivesse, fosse consciente ou inconsciente, pessoal ou profissional. Eu não queria que nenhuma opinião política minha prejudicasse a apresentação ou recepção das revelações. Afinal, em um país onde todos estavam sendo vigiados, nenhum assunto era menos partidário que a vigilância.

Olhando para trás, tenho que dar crédito à crescente influência de Lindsay, que me fez querer encontrar filtros ideológicos para tudo aquilo. Ela passou anos me ensinando pacientemente que meus interesses e preocupações nem sempre eram os dela, e certamente nem sempre eram os do mundo, e que, só porque eu compartilhava meu conhecimento não significava que alguém tivesse que compartilhar minha opinião. Nem todos que se opunham às invasões de privacidade poderiam estar prontos para adotar padrões criptográficos de 256 bits ou abandonar completamente a internet. Um ato ilegal que incomodasse uma pessoa por ser uma violação da Constituição poderia incomodar outra por ser uma violação de privacidade, sua, de sua esposa ou filhos. Lindsay foi a chave para desvendar essa verdade: que motivos e abordagens diversos só podem melhorar as chances de alcançar objetivos comuns. Ela, mesmo sem saber, deu-me a confiança para superar minhas dúvidas e alcançar outras pessoas.

Mas, que pessoas? Talvez seja difícil lembrar, ou até imaginar, mas, na época em que pensei em me entregar, o fórum escolhido pelos delatores era o WikiLeaks. Naquela época, em muitos aspectos ele operava como uma editora tradicional, mas radicalmente cética em relação ao poder do Estado. Regularmente o WikiLeaks se juntava a importantes publicações internacionais, como o *The Guardian*, *The New York Times*, *Der Spiegel*, *Le Monde* e *El País* para publicar os documentos fornecidos por suas fontes. O trabalho que essas organizações de imprensa parceiras realizaram ao longo de 2010 e 2011 sugeria que o WikiLeaks era muito valioso como um intermediário que conectava as fontes e os jornalistas, e como uma porta corta-fogo que preservava o anonimato das fontes.

As práticas do WikiLeaks mudaram após a publicação de revelações feitas pelo soldado do Exército dos EUA, Chelsea Manning – enormes depósitos de registros de campo militares dos EUA referentes às guerras do Iraque e do Afeganistão, informações sobre detentos na baía de Guantánamo, juntamente com telegramas diplomáticos dos EUA. Em razão da reação violenta do governo e à controvérsia da mídia em torno da redação do material de Manning feita pelo site, o WikiLeaks decidiu mudar de tática e passar a publicar os futuros vazamentos como os recebessem: intocados, não editados. A escolha do site por uma política de transparência total significava que publicar no WikiLeaks não atenderia às minhas necessidades. De fato, teria sido o mesmo que uma autopublicação, opção que eu já havia descartado por considerá-la insuficiente. Eu sabia que era difícil entender a história contada nos documentos da NSA sobre um sistema global de vigilância em massa que havia sido implantado no mais profundo sigilo – uma história tão emaranhada e técnica que eu tinha cada vez mais certeza de que não poderia ser apresentada de uma só vez, sem checagem; só poderia ir a público com o paciente e cuidadoso trabalho dos jornalistas, empreendido, no melhor cenário que pude conceber, com o apoio de várias instituições de imprensa independentes.

Embora tenha sentido certo alívio ao resolver divulgar tudo diretamente aos jornalistas, eu ainda tinha algumas reservas persistentes. A maioria era em relação às publicações mais prestigiadas de meu país – particularmente o *The New York Times*. Sempre que pensava em entrar em contato com o *Times*, eu hesitava. Embora esse jornal mostrasse certa disposição a desagradar o governo dos EUA com suas reportagens do WikiLeaks, eu não podia esquecer sua conduta anterior em relação a uma importante matéria de Eric Lichtblau e James Risen sobre o programa governamental de escutas telefônicas sem mandado judicial.

Esses dois jornalistas, combinando informações dos delatores do Departamento de Justiça com seus próprios relatos, conseguiram descobrir um aspecto da STELLARWIND da NSA – o passo a passo original da iniciativa de vigilância após o 11 de Setembro– e produziram uma matéria sobre o assunto – após total checagem dos dados –, que seria lançada em meados de 2004. Foi quando o editor-chefe do jornal, Bill Keller, consultou o governo – um ato de cortesia cujo objetivo típico é que a equipe editorial de uma publicação tenha a chance de avaliar os argumentos do governo sobre o motivo pelo qual a divulgação de certas informações pode pôr em risco a segurança nacional. Nesse caso – como na maioria dos casos –, o governo se recusou a fornecer uma razão específica, mas destacou que existia e que também era confidencial. O governo Bush disse a Keller e ao editor do jornal, Arthur Sulzberger, sem fornecer evidência alguma, que o *Times* estaria encorajando os inimigos dos EUA e possibilitando que o terrorismo tornasse pública a informação de que o governo estava grampeando as conversas dos cidadãos sem mandado judicial. Infelizmente, o jornal se permitiu convencer e engavetou a matéria. As reportagens de Lichtblau e Risen por fim foram publicadas, mas mais de um ano depois, em dezembro de 2005, e só depois de Risen pressionar o jornal dizendo que o material estava incluído em um livro que ele estava prestes a lançar. Se essa matéria tivesse sido publicada quando foi originalmente escrita, poderia muito bem ter mudado o rumo das eleições de 2004.

Se o *The Times* ou qualquer outro jornal fizesse algo parecido comigo – se pegasse minhas revelações, fizesse uma matéria e a submetesse a verificação, e depois não a publicasse –, eu estaria acabado. Dada a probabilidade de eu ser identificado como a fonte, seria o mesmo que me entregar antes de qualquer revelação ser levada a público.

Se eu não pudesse confiar em um jornal como esse, como poderia confiar em qualquer outro? Por que me incomodar em procurar algum? Não era nada disso que eu queria. Eu só queria mexer com computadores e talvez fazer algum bem a meu país. Eu tinha aluguel para pagar, um amor, e minha saúde estava melhor. Cada sinal de PARE que via em meu trajeto para casa eu tomava como um conselho para acabar com essa loucura voluntária. Minha cabeça e meu coração estavam em conflito; a única constante era a desesperada esperança de que alguém, em outro lugar, descobrisse tudo sozinho. Afinal de contas, jornalismo não era seguir os farelos de pão e ligar os pontos? O que mais os repórteres faziam o dia todo além de ficar no Twitter?

Eu sabia pelo menos duas coisas sobre os habitantes do Quarto Poder: eles competiam por furos e não sabiam quase nada sobre tecnologia. Foi essa falta de conhecimento, ou até mesmo de interesse em tecnologia que fez que grande parte dos jornalistas deixasse passar 2 eventos que me surpreenderam durante meu processo de coleta de fatos sobre vigilância em massa.

O primeiro foi o anúncio da NSA sobre a construção de uma nova e vasta instalação de dados em Bluffdale, Utah. A agência a chamou de Depósito de Dados em Massa, MDR, até que alguém com talento para RP percebeu que poderia ser difícil explicar esse nome se um dia vazasse, e então, foi renomeado para Depósito de Dados de Missão – porque não mudando a sigla, evitariam mudar todos os slides do briefing. O MDR foi projetado para conter 4 salas de 7.500 metros quadrados cheias de servidores. Poderia armazenar uma quantidade imensa de dados, basicamente uma história do padrão de vida de todo o planeta, na medida em que a vida possa ser compreendida por meio da conexão de pagamentos a pessoas, de pessoas a telefones, de telefones a ligações, de ligações a redes; e a matriz sinóptica da atividade da internet se movendo ao longo das linhas dessas redes.

O único jornalista proeminente que pareceu notar o anúncio foi James Bamford, que escreveu sobre isso para a *Wired* em março de 2012. Houve algum acompanhamento na imprensa não tecnológica, mas ninguém deu sequência à reportagem. Ninguém fez aquelas que eram as perguntas mais básicas – pelo menos para mim: por que uma agência governamental, especialmente uma agência de inteligência, precisa de tanto espaço? Quais dados, e quantos, eles pretendem armazenar lá, e por quanto tempo? Porque simplesmente não havia razão para construir algo com essas especificações, a menos que alguém estivesse planejando armazenar absolutamente tudo e para sempre. Ali estava, em minha opinião, o *corpus delicti*, a clara corroboração de um crime, em um gigantesco *bunker* de concreto cercado de arame farpado e torres de vigia, consumindo de sua própria rede elétrica no meio do deserto de Utah eletricidade suficiente para alimentar uma cidade. E ninguém deu atenção.

O segundo evento aconteceu um ano depois, março de 2013, uma semana depois de Clapper mentir para o Congresso e ser perdoado. Alguns periódicos cobriram esse testemunho, mas meramente regurgitaram a negação de Clapper de que a NSA coletava dados em massa sobre os estadunidenses. Mas nenhuma publicação dita convencional cobriu uma rara aparição pública de Ira Gus Hunt, diretor de tecnologia da CIA.

Eu conhecia Gus superficialmente, do tempo que havia trabalhado na Dell para a CIA. Ele era um dos nossos principais clientes, e todos os vendedores adoravam sua aparente incapacidade de ser discreto; ele sempre contava mais do que deveria. Para os vendedores, ele era como um saco de dinheiro ambulante. Um belo dia, ele apareceu como palestrante convidado especial em um evento de tecnologia civil em Nova York, chamado GigaOM Structure:Data Conference. Qualquer pessoa com 40 dólares poderia participar. As principais palestras, como a de Gus, foram transmitidas gratuitamente na internet.

Eu me certifiquei de ver sua palestra porque havia acabado de ler, pelos canais internos da NSA, que a CIA por fim havia decidido sobre a nuvem. Ela havia recusado minha antiga equipe da Dell, e também recusara a HP, e fechara um acordo de dez anos – 600 milhões de dólares – para desenvolvimento e gerenciamento de nuvem com a Amazon. Eu não sentia nada negativo em relação a isso; na verdade, naquele momento, estava satisfeito por meu trabalho não ter sido usado pela agência. Mas, do ponto de vista profissional, eu estava curioso para saber se Gus poderia abordar esse anúncio de uma maneira oblíqua e explicar por que a Amazon havia sido escolhida, já que corriam rumores de que o processo havia sido manipulado em favor dessa empresa.

Consegui informações, certamente, mas de um tipo inesperado. Tive a oportunidade de ver o oficial técnico de mais alto escalão da CIA parado no palco, vestindo um terno amarrotado, falando com uma multidão de gente normal, não autorizada – e, via internet, com o mundo não autorizado – sobre as ambições e capacidades da agência. Conforme se desenrolava sua apresentação e ele alternava piadas ruins com um manuseio ainda pior do PowerPoint, eu ia ficando cada vez mais incrédulo.

"Na CIA", disse ele, "nós fundamentalmente tentamos coletar tudo e guardar tudo para sempre".

Como se isso não fosse suficientemente claro, ele prosseguiu:

"É praticamente possível para nós computar *todas* as informações geradas por humanos."

O grifo no *todas* foi do próprio Gus. Ele estava lendo em seus slides – palavras feias em uma fonte feia ilustradas com um clip art em 4 cores do símbolo do governo.

Havia alguns jornalistas no meio da multidão, aparentemente, mas parecia que quase todos eram de veículos especializados em tecnologia e governo, como a *Federal Computer Week*. Foi notável que Gus tenha ficado para uma rodada de perguntas após a conclusão de sua apresentação. Mas não era exatamente uma rodada de perguntas; era mais como uma apresentação auxiliar, oferecida diretamente aos jornalistas. Ele devia estar tentado tirar algo de dentro do peito, e não era só um arroto.

Gus disse aos jornalistas que a agência poderia rastrear seus smartphones mesmo quando desligados; que a agência poderia monitorar cada uma de suas comunicações. Lembre-se: era uma multidão de jornalistas domésticos. Jornalistas estadunidenses. E Gus disse poderia de um jeito que significava pôde, pode e poderá. Ele falava de uma maneira claramente perturbada e perturbadora, pelo menos para um sumo sacerdote da CIA:

"A tecnologia está se movendo mais rápido do que o governo ou a lei podem acompanhar. Mais rápido do que vocês podem acompanhar. Vocês deveriam perguntar quais são seus direitos e quem é o dono de seus dados."

Eu estava chocado; se uma pessoa de nível hierárquico menor que Gus fizesse uma apresentação como essa, estaria vestindo laranja antes do fim do dia.

A cobertura da confissão de Gus foi publicada só no The Huffington Post. Mas a apresentação ainda se encontrava no YouTube pelo menos seis anos depois. A última vez que vi tinha 313 visualizações – uma dúzia delas era minha.

O que aprendi com isso foi que para que minha revelação fosse eficaz, eu teria de fazer mais que apenas entregar alguns documentos aos jornalistas – mais, até, que os ajudar a interpretar os documentos. Eu teria de me tornar parceiro deles, fornecer-lhes o treinamento tecnológico e as ferramentas para ajudá-los a fazer suas reportagens com precisão e segurança. Seguir esse caminho significaria entrar de cabeça em um dos crimes capitais do trabalho na inteligência: outros espiões teriam cometido espionagem, sedição e traição, mas eu estaria ajudando e instigando um ato de jornalismo. O perverso disso é que, legalmente, esses crimes são praticamente sinônimos. A lei estadunidense não faz distinção entre fornecer informações sigilosas à imprensa em nome do interesse público e fornecê-las, ou até mesmo vendê-las, ao inimigo. A única opinião que eu já havia encontrado que contradizia isso provinha de minha primeira doutrinação na CI; lá, haviam dito que, de fato, era um pouco melhor oferecer a venda de segredos ao inimigo que oferecê-los gratuitamente a um repórter. Um repórter contaria ao público, ao passo que seria improvável que um inimigo compartilhasse seu prêmio, inclusive com seus aliados.

Considerando os riscos que eu estava correndo, precisava identificar pessoas em quem pudesse confiar e que também fossem confiáveis para o público. Eu precisava de repórteres diligentes, mas discretos, independentes e confiáveis. Teriam que ser fortes para me desafiar acerca das distinções entre o que eu suspeitava e o que as evidências provavam, e para desafiar o governo quando ele os acusasse falsamente de pôr vidas em risco com seu trabalho. Acima de tudo, eu precisava ter certeza de que quem eu escolhesse não acabaria cedendo ao poder quando posto sob pressão – o que, certamente, não seria como nada que eles, ou eu, já houvessem experimentado antes.

Joguei minha rede amplamente, mas não a ponto de pôr em risco a missão; só o suficiente para evitar um único ponto passível de falha – o problema do *The New York Times*. Um jornalista, uma publicação, ou a publicação em um país só não seriam suficientes, porque o governo dos EUA já havia demonstrado sua disposição de sufocar reportagens desse tipo. Em termos ideais, eu entregaria a cada jornalista um conjunto de documentos, ao mesmo tempo, ficando sem nenhum. Isso mudaria o foco do escrutínio para eles, e garantiria que, mesmo que eu fosse preso, a verdade fosse a público.

Ao reduzir minha lista de possíveis parceiros, percebi que estava fazendo tudo errado, perdendo tempo. Em vez de tentar selecionar os jornalistas eu mesmo, deveria ter deixado que o sistema que eu estava tentando expor os escolhesse para mim. Decidi que meus melhores parceiros seriam jornalistas nos quais o Estado de segurança nacional já estivesse de olho.

Eu conhecia Laura Poitras como documentarista, principalmente preocupada com a política externa estadunidense pós-11 de Setembro. Seu filme *My Country, My Country* descrevia as eleições nacionais iraquianas de 2005, que foram conduzidas sob (e frustradas por) a ocupação dos EUA. Ela também fez *The Program*, sobre o criptoanalista da NSA William Binney – que por meio dos canais apropriados levantara objeções sobre o TRAILBLAZER, predecessor do STELLARWIND, e fora acusado de fornecer informações confidenciais, submetido a repetidas perseguições e preso sob a mira de uma arma em sua casa, mas nunca processado. A própria Laura era frequentemente assediada pelo governo por seu trabalho, detida e interrogada várias vezes por agentes de fronteira sempre que entrava ou saía do país.

Eu conhecia Glenn Greenwald como advogado de causas de liberdades civis que se tornara colunista, inicialmente para o *Salon* – onde foi um dos poucos que escreveu sobre a versão não confidencial do relatório do gabinete de inspetores da NSA em 2009 –, e mais tarde para a edição estadunidense do *The Guardian*. Eu gostava dele porque era um homem cético e argumentativo, do tipo que brigava com o diabo e, quando o diabo não estava por perto, brigava consigo mesmo. Ewen MacAskill, da edição britânica do *The Guardian*, e Bart Gellman, do *The Washington Post*, mostraram-se parceiros valiosos (e pacientes guias no mundo selvagem jornalístico) mais tarde, mas tive uma afinidade maior com Laura e Glenn, talvez porque eles não estavam interessados só em fazer matérias sobre a CI; tinham interesse pessoal em entender a instituição.

O único problema era entrar em contato com eles.

Incapaz de revelar meu verdadeiro nome, entrei em contato com os jornalistas sob uma série de identidades, máscaras descartáveis usadas por um tempo e depois jogadas fora. A primeira foi Cincinnatus, em referência ao lendário fazendeiro que se tornou cônsul romano e depois voluntariamente abandonou o poder. Depois foi Citizenfour, uma manobra que alguns jornalistas entenderam como significando que eu me considerava o quarto funcionário dissidente na história recente da NSA, depois de Binney e seus colegas delatores J. Kirk Wiebe e Ed Loomis. Apesar desse triunvirato, o que eu tinha em mente, na verdade, era formado por Thomas Drake, que revelara a existência do TRAILBLAZER a jornalistas, e Daniel Ellsberg e Anthony Russo, cuja divulgação do *The Pentagon Papers* ajudou a expor as fraudes da Guerra do Vietnã e pôr fim a ela. O último nome que escolhi para me corresponder foi Verax, que em latim significa orador da verdade, na esperança de propor uma alternativa ao modelo de um hacker chamado Mendax (orador da mentira), pseudônimo do jovem que mais tarde se tornou Julian Assange, do WikiLeaks.

Não dá para imaginar como é difícil permanecer anônimo na internet enquanto você não tenta operar assim como se sua vida dependesse disso. A maioria dos sistemas de comunicação estabelecidos na CI tem um único objetivo básico: o observador de uma comunicação não deve ser capaz de discernir a identidade dos envolvidos, e de maneira nenhuma atribuí-la a uma agência. É por isso que a CI chama essas interações de não atribuíveis. As técnicas de anonimato na era pré-internet são famosas, principalmente as da TV e do cinema: o endereço de um local secreto rabiscado em código na parede de um banheiro, por exemplo, ou mesclado com as abreviaturas de um anúncio nos classificados. Ou a técnica *dead drops* da Guerra Fria, marcas de giz nas caixas de correio que indicavam que um pacote secreto estava esperando dentro do buraco de uma árvore específica em um parque público. A versão moderna disso pode ser usar perfis falsos para manter conversas falsas em um site de namoro, ou, mais comumente, só um aplicativo superficialmente inócuo que deixa mensagens superficialmente inócuas em um servidor Amazon superficialmente inócuo secretamente controlado pela CIA. Mas o que eu queria era algo ainda melhor que isso; algo que não exigisse tanta exposição e verba.

Decidi usar a conexão à internet de outra pessoa. Quem dera fosse simplesmente uma questão de ir ao McDonald's ou ao Starbucks e usar seu Wi-Fi. Mas esses lugares têm CFTV, e cupons fiscais, e outras pessoas – memórias ambulantes. Além disso, todo dispositivo sem fio, seja um celular, seja um notebook, tem um identificador global exclusivo chamado MAC (Machine Address Code – código de endereço de máquina), que fica registrado em cada ponto de acesso ao qual ele se conecta – um marcador de genética forense dos movimentos de seu usuário.

Como não fui ao McDonald's ou ao Starbucks; eu saí dirigindo. Mais precisamente, saí fazendo o que se chama *wardriving*, que é sair dirigindo por aí em busca de sinal de Wi-Fi, transformando seu carro em um sensor ambulante de redes sem fio. Para isso, você precisa de um notebook, uma antena de alta potência e um sensor de GPS magnético, que pode ser colocado em cima do teto. A energia é fornecida pelo carro ou por uma bateria portátil, ou pelo notebook mesmo. Tudo de que você precisa cabe em uma mochila.

Eu peguei um notebook barato, que rodava o TAILS, um sistema operacional amnésico baseado no Linux – o que significa que ele esquece tudo quando você o desliga e começa do zero quando o liga de novo, sem nenhum registro ou memória de nada que tenha sido feito nele. O TAILS me permitiu disfarçar o MAC do notebook: sempre que se conectava a uma rede, ele deixava para trás o registro de outra máquina qualquer, que não poderia ser associado à minha. Bastante útil, o TAILS também vem com suporte para se conectar à rede do Tor, que tem caráter anônimo.

À noite e aos fins de semana, eu rodava praticamente pela ilha inteira de Oahu, deixando minha antena pegar os pulsos de cada rede Wi-Fi. O sensor de GPS marcava em cada ponto de acesso o local em que fora captado, isso graças a um programa de mapeamento que usei chamado Kismet. O resultado foi um mapa das redes invisíveis pelas quais passamos todos os dias sem sequer notar; uma porcentagem escandalosamente alta dessas redes não tinha segurança alguma, ou tinha um tipo de segurança que eu poderia facilmente contornar. Mas algumas dessas redes exigiam habilidades de hacker mais sofisticadas. Eu congestionava brevemente uma rede, fazendo que a conexão de seus usuários legítimos caísse; na tentativa de reconectar, eles automaticamente retransmitiriam seus pacotes de autenticação, que eu interceptava e decifrava, obtendo as senhas que me permitiriam entrar como qualquer outro usuário autorizado.

Com esse mapa de redes em mãos, eu dirigia por Oahu como um louco, tentando ver meus e-mails para ver qual jornalista havia me respondido. Eu havia feito contato com Laura Poitras e passava a maior parte da noite escrevendo para ela, sentado ao volante de meu carro na praia, roubando o Wi-Fi de um resort próximo. Alguns jornalistas que eu escolhi precisaram ser convencidos a usar e-mails criptografados, o que em 2012 era um saco de fazer. Em alguns casos, tive que ensiná-los: eu subia tutoriais – sentado em meu carro em um estacionamento, aproveitando a rede de uma biblioteca. Ou de uma escola. Ou de um posto de gasolina. Ou de um banco – que tinha proteções terrivelmente ruins. O objetivo era não criar padrões.

No alto do estacionamento de um shopping, certo de que meu segredo estaria seguro no momento em que eu fechasse a tampa do notebook, eu preparava manifestos explicando por que havia feito a delação; mas depois os apagava. Então, eu tentava escrever e-mails para Lindsay, mas os apagava também. Eu não conseguia encontrar as palavras.

23. LER, ESCREVER, EXECUTAR

Ler, escrever, executar: em computação, isso se chama "permissões". Funcionalmente falando, elas determinam a extensão de sua autoridade dentro de um computador ou rede de computadores, definindo o que exatamente você pode ou não fazer. O direito de *ler* um arquivo permite que você acesse seu conteúdo, ao passo o direito de *escrever* um arquivo lhe permite modificá-lo. Executar, entretanto, significa que você tem a capacidade de rodar um arquivo ou programa, *executar* as ações para as quais ele foi projetado.

Ler, escrever, executar: esse era meu plano simples de 3 fases. Eu queria entrar no coração da rede mais segura do mundo para encontrar a verdade, fazer uma cópia dela e divulgá-la para todos. E tinha de fazer tudo isso sem ser pego – sem eu mesmo ser lido, escrito e executado.

Quase tudo que você faz em um computador, em qualquer dispositivo eletrônico, deixa um registro. Em nenhum lugar isso é mais verdadeiro que na NSA. Cada login ou logout cria um histórico. Cada permissão que eu usava deixava seu traço forense. Toda vez que eu abria um arquivo, ou copiava um arquivo, essa ação era gravada. Toda vez que eu baixava, movia ou excluía um arquivo, isso ficava gravado também, e os registros de segurança eram atualizados para refletir o evento. Havia registros de fluxo de rede, registros de infraestrutura de chave pública – as pessoas até faziam brincadeiras sobre câmeras escondidas nos banheiros e nos reservados. A agência tinha um número considerável de programas de contraespionagem espionando as pessoas que espionavam pessoas, e se alguém me pegasse fazendo algo que eu não deveria, não seria um arquivo que seria apagado.

Felizmente, a força desses sistemas também era sua fraqueza: sua complexidade implicava que nem mesmo as pessoas que os administravam sabiam como eles funcionavam. Ninguém entendia de verdade onde se sobrepunham e onde estavam as lacunas. Ninguém exceto os administradores de sistemas. Afinal, esses sofisticados sistemas de monitoramento que você está imaginando, aqueles com nomes assustadores tipo MIDNIGHTRIDER, precisaram ser instalados por alguém. A NSA podia ter pago pela rede, mas administradores de sistemas como eu eram quem realmente os dominavam.

A Fase Ler implicava uma dança através da grade digital de mecanismos de disparo passivo dispostos pelas rotas que ligam a NSA a todas as outras agências de inteligência, domésticas e estrangeiras. (Entre elas estava seu parceiro no Reino Unido, o Quartel-General de Comunicações Governamentais, ou GCHQ, que criava *dragnets* como o OPTICNERVE, um programa que salvava um instantâneo a cada cinco minutos pelas câmeras de pessoas conversando por vídeo em plataformas como Yahoo Messenger; e PHOTONTORPEDO, que pegava os endereços de IP dos usuários do MSN.) Usando o Heartbeat para encontrar os documentos que eu queria, eu poderia virar a coleta em massa contra aqueles que a haviam direcionado contra o público, efetivamente "franksteinizando" a CI. As ferramentas de segurança da agência monitoravam quem lia o que, mas isso não tinha importância: quem se desse o trabalho de verificar seus registros já estava acostumado a ver o Heartbeat. Nenhum alarme dispararia. Era o disfarce perfeito.

O Heartbeat funcionava como uma maneira de coletar os arquivos – muitos arquivos –, mas só os levava para o servidor do Havaí, que guardava os registros sem que eu pudesse evitar. Eu precisava de um jeito de mexer nos arquivos, de fazer a busca neles e descartar o irrelevante e desinteressante, junto com os que continham segredos legítimos que eu não entregaria aos jornalistas. Nesse ponto, ainda na Fase Ler, os riscos eram múltiplos, principalmente porque o fato de que os protocolos com os quais eu estava mexendo não eram mais voltados para o monitoramento, e sim para a prevenção. Se eu fizesse minhas buscas no servidor Heartbeat, ele acenderia um enorme sinal eletrônico piscante dizendo PRENDAM-ME.

Pensei nisso durante um tempo. Eu não podia copiar os arquivos diretamente do Heartbeat para um dispositivo de armazenamento pessoal e sair do Túnel sem ser pego. Mas o que eu poderia fazer era aproximar os arquivos de mim, direcionando-os para um ponto intermediário.

Eu não poderia enviá-los para um dos nossos computadores comuns, porque em 2012 todo o Túnel havia sido atualizado com novas máquinas Thin Client; são pequenos computadores impotentes com drivers capengas e CPUs que não conseguiam armazenar ou processar dados sozinhas; todo o armazenamento e processamento era feito na nuvem. Mas, em um canto esquecido do escritório, havia uma pirâmide de desktops sem uso – máquinas antigas que a agência havia desativado, mas ainda não havia limpado e descartado. Quando digo antigo aqui, quero dizer novo pelos padrões de quem não vive com um orçamento do tamanho do da NSA. Eram PCs da Dell de 2009 ou 2010, grandes retângulos cinza de peso reconfortante que podiam armazenar e processar dados sozinhos, sem se conectar à nuvem. O que me agradava neles era que embora ainda estivessem no sistema da NSA, não poderiam ser rastreados se eu os mantivesse longe das redes centrais.

Eu poderia facilmente justificar a necessidade de usar essas caixas sólidas e confiáveis, alegando que estava tentando garantir que o Heartbeat funcionasse com sistemas operacionais mais antigos. Afinal, nem todo mundo em todos os escritórios da NSA tinha um dos novos Thin Clients ainda. E se a Dell quisesse implementar uma versão civil do Heartbeat? E se a CIA, o FBI ou alguma organização igualmente atrasada quisesse usá-lo? Usando como pretexto testes de compatibilidade, eu poderia transferir os arquivos para esses computadores antigos, onde poderia pesquisar, filtrar e organizá-los à vontade, desde que fosse cuidadoso.

Eu estava carregando um dos velhos trambolhos para minha mesa quando passei por um dos diretores de TI, que me parou e perguntou para que eu precisava daquilo. Ele sempre alegou que deveríamos nos livrar deles.

"Para roubar segredos", respondi, e ambos rimos.

A Fase Ler acabou com os arquivos que eu queria organizados em pastas. Mas eles ainda estavam em um computador que não era meu, que ainda estava no Túnel subterrâneo. Então, entrei na Fase Escrever, que para meus propósitos significava o processo agonizante, lento e chato – mas também terrivelmente assustador – de copiar os arquivos dos antigos Dell para algo que eu pudesse transportar para fora do edifício.

A maneira mais fácil e segura de copiar um arquivo de qualquer estação da CI também é a mais antiga: usando uma câmera. Sem dúvida, smartphones são proibidos nos prédios da NSA, mas os funcionários acidentalmente os levam consigo o tempo todo sem que ninguém perceba. Eles os deixam na mochila ou no bolso da jaqueta. Quando são pegos com um durante uma busca aleatória e ficam envergonhados, em vez de ficar em pânico e começar a gritar em mandarim para seu relógio de pulso, muitas vezes recebem apenas um aviso, especialmente se for a primeira vez. Mas tirar da NSA um smartphone cheio de segredos era uma jogada mais arriscada. Havia chance de ninguém notar – ou se importar – se eu saísse do Túnel com um smartphone, e podia ser uma ferramenta adequada para que um funcionário tentasse copiar um único relatório de tortura. Mas eu não estava animado com a ideia de registrar milhares e milhares de fotos da tela de meu computador no meio de um edifício secreto. Além disso, o telefone teria que ser configurado de forma que nem os melhores especialistas forenses do mundo que o apreendessem pudessem encontrar nada que não devessem.

Eu vou me abster de publicar exatamente como foi minha Fase Escrever – fazer minhas cópias e minha criptografia – para que a NSA ainda esteja em pé amanhã. Mas vou dizer qual tecnologia de armazenamento usei para os arquivos copiados. Esqueça os pendrives; eles são volumosos demais para a quantidade relativamente pequena que armazenam. Eu usei cartões SD – a sigla significa Secure Digital. Na verdade, usei cartões mini e micro-SD.

Você deve reconhecer um cartão SD se já usou uma câmera digital de fotos ou vídeo ou se precisou de mais espaço de armazenamento em um tablet. São umas coisinhas minúsculas – 20 x 21,5 milímetros para o mini, 15 x 11 milímetros para o micro, praticamente o tamanho da unha de seu dedo mindinho –, milagres do armazenamento não volátil e notavelmente fáceis de esconder. Dá para colocar um dentro de um quadrado de um Cubo Mágico, e depois colocar o quadrado de volta; ninguém notará. Em outras tentativas, levei o cartão na meia, ou, na maioria das vezes, paranoico, na bochecha, para poder engoli-lo se fosse necessário. Com o tempo, à medida que fui ganhando confiança e segurança em relação a meus métodos de criptografia, eu simplesmente guardava o cartão no bolso. Eles quase nunca acionavam os detectores de metal, e quem não acreditaria que eu simplesmente havia esquecido algo tão pequeno?

Mas o tamanho dos cartões SD tem uma desvantagem: é extremamente lento o processo de gravar as coisas neles. O tempo para copiar grandes volumes de dados é sempre longo – pelo menos sempre mais longo do que desejamos –, mas tende a aumentar ainda mais quando você copia não para um disco rígido veloz, mas sim para uma minúscula pastilha de silício embutida em plástico. Além disso, eu não estava só copiando; eu estava desduplicando, comprimindo, criptografando, e nenhum desses processos poderia ser realizado simultaneamente. Eu estava usando todas as habilidades que havia adquirido trabalhando com armazenamento, porque era isso que estava fazendo, essencialmente. Eu estava armazenando o armazenamento da NSA, fazendo um backup externo do mais evidente abuso da CI.

Podia levar oito horas ou mais – turnos inteiros – para encher um cartão. E, embora eu houvesse mudado para o turno da noite de novo, aquelas horas eram aterrorizantes. Lá estava o velho computador roncando, com o monitor desligado, e um painel de teto fluorescente escurecido para economizar energia depois do horário do expediente. E lá estava eu, ligando o monitor de vez em quando para verificar a taxa de progresso e estremecendo. Você sabe a que me refiro: ao inferno que é acompanhar aquela barra que indica 84% concluídos, 85% concluídos... 1:58:53 restantes... Quando a barra ficava totalmente preenchida, o doce alívio dos 100%, com todos os arquivos copiados, eu já estava suando, vendo sombras e ouvindo passos em todo canto.

Executar: essa era a fase final. Com cada cartão preenchido, eu tinha que executar minha rotina de fuga. Tinha que tirar aquele arquivo vital do prédio, passar pelos chefes e os uniformes militares, descer as escadas e sair pelo corredor vazio, passando pelos leitores de crachá, por guardas armados e a gaiola – aquela área de segurança com duas portas, onde uma não abre enquanto a outra não esteja fechada –, esperando seu crachá ser aprovado – e se não for, ou se alguma coisa der errado, os guardas sacam suas armas, as portas se trancam e você diz: "Puxa, que constrangedor". Aí segundo todos os relatórios que eu estudara e todos os pesadelos que tinha – seria onde eles me pegariam, eu tinha certeza disso. Cada vez que eu saía, ficava petrificado. Tinha que me forçar a não pensar no cartão SD. Quando você pensa em algo secreto, age diferente, de um jeito suspeito.

Um inesperado resultado de ter obtido uma compreensão melhor da vigilância da NSA foi que eu também havia adquirido uma melhor compreensão dos perigos que enfrentava. Em outras palavras, aprender sobre os sistemas da agência me ensinou a não ser pego por eles. Meus guias nesse tema eram os arquivos do FBI, as acusações que o governo havia feito contra antigos agentes – na maioria, verdadeiros bastardos que, no jargão da CI, haviam vazado informações confidenciais para obter lucro. Eu compilei e estudei o maior número que pude dessas acusações. O FBI – a agência que investiga todos os crimes dentro da CI – tinha grande orgulho de explicar como exatamente pegava seus suspeitos e, acredite, eu não me importei de me beneficiar com a experiência deles. Parecia que, em quase todos os casos, o FBI esperava para prender o suspeito quando ele terminasse o trabalho e estivesse indo para casa. Às vezes, eles deixavam o suspeito retirar o material de um SCIF – Centro de Informações Confidenciais Compartilhadas, que é um tipo de prédio ou sala protegida contra vigilância – e sair onde há público, cuja mera presença já constituía um crime federal. Eu ficava imaginando uma equipe de agentes do FBI me esperando, ali, à luz do público, bem no fim do túnel.

Normalmente eu brincava com os guardas, e era quando meu Cubo Mágico era mais útil. Eu era conhecido por eles e por todos os outros do Túnel como o cara do Cubo Mágico, porque estava sempre mexendo nele enquanto andava pelos corredores. Fiquei tão bom nisso que era capaz de resolvê-lo com uma mão só. Ele se tornou meu totem, meu brinquedo espiritual e uma distração tanto para mim quanto para meus colegas de trabalho. A maioria deles achava que isso era uma afetação, ou um jeito nerd de puxar conversa. Até era, mas aliviava bastante minha ansiedade. Ele me acalmava.

Eu comprei alguns cubos e os distribuí. A quem pegasse um eu dava dicas. Quanto mais as pessoas se acostumassem a eles, menos iriam querer olhar mais atentamente para o meu.

Eu me dava bem com os guardas – ou era o que dizia a mim mesmo –, especialmente porque sabia onde estava a cabeça deles: longe dali. Eu havia tido um trabalho parecido com o deles antes, na CASL. Sabia como era entorpecente passar a noite inteira em pé fingindo vigiar. Os pés doem. Depois de um tempo, o corpo todo dói. E a pessoa fica tão solitária que fala até com a parede.

Eu pretendia ser mais divertido que a parede, e desenvolvi um padrão para cada obstáculo humano. Havia um guarda com quem eu conversava sobre insônia e as dificuldades de dormir durante o dia (lembre-se de que eu trabalhava à noite, então devia ser por volta das 2 da manhã). Com outro eu discutia política – ele chamava os Democratas (*democrats*) de Demo Ratos (*demo rats*) –, por isso eu lia o Breitbart News para me preparar para a conversa. O que todos eles tinham em comum era sua reação a meu cubo: sempre sorriam. Durante o tempo que trabalhei no Túnel, praticamente todos os guardas disseram alguma variação de: "Nossa, cara, eu brincava com isso quando era criança"; e depois, invariavelmente: "Eu tentava tirar os adesivos para resolvê-lo". Eu também, amigo. Eu também.

Foi só quando cheguei em casa que consegui relaxar, mas só ligeiramente. Eu ainda tinha medo de que a casa estivesse grampeada – esse era outro daqueles métodos encantadores que o FBI usava contra os suspeitos de lealdade inadequada. Eu rejeitava as preocupações de Lindsay acerca de meu jeito insone de ser, até que ela e eu ficávamos com raiva de mim. Ela ia para a cama e eu para o sofá, escondendo-me com meu notebook debaixo de uma manta como uma criança, porque o algodão derrota câmeras. Com a ameaça de prisão imediata fora de questão, eu podia transferir os arquivos para um dispositivo de armazenamento externo maior usando meu notebook – só alguém que não entendesse muito de tecnologia pensaria que eu os manteria no notebook para sempre – e bloqueá-los com várias camadas de algoritmos de criptografia diferentes, de modo que, mesmo que um falhasse, os outros ainda os protegeriam.

Eu havia tido o cuidado de não deixar vestígios no trabalho, e tomei cuidado para que minha criptografia não deixasse vestígios dos documentos em casa. Mesmo assim, eu sabia que os documentos poderiam levar a mim depois que os enviasse aos jornalistas e fossem decodificados. Qualquer investigador que analisasse quais funcionários da agência haviam acessado, ou poderiam acessar, todo esse material criaria uma lista com provavelmente um único nome: o meu. Eu poderia fornecer menos material aos jornalistas, claro, mas eles não poderiam fazer seu trabalho da maneira mais eficaz. Enfim, tive que aceitar o fato de que até mesmo um slide informativo ou PDF me deixava vulnerável, porque todos os arquivos digitais contêm metadados, tags invisíveis que podem ser usadas para identificar suas origens.

Eu me esforcei para resolver essa questão dos metadados. Minha preocupação era que se eu não retirasse as informações de identificação dos documentos, eles poderiam me incriminar no momento em que os jornalistas os decodificassem e abrissem. Mas também me preocupava que ao remover completamente os metadados, eu correria o risco de alterar os arquivos; se eles fossem alterados de alguma maneira, isso poderia pôr em dúvida sua autenticidade. O que era mais importante: segurança pessoal ou o bem público? Pode parecer uma escolha fácil, mas eu levei um bom tempo para aceitar isso. Assumi o risco e deixei os metadados intactos.

Parte do que me convenceu foi meu medo de que, mesmo que eu removesse os metadados que conhecia, houvesse outras marcas d'água digitais que eu não conhecia e que não conseguiria identificar. Outra parte tinha a ver com a dificuldade de limpar documentos de usuário único. Um documento de usuário único é um documento marcado com um código específico de usuário, de modo que, se qualquer editora decidisse comentar com o governo sobre seu conteúdo antes de uma publicação, o governo saberia sua origem. Às vezes, o identificador exclusivo estava oculto na data e na programação do registro de data e hora; às vezes no padrão de micropontos de um gráfico ou logotipo. No entanto, também poderia estar embutido em alguma coisa, de alguma forma na qual eu nem houvesse pensado. Isso deveria ter me desencorajado, mas, ao contrário, deu-me coragem. Pela primeira vez, a dificuldade tecnológica me forçou a confrontar a perspectiva de descartar minha prática vitalícia de anonimato e me apresentar como fonte. Eu assumiria meus princípios assinando meu nome neles e me deixaria condenar.

Ao todo, os documentos que selecionei cabiam em um só drive, que deixei exposto na mesa de minha casa. Eu sabia que o material estava tão seguro quanto no escritório. Na verdade, estava mais seguro, graças a vários níveis e métodos de criptografia. Essa é a beleza incomparável da arte criptológica; um pouco de matemática pode realizar o que todas as armas e arame farpado não conseguem: um pouco de matemática pode guardar um segredo.

24. CRIPTOGRAFIA

A maioria das pessoas que usa computador, e isso inclui membros do Quarto Poder, acha que existe uma quarta permissão básica além de Ler, Escrever e Executar, chamada Excluir.

Excluir está por todo lado, junto ao usuário da computação. Está no hardware como uma tecla no teclado e está no software como uma opção que pode ser escolhida no menu. Existe uma finalidade que acompanha a escolha do Excluir, e certa responsabilidade também. Às vezes, até aparece uma caixa de diálogo para checar: "Tem certeza de que deseja excluir o arquivo?". Se até o computador duvida de você e exige confirmação, faz sentido que o Excluir seja uma consequência, talvez até a máxima decisão.

Sem dúvida, isso é verdade no mundo fora da computação, onde os poderes de exclusão têm sido historicamente vastos. Mesmo assim, como inúmeros déspotas tiveram que recordar, para realmente se livrar de um documento não basta simplesmente destruir todas as cópias dele. Você também tem que destruir todas as memórias dele, o que significa que tem de destruir todas as pessoas que se lembram dele, junto com todas as cópias de todos os outros documentos que o mencionam e todas as pessoas que se lembram de todos os outros documentos. E então, talvez, apenas talvez, ele desapareça.

A opção de excluir funções apareceu desde o início da computação digital. Os engenheiros entendiam que em um mundo de opções efetivamente ilimitadas, algumas escolhas inevitavelmente acabariam sendo erros. Os usuários, tendo conhecimento técnico ou não, tinham que se *sentir* no controle, especialmente com relação a algo que eles mesmos houvessem criado. Se haviam feito um arquivo, tinham que poder desfazê-lo à vontade. A capacidade de destruir o que criaram e começar de novo é uma função primordial que dá aos usuários uma sensação de livre-arbítrio, apesar de alguns dependerem de hardware proprietário que não sabem consertar e de softwares que não podem modificar, e de estarem vinculados às regras das plataformas de terceiros.

Pense nas razões pelas quais você aperta o Delete. Em seu computador, talvez você queira se livrar de um documento que não serve, ou de um arquivo que baixou, mas de que não necessita mais, ou um que não quer que ninguém saiba que você usou. Em sua conta de correio eletrônico, talvez você queira excluir um e-mail; de um ex-amante que você não quer recordar, ou que não quer que seu cônjuge encontre, ou um RSVP para um protesto ao qual foi. Em seu celular, você pode excluir o histórico de todos os lugares por onde passou, ou algumas fotos, vídeos e registros privados enviados automaticamente para a nuvem. Em todos os casos, você exclui e a coisa – o arquivo – parece ter desaparecido.

Mas a verdade é que, em termos tecnológicos, a exclusão nunca existiu da maneira como a concebemos. Ela é apenas um ardil, uma invenção, uma ficção pública, uma mentira não tão nobre que a computação conta para nos tranquilizar e dar conforto. Embora o arquivo excluído suma da vista, ele raramente desaparece. Em termos técnicos, a exclusão é apenas uma forma de permissão intermediária, um tipo de gravação. Normalmente, quando você aperta o Delete para apagar um arquivo, os dados dele – que foram armazenados profundamente em um disco em algum lugar – não são tocados. Sistemas operacionais modernos e eficientes não são projetados para ir até as entranhas de um disco só para fins de exclusão. É só o mapa do computador, de onde cada arquivo foi armazenado – um mapa chamado tabela de arquivos – que é reescrito para dizer "não estou mais usando esse espaço para nada importante". O que isso significa é que, como um livro esquecido em uma vasta biblioteca, o arquivo supostamente apagado ainda pode ser lido por alguém que procure a fundo, com empenho. Se você só apagar a referência a ele, o livro em si ainda continuará existindo.

Na verdade, isso pode ser confirmado pela experiência. Da próxima vez que você copiar um arquivo, pergunte-se por que demora tanto quando comparado ao ato instantâneo de exclusão. A resposta é que a exclusão não faz nada com um arquivo além de ocultá-lo. Simplificando: os computadores não foram projetados para corrigir erros, e sim para escondê-los – e só das pessoas que não sabem onde procurar.

Os últimos dias de 2012 portavam notícias sombrias: as poucas proteções legais restantes que proibiam a vigilância em massa realizada por alguns dos membros mais proeminentes da Aliança Cinco Olhos estavam sendo desmanteladas. Os governos da Austrália e do Reino Unido estavam propondo leis para a gravação obrigatória de metadados de telefonia e internet. Essa foi a primeira vez que governos democráticos assumiram publicamente a ambição de estabelecer uma espécie de máquina do tempo da vigilância, que lhes permitiria tecnologicamente rebobinar os eventos da vida de qualquer pessoa, voltando a meses e até anos antes. Essas tentativas marcaram definitivamente – pelo menos em minha opinião – a chamada transformação do mundo ocidental, de criador e defensor da internet livre em seu oponente e destruidor em potencial. Embora essas leis fossem justificadas como medidas de segurança pública, representavam uma intromissão tão arrebatadora no cotidiano das pessoas inocentes que aterrorizavam – e com razão – inclusive cidadãos de outros países que não se consideravam afetados (talvez porque seus governos houvessem escolhido vigiá-los em segredo).

Essas iniciativas públicas de vigilância em massa provaram, de uma vez por todas, que não poderia existir uma aliança natural entre a tecnologia e o governo. A divisão entre minhas duas comunidades estranhamente inter-relacionadas – a CI estadunidense e a tribo on-line global de tecnólogos – tornou-se praticamente definitiva. Em meus primeiros anos de CI, eu ainda conseguia reconciliar as duas culturas, fazendo uma transição suave entre meu trabalho de espionagem e meu relacionamento com pessoas civis na privacidade da internet – todos, desde os hackers anarquistas até os mais sóbrios acadêmicos do Tor que me mantinham atualizado sobre pesquisa em computação e me inspiravam politicamente. Durante anos, eu consegui me enganar dizendo que, no final das contas, estávamos todos do mesmo lado da história: estávamos todos tentando proteger a internet, mantê-la livre para falar e livre do medo. Mas minha capacidade de sustentar essa ilusão desapareceu, quando vi que o governo, meu patrão, era definitivamente o adversário. Era o que meus colegas tecnólogos sempre suspeitaram, e eu só recentemente confirmara, mas não podia lhes contar. Pelo menos não ainda.

Mas o que eu poderia fazer era ajudá-los, desde que isso não pusesse em risco meus planos. Foi assim que me vi em Honolulu, uma cidade linda que nunca me atraiu muito, como um dos anfitriões e professores de uma CryptoParty. Era um novo tipo de encontro inventado por um movimento criptológico de raiz internacional, no qual os tecnólogos doavam seu tempo para dar ao público aulas gratuitas sobre autodefesa digital – essencialmente, mostrando a quem estivesse interessado como proteger a segurança de suas comunicações. Sob vários aspectos, era o mesmo tema das aulas que eu havia dado na JCITA, então eu não perdi a oportunidade de participar.

Pode parecer algo perigoso de se fazer, dadas as outras atividades com as quais estava envolvido na época; mas, na verdade, isso só reafirma quanta fé tinha nos métodos de criptografia que eu ensinava – os mesmos métodos que protegiam aquele drive cheio de abusos da CI guardado em minha casa, defendido por cadeados que não poderiam ser quebrados nem mesmo pela NSA. Eu sabia que nenhuma quantidade de documentos, nem de jornalismo, seria suficiente para enfrentar a ameaça que assolava o mundo. As pessoas precisavam de ferramentas para se proteger, e precisavam saber usá-las. Dado que eu também estava tentando fornecer essas ferramentas aos jornalistas, preocupava-me que minha abordagem houvesse se tornado técnica demais. Depois de tanto tempo dedicado a dar palestras a colegas, essa oportunidade de simplificar minha abordagem ao assunto diante de uma audiência geral me beneficiaria bastante. Além disso, eu sinceramente sentia falta de lecionar; fazia um ano que não ficava diante de uma classe, e assim que voltei a essa posição, percebi que estivera ensinando as coisas certas às pessoas erradas o tempo todo.

Quando falo em classe, não me refiro a nada parecido com as escolas da CI ou a salas de reuniões. A CryptoParty era realizada em uma galeria de arte de uma sala só, que ficava atrás de uma loja de móveis e de um espaço de coworking. Enquanto eu montava o projetor para exibir slides mostrando como era fácil rodar um servidor Tor para ajudar, por exemplo, os cidadãos do Irã – mas também os cidadãos da Austrália, do Reino Unido e dos Estados Unidos –, meus alunos iam entrando; era um grupo diversificado de estranhos e alguns novos amigos que eu só conhecia da internet. Ao todo, eu diria que cerca de 20 pessoas apareceram naquela noite de dezembro para aprender comigo e com minha copalestrante, Runa Sandvik, uma brilhante jovem norueguesa do Projeto Tor. (Runa continuaria trabalhando como diretora sênior de segurança da informação no *The New York Times*, que mais tarde patrocinaria suas CryptoParties.)

O que unia nosso público não era o interesse no Tor, nem mesmo o medo de ser espionado; era mais um desejo de recuperar uma sensação de controle sobre seus espaços privados na vida. Havia alguns idosos que andavam pela rua e entraram, um jornalista que cobria o movimento havaiano Occupy! e uma mulher que havia sido vítima de pornografia por vingança. Eu também convidara alguns colegas da NSA na esperança de despertar seu interesse pelo movimento e querendo mostrar que eu não estava escondendo da agência meu envolvimento nele. Mas só um deles apareceu, e se sentou nos fundos, com as pernas abertas, braços cruzados e um sorriso malicioso.

Comecei minha apresentação falando sobre a natureza ilusória da exclusão, cujo objetivo de eliminação total nunca poderia ser alcançado. O público entendeu imediatamente. Continuei explicando que, na melhor das hipóteses, os dados que eles queriam que ninguém visse não podiam ser desescritos, apenas sobrescritos: ou seja, em certo sentido, escrever sobre ele dados aleatórios, ou pseudoaleatórios, até que o original ficasse ilegível. Mas alertei que isso também tinha suas desvantagens. Sempre havia uma chance de o sistema operacional do usuário esconder sigilosamente uma cópia do arquivo que ele desejava excluir em algum espaço de armazenamento temporário desconhecido.

Foi quando passei para a criptografia.

A exclusão é um sonho para quem vigia e um pesadelo para os vigiados, mas a criptografia é, ou deveria ser, uma realidade para todos. É a única proteção verdadeira contra a vigilância. Se todo seu drive de armazenamento for criptografado, seus adversários não poderão vasculhar os arquivos excluídos nem qualquer outra coisa, a menos que tenham a chave da criptografia. Se todos os e-mails de sua caixa de entrada estiverem criptografados, o Google não poderá lê-los para traçar seu perfil, a menos que tenha a chave da criptografia. Se todas as suas comunicações que passam por redes hostis australianas, britânicas, estadunidenses, chinesas ou russas forem criptografadas, os espiões não poderão lê-las, a menos que tenham a chave da criptografia. Esse é o princípio de ordenação da criptografia: todo o poder está com o detentor da chave.

Expliquei que a criptografia funciona por meio de algoritmos. Um algoritmo de criptografia parece intimidante, especialmente quando escrito, mas seu conceito é bastante elementar. É um método matemático de transformar, de forma reversível, informações como e-mails, telefonemas, fotos, vídeos e arquivos, de modo que se tornem incompreensíveis para qualquer pessoa que não tenha a chave da criptografia. Imagine um algoritmo de criptografia moderno como uma varinha mágica que, ao passar sobre um documento, altera cada letra para uma linguagem que só você e as pessoas de sua confiança podem ler, e a chave da criptografia como palavras mágicas únicas que completam o feitiço e põem a varinha para trabalhar. Não importa quantas pessoas saibam que você usou a varinha, contanto que possa esconder suas palavras mágicas pessoais daqueles em quem não confia.

Os algoritmos de criptografia são basicamente conjuntos de problemas matemáticos criados para ser incrivelmente difíceis, até mesmo para computadores. A chave da criptografia é a única pista que permite que um computador resolva esse conjunto específico de problemas matemáticos que está sendo usado. Você enfia seus dados legíveis, chamados texto simples, em uma das pontas de um algoritmo de criptografia, e um texto incompreensível, chamado texto cifrado, aparece do outro lado. Quando alguém quiser ler o texto cifrado, terá de colocá-lo de novo no algoritmo junto com – e isso é crucial – a chave correta, e sairá o texto simples de novo. Embora diferentes algoritmos forneçam diferentes graus de proteção, a segurança de uma chave de criptografia em geral se baseia em seu tamanho, o que indica o nível de dificuldade envolvido na solução do problema matemático subjacente a um algoritmo específico. Em algoritmos que correlacionam chaves mais longas com segurança maior, a melhora é exponencial. Se presumirmos que um invasor demora um dia para decifrar uma chave de 64 bits – que embaralha seus dados em uma das 2^{64} maneiras possíveis (18.446.744.073.709.551.616 permutas únicas) –, ele levaria o dobro desse tempo, dois dias, para decifrar uma chave de 65 bits e quatro dias para uma de 66 bits. A quebra de uma chave de 128 bits levaria 2^{64} vezes mais que um dia, ou 50 quatrilhões de anos. A essa altura, eu já teria sido perdoado. Em minhas comunicações com jornalistas, usei chaves de 4.096 e 8.192 bits. Isso significa que não havendo grandes inovações na tecnologia da computação nem uma redefinição fundamental dos princípios pelos quais os números são fatorados, nem mesmo todos os criptoanalistas da NSA usando todo o poder computacional do mundo poderiam entrar em meu drive. Por essa razão, a criptografia é a melhor esperança para combater a vigilância de qualquer tipo. Se todos os nossos dados, incluindo nossas comunicações, fossem cifrados dessa maneira, de ponta a ponta (do remetente ao destinatário), nenhum governo – aliás, nenhuma entidade concebível sob nosso conhecimento atual de física – seria capaz de compreendê-los. Um governo até poderia interceptar e coletar os sinais, mas só conseguiria ruído puro. Essencialmente, criptografar nossas comunicações as excluiria da memória de todas as entidades com que lidamos. Efetivamente, retiraria a permissão daqueles que na verdade nunca a tiveram.

Um governo que pretenda acessar comunicações criptografadas tem somente duas opções: ir atrás dos detentores da chave ou das chaves em si. Poderia lançar ataques direcionados contra as duas pontas dessas comunicações – o hardware e o software que executam o processo de criptografia. Ou poderia pressionar os fabricantes de dispositivos a intencionalmente vender produtos que executem a criptografia de uma maneira defeituosa. Ou pode induzir as organizações internacionais de padrões a aceitar algoritmos de criptografia defeituosos que contenham backdoors, ou pontos de acesso secreto. Ou poderia simplesmente explorar uma vulnerabilidade cuja criação não tenha sido sua responsabilidade e usá-la para hackear um sistema e roubar as chaves – uma técnica pioneira de criminosos, hoje adotada por grandes poderes estatais, mesmo que isso signifique conscientemente preservar furos devastadores na segurança cibernética da extremamente importante infraestrutura internacional.

O melhor meio que temos para manter as chaves seguras chama-se *conhecimento zero*, um método que garante que todos os dados que tentemos armazenar externamente – digamos, por exemplo, na plataforma de nuvem de uma empresa – sejam criptografados por um algoritmo que roda em nosso dispositivo antes se ser enviado, e a chave nunca é compartilhada. No esquema de conhecimento as chaves estão exclusivamente nas mãos dos usuários, Nenhuma empresa, agência ou inimigo pode tocá-las.

Minha chave para os segredos da NSA foi além do conhecimento zero: era uma chave de conhecimento zero consistindo de várias chaves de conhecimento zero.

Imagine o seguinte: digamos que na conclusão de minha palestra na CryptoParty, eu fiquei parado na saída enquanto cada um dos 20 membros do público saía. Imagine que quando cada um deles passou pela porta e entrou na noite de Honolulu, eu sussurrei uma palavra em seus ouvidos – uma única palavra que ninguém mais podia ouvir, e que cada um só tinha permissão para repetir se estivessem todos juntos mais uma vez na mesma sala. Somente trazendo de volta essas 20 pessoas e fazendo que elas repetissem suas palavras na mesma ordem em que eu as distribuíra originalmente é que alguém poderia montar de novo o encantamento completo formado por 20 palavras. Se uma pessoa esquecesse sua palavra, ou se a ordem de recitação fosse diferente da de distribuição, não haveria magia conjurada, nenhuma mágica aconteceria.

Minhas chaves para o drive que continha as revelações lembravam esse arranjo, com uma diferença: como se, ao distribuir a maior parte das palavras do encantamento, eu guardasse uma só para mim. Havia partes de meu feitiço escondidas por todo lado, mas se eu destruísse a única peça solitária que guardava comigo, destruiria todo e qualquer acesso aos segredos da NSA para sempre.

25. O GAROTO

Só olhando para trás sou capaz de reconhecer quão alto minha estrela se elevou. Eu deixei de ser o aluno que não podia falar na aula e passei a ser o professor da linguagem de uma nova era; passei do filho de pais modestos de classe média do Beltway ao homem que vive a vida na ilha e ganha tanto dinheiro que este até perdeu seu significado. Em apenas sete curtos anos de carreira, passei da manutenção de servidores locais à elaboração e implementação global de sistemas; de segurança do turno da noite a mestre das chaves do palácio de quebra-cabeças.

Mas há sempre um perigo em deixar que até a pessoa mais qualificada cresça muito e rápido demais, antes de ter tempo de se tornar cínica e abandonar seu idealismo.

Eu ocupei uma das posições mais inesperadamente oniscientes da CI – em direção ao degrau mais baixo da escala administrativa, mas no paraíso em termos de acesso. E enquanto isso me dava uma capacidade fenomenal e, francamente, imerecida, de observar a CI em sua soturna plenitude, também me deixava mais curioso que nunca acerca de um único fato que considerava esquivo: o limite absoluto da agência de voltar seus olhos contra alguém. Era um limite definido menos na política e na lei que nas capacidades inescrupulosas e inflexíveis do que eu agora sabia ser uma máquina de abrangência mundial. Havia alguém que essa máquina não pudesse vigiar? Havia algum lugar a que essa máquina não pudesse ir?

A única maneira de descobrir a resposta era descer, abandonar meu poleiro pan-óptico e aceitar a visão estreita de um cargo operacional. Os funcionários da NSA com o acesso mais livre às formas mais puras de inteligência eram os que se sentavam na cadeira do operador e digitavam em seus teclados os nomes dos indivíduos que haviam caído sob suspeita, tanto estrangeiros quanto cidadãos estadunidenses. Por uma razão ou outra, ou por nenhuma, esses indivíduos haviam se tornado alvo do escrutínio da agência, interessada em descobrir tudo sobre eles e suas comunicações. Meu destino seria, eu sabia, o ponto exato dessa interface – o ponto exato no qual o Estado observava o humano e este continuava sem saber disso.

O programa que habilitou esse acesso foi chamado de XKEYSCORE, que talvez seja entendido melhor como um mecanismo de busca que permite que um analista pesquise todos os registros de nossa vida. Imagine um tipo de Google que em vez de mostrar páginas da internet pública, devolve resultados de seu e-mail privado, de suas conversas particulares, seus arquivos privados, tudo. Embora já houvesse lido o suficiente sobre o programa para entender como funcionava, eu ainda não o usava, e percebi que deveria saber mais sobre ele. Ao me aprofundar no XKEYSCORE, eu estava buscando uma confirmação pessoal da profundidade das intrusões da vigilância da NSA – o tipo de confirmação que não se obtém nos documentos, só na experiência direta.

Um dos poucos escritórios no Havaí com acesso irrestrito ao XKEYSCORE era o Centro de Operações para Ameaças Nacionais. O NTOC funcionava no novo escritório de plano aberto, brilhante, mas sem alma, que a NSA havia formalmente batizado como Edifício Rochefort, em homenagem a Joseph Rochefort, lendário criptoanalista naval da era da Segunda Guerra Mundial que decifrou os códigos japoneses. A maioria dos funcionários o chamava de Roach Fort (Forte da Barata), ou simplesmente de The Roach, a Barata. Na época em que me candidatei a uma vaga lá, partes da Barata ainda estavam em construção, e logo me lembrei de meu primeiro emprego na CASL. Era meu destino começar e acabar minha carreira na CI em prédios inacabados.

Além de abrigar quase todos os tradutores e analistas da agência alocados no Havaí, a Barata também acomodava a filial local da divisão de Operações de Acesso Personalizado (TAO). Era a unidade da NSA responsável por invadir remotamente os computadores de pessoas que os analistas haviam escolhido como alvos – o equivalente da agência às antigas equipes que invadiam as casas dos inimigos para plantar grampos e encontrar material comprometedor. Mas a principal tarefa do NTOC, ao contrário, era monitorar e frustrar a atividade dos equivalentes estrangeiros do TAO. Por sorte, o NTOC tinha uma vaga por meio de um cargo terceirizado na Booz Allen Hamilton, que eles descreviam eufemisticamente como analista de infraestrutura. O cargo requeria usar o espectro completo de ferramentas de vigilância em massa da NSA, incluindo o XKEYSCORE, para monitorar atividade na infraestrutura de interesse, a internet.

Embora eu ganhasse um pouco mais na Booz, cerca de 120 mil dólares por ano, considerei isso um rebaixamento – o primeiro de muitos, quando comecei a ir ladeira abaixo, descartando meus acessos, minhas autorizações e meus privilégios da agência. Eu era um engenheiro que estava virando um analista que acabaria virando um exilado, um alvo das mesmas tecnologias que eu já controlara um dia. Sob essa perspectiva, essa queda de prestígio parecia muito pequena. Sob essa perspectiva, tudo parecia muito pequeno, quando o arco de minha vida se inclinou para a terra, acelerando em direção ao ponto de impacto que encerraria minha carreira, meu relacionamento, minha liberdade e, possivelmente, minha vida.

Decidi levar meus arquivos para fora do país e passá-los para os jornalistas que havia contatado, mas, antes que pudesse começar a pensar na logística disso, tive que apertar algumas mãos. Tive que pegar um avião para o leste, DC, e passar algumas semanas conhecendo e cumprimentando meus novos chefes e colegas, que tinham grandes expectativas sobre como poderiam aplicar meu profundo conhecimento do anonimato on-line para desmascarar seus alvos mais inteligentes. Foi isso que me levou de volta ao Beltway pela última vez, e de volta ao local de meu primeiro encontro com uma instituição que havia perdido o controle: Fort Meade. Dessa vez, eu já era de casa, com acesso a informações privilegiadas.

O dia que marcou minha entrada na idade adulta, pouco mais de dez tumultuados anos antes, mudou profundamente não somente as pessoas que trabalhavam na sede da NSA, mas também o lugar em si. Eu notei isso pela primeira vez quando parei com meu carro alugado tentando sair da Canine Road e entrar em um dos estacionamentos da agência, que em minha memória ainda uivava tomado pelo pânico, telefones tocando, buzinas de carros e sirenes. Desde o 11 de Setembro, todas as estradas que levavam à sede da NSA haviam sido permanentemente fechadas para qualquer um que não possuísse um dos distintivos especiais da CI, que agora eu levava pendurado no pescoço.

Quando não estava distribuindo sorrisos entre a liderança do NTOC na matriz, eu passava o tempo aprendendo tudo que podia com analistas que trabalhavam com programas diferentes com diferentes tipos de objetivos, para poder ensinar aos membros de minha equipe no Havaí as mais novas maneiras de uso das ferramentas da agência. Pelo menos essa era a explicação oficial de minha curiosidade, que, como sempre, superava as exigências e rendia a gratidão dos que gostavam de tecnologia. Eles, por sua vez, estavam mais ansiosos que nunca para demonstrar o poder da maquinaria que haviam desenvolvido, sem expressar nenhum tipo de escrúpulo sobre como esse poder era aplicado. Enquanto estive na matriz, também fui submetido a uma série de testes sobre o uso adequado do sistema, que pareciam mais exercícios de conformidade regulatória e escudos de procedimentos que instrução significativa. Os outros analistas me disseram que, já que eu poderia fazer esses testes quantas vezes fosse necessário, não precisava me preocupar em ler as regras: "É só ir clicando nas respostas até passar".

Nos documentos que eu mais tarde repassaria aos jornalistas, A NSA descrevia o XKEYSCORE como sua ferramenta de maior alcance, usada para pesquisar quase tudo que um usuário faz na internet. As especificações técnicas que eu estudei davam mais detalhes de como exatamente isso era feito – empacotando e criando sessões, ou seja, separando os dados das sessões on-line de um usuário em pacotes menores que facilitavam a análise; mas nada poderia me preparar para vê-lo em ação.

Era simplesmente a coisa mais parecida com ficção científica que eu já havia visto na vida real: uma interface que permite digitar o endereço de praticamente qualquer pessoa, ou o número de telefone ou endereço de IP, e conhecer o histórico recente de sua atividade na internet. Em alguns casos, era possível inclusive reproduzir gravações dessas sessões on-line, de modo que a tela que você via era a tela da pessoa, tudo que estivesse em sua área de trabalho. Você poderia ler os e-mails, o histórico do navegador, o histórico de pesquisas, as postagens nas redes sociais, tudo. Poderia configurar notificações, que apareceriam assim que alguma pessoa ou algum dispositivo em que você estivesse interessado ficasse ativo na internet. E poderia examinar os pacotes de dados da internet e ver as buscas de uma pessoa aparecerem letra por letra, uma vez que muitos sites transmitiam cada caractere à medida que era digitado. Era como assistir a um autocompletar enquanto letras e palavras passavam pela tela. Mas a inteligência por trás dessa digitação não era artificial, e sim humana: era um humanocompletar.

As semanas que passei em Fort Meade, e o curto período que passei na Booz no Havaí, foram as únicas vezes que vi pessoas cometendo os abusos sobre os quais havia lido na documentação interna da agência. Ver aquilo me fez perceber como meu cargo na área de sistemas estava isolado do ponto zero do dano imediato. Eu nem podia imaginar o nível de isolamento da diretoria da agência, ou, aliás, do presidente dos EUA.

Eu não digitei no XKEYSCORE o nome do diretor da agência, ou do presidente; mas, depois de bastante tempo mexendo com o sistema, percebi que poderia. Todas as comunicações estavam no sistema – de todo o mundo. Inicialmente, fiquei com medo de acessar informações de pessoas nos mais altos escalões do Estado e ser pego e demitido, ou coisa pior. Mas disfarçar uma consulta era simples demais, inclusive sobre a figura mais proeminente, codificando meus termos de pesquisa em um formato de máquina que pareceria algo sem sentido para humanos, mas que seria perfeitamente compreensível para o XKEYSCORE. Se algum auditor responsável pela revisão das buscas se desse o trabalho de olhar com mais atenção, veria apenas um trecho de código confuso, enquanto eu poderia percorrer as atividades mais pessoais de um juiz da Suprema Corte ou de um congressista.

Pelo que sei, nenhum dos meus novos colegas pretendia abusar tanto de seus poderes; se bem que, se pretendiam, nunca comentaram. De qualquer maneira, a maioria dos analistas, quando pensava em abusar do sistema, estava muito menos interessada nas vantagens profissionais que nas pessoais. Isso levou a uma prática conhecida como LOVEINT, uma brincadeira grosseira com a HUMINT e a SIGINT e uma imitação burlesca de inteligência, na qual analistas usavam os programas da agência para vigiar seus amantes atuais e antigos, além de seus objetos de afeição mais casual; liam seus e-mails, ouviam seus telefonemas e perseguiam essas pessoas na internet. Os funcionários da NSA sabiam que só os analistas mais idiotas seriam pegos em flagrante, e embora a lei declarasse que qualquer pessoa que utilizasse qualquer tipo de vigilância para fins pessoais poderia ficar trancafiada por pelo menos uma década, ninguém na história da agência havia sido condenado nem mesmo a um dia de prisão por tal crime. Os analistas entendiam que o governo nunca os processaria publicamente, pois não poderia condenar alguém por abusar de seu sistema secreto de vigilância em massa quando simplesmente se recusava a admitir sua existência.

Os custos óbvios de tal política se tornaram evidentes quando me vi sentado no fundo do cofre V_{22} na sede da NSA com dois dos analistas de infraestrutura mais talentosos, cuja decoração do espaço de trabalho era uma foto de mais de 2 metros de altura do famoso wookie de Star Wars, Chewbacca. Enquanto um deles me explicava os detalhes das rotinas de segurança de seus alvos, percebi que os nus interceptados eram uma espécie de moeda informal, porque seu amigo ficava girando na cadeira para nos interromper com um sorriso, dizendo: "Dê uma olhada nela!". E meu instrutor invariavelmente respondia: "Bônus!", ou "Legal!" A regra tácita parecia ser que quem encontrasse uma foto ou vídeo de nu de um alvo atraente – ou de alguém se comunicando com um alvo, poderia mostrar para os demais rapazes, pelo menos enquanto não houvesse nenhuma mulher por perto. Era assim que todos sabiam que podiam confiar um no outro: todos compartilhavam seus crimes.

Algo que entendemos muito rapidamente enquanto usamos o XKEYSCORE é que quase todo mundo que está na internet tem pelo menos duas coisas em comum: todos assistem a pornôs de vez em quando e todos armazenam fotos e vídeos da família. Isso se aplicava a praticamente todos os gêneros, etnias, raças e idades, desde o mais cruel terrorista até o mais velho cidadão, que poderia ser avô, pai ou primo do terrorista cruel.

Eram as coisas de família que mais me afetavam. Lembro-me de uma criança em particular, um menino na Indonésia. Tecnicamente, eu não deveria estar interessado nesse menino, mas estava, porque meus patrões estavam interessados em seu pai. Eu andara lendo as pastas de alvo compartilhadas de uma persona de analista, ou seja, uma pessoa que normalmente passava a maior parte do dia vasculhando artefatos como registros de bate-papo, mensagens do Gmail e do Facebook, em vez de analisar o tráfego mais obscuro e difícil, em geral gerado por hackers, dos analistas de infraestrutura.

O pai do menino, assim como o meu, era engenheiro; mas, ao contrário de meu pai, ele não trabalhava no governo, nem era militar. Era só um acadêmico normal que havia caído em uma rede de vigilância. Não consigo nem lembrar como ou por que ele chamou a atenção da agência, além de o fato de ter mandado uma solicitação de emprego para uma universidade de pesquisa no Irã. Os motivos de suspeita eram muitas vezes mal documentados – quando eram documentados –, e as conexões eram incrivelmente frágeis: "supostamente associado a" seguido do nome de alguma organização internacional que poderia ser qualquer coisa, desde uma empresa de telecomunicações até a UNICEF, ou algo que realmente poderia ser ameaçador.

Algumas comunicações selecionadas do homem haviam sido retiradas do fluxo de tráfego da internet e reunidas em pastas, que continham a cópia do fatal currículo enviado à universidade suspeita, suas mensagens de texto, o histórico de seu navegador, sua correspondência enviada e recebida na última semana ou mais, e os endereços de IP. Continham também as coordenadas de uma cerca-geográfica que o analista colocara em torno dele para saber se o homem se afastava muito de casa, ou se talvez fosse para o Irã fazer entrevista na universidade.

Continham também as fotos dele e um vídeo. Ele estava sentado diante de seu computador, como eu diante do meu. A diferença é que ele tinha no colo um bebê, um menino de fralda.

O pai estava tentando ler algo, mas o menininho ficava se mexendo, batendo nas teclas e dando risadinhas. O microfone interno do computador pegava suas risadinhas e lá estava eu, ouvindo-as pelos fones de ouvido. O pai segurou a criança com mais força, e o menino se endireitou, e com seus olhos negros enormes, olhou diretamente para a câmera do computador. Não consegui evitar a sensação de que ele estava olhando diretamente para mim. De repente, percebi que eu estava prendendo a respiração. Fechei o vídeo, levantei-me e fui para o banheiro, de cabeça baixa, com os fones de ouvido ainda colocados e o fio pendente.

Aquele garoto e o pai dele me lembravam o meu pai, com quem eu fora jantar uma noite durante a temporada que passara em Fort Meade. Eu não o via fazia algum tempo, mas no meio do jantar – uma salada Caesar e uma limonada rosa –, pensei: *nunca mais verei minha família*. Meus olhos estavam secos – eu estava exercendo o máximo de controle que podia –, mas, por dentro, estava arrasado. Eu sabia que, se lhe contasse o que estava prestes a fazer, ele teria chamado a polícia. Ou teria me chamado de louco e me internado em um hospital psiquiátrico. Ele teria feito qualquer coisa que achasse que tinha que fazer para me impedir de cometer os mais grave dos erros.

Eu só podia torcer para que sua mágoa passasse e ele sentisse orgulho de mim.

De volta ao Havaí, entre março e maio de 2013, uma sensação de finalização impregnava quase todas as minhas experiências, e embora elas em si parecessem triviais, facilitaram meu caminho. Era muito menos doloroso pensar que seria a última vez que eu passaria no restaurante indiano em Mililani, ou que iria ao hackerspace na galeria de arte de Honolulu, ou que simplesmente ficaria sentado no capô de meu carro observando o céu noturno à procura de estrelas cadentes, que pensar que eu só tinha mais um mês com Lindsay, ou mais uma semana para dormir e acordar ao lado dela, e, mesmo assim, tentar manter distância dela, por medo de não aguentar.

Toda minha preparação era como de um homem prestes a morrer. Esvaziei minhas contas bancárias, coloquei o dinheiro em uma velha caixa de munição, de aço, para que Lindsay pudesse encontrá-lo sem que o governo o confiscasse. Andei pela casa fazendo tarefas de rotina, como consertar janelas e trocar lâmpadas. Limpei e criptografei meus computadores antigos, reduzindo-os a silenciosas carcaças de tempos melhores. Em suma, eu estava colocando meus assuntos em ordem para tentar deixar tudo mais fácil para Lindsay, ou só para minha consciência, que periodicamente transferia sua lealdade de um mundo que eu não merecia para a mulher e a família que eu tinha e amava.

Tudo estava imbuído dessa sensação de fim, mas havia momentos em que parecia que não havia nenhum fim à vista e que o plano que eu havia desenvolvido estava entrando em colapso. Era difícil conseguir o compromisso dos jornalistas com uma reunião, principalmente porque eu não podia lhes dizer com quem iam se encontrar, e ainda nem onde e quando isso aconteceria. Eu tinha que contar com a possibilidade de eles não aparecerem, ou que aparecessem, mas depois desistissem. Por fim, decidi que, se uma dessas coisas acontecesse, eu abandonaria o plano e voltaria ao trabalho e para Lindsay como se nada houvesse acontecido, e esperaria a próxima oportunidade.

Em meus *wardrives* indo a Kunia e voltando – um trajeto de vinte minutos que podia se transformar em duas horas de caça a Wi-Fi –, eu pesquisei vários países, tentando encontrar um local para me encontrar com os jornalistas. Parecia que eu estava escolhendo minha prisão, ou melhor, meu túmulo. Todos os países da Aliança Cinco Olhos obviamente estavam fora da lista. De fato, a Europa toda estava fora, porque eu não podia contar com que seus países defendessem a lei internacional contra a extradição de acusados de crimes políticos em face da certamente significativa pressão estadunidense que sofreriam. África e América Latina também eram zonas proibidas – os EUA tinham histórico de agir ali com impunidade. A Rússia estava fora porque era a Rússia, e a China porque era a China: ambas estavam totalmente fora de questão; para me desacreditar, o governo dos EUA só teria de apontar no mapa minha localização. A percepção só seria pior no Oriente Médio. Às vezes, eu tinha a sensação de que o pior desafio de minha vida não seria entregar a NSA, e sim tentar encontrar um local de encontro independente o bastante para conter a ação da Casa Branca e livre o suficiente para não interferir em minhas atividades.

No processo de eliminação, sobrou Hong Kong. Em termos geopolíticos, era o mais próximo que eu poderia chegar de uma terra de ninguém, mas com uma mídia vibrante e uma cultura de protesto, isso sem falar uma vasta internet sem filtros. Era uma singularidade, uma cidade mundial razoavelmente liberal cuja autonomia nominal me distanciaria da China e restringiria a capacidade de Pequim de tomar medidas públicas contra mim ou contra os jornalistas – pelo menos imediatamente –, mas cuja existência *de facto* na esfera de influência de Pequim reduziria a possibilidade de intervenção unilateral dos EUA. Em uma situação sem promessas de segurança, bastava ter a garantia do tempo. Mas, de qualquer forma, havia a possibilidade de que as coisas não acabassem bem para mim; minha maior esperança era fazer as revelações antes de ser pego.

Na última manhã em que acordei com Lindsay, ela estava indo acampar em Kauai; uma breve escapada com amigos que eu havia encorajado. Ficamos deitados na cama e eu a abracei com muita força, e quando ela perguntou, perplexa e sonolenta, por que eu estava sendo tão carinhoso, pedi desculpas. Disse que lamentava ter andado tão ocupado, e que ficaria com saudades; que ela era a melhor pessoa que eu já havia conhecido na vida. Ela sorriu, deu-me um beijo no rosto e se levantou para fazer as malas.

No momento em que ela saiu pela porta, comecei a chorar pela primeira vez em anos. Eu me sentia culpado por tudo, exceto por aquilo de que meu governo me acusaria; e especialmente culpado por minhas lágrimas, porque eu sabia que minha dor não seria nada comparada à dor que eu causaria à mulher que amava, ou à mágoa e à confusão que eu causaria a minha família.

Pelo menos eu tinha o benefício de saber o que estava por vir. Lindsay voltaria do acampamento e descobriria que eu não estava, que aparentemente viajara a trabalho, e minha mãe estaria praticamente esperando à nossa porta. Eu havia convidado minha mãe a passar uns dias em casa, mas foi algo tão pouco característico que ela devia estar esperando outro tipo de surpresa, como o anúncio de que Lindsay e eu estávamos noivos. Eu me sentia péssimo com esse fingimento e estremecia ao pensar em sua decepção, mas ficava dizendo a mim mesmo que era justificado. Minha mãe e Lindsay cuidariam uma da outra. Uma precisaria da força da outra para resistir à tempestade que se aproximava.

No dia seguinte à partida de Lindsay, tirei uma licença médica de emergência por conta da epilepsia e fiz a mala com pouca bagagem e 4 notebooks: um para comunicações seguras, um para comunicações normais, um como chamariz e um airgap, um computador que nunca havia entrado nem jamais entraria na internet. Deixei meu smartphone no balcão da cozinha ao lado de um bloco de anotações com uma mensagem rabiscada a caneta: *Tive que viajar a trabalho. Eu te amo.* Assinei com meu apelido usado para falar por rádio, Echo. Depois, fui ao aeroporto e comprei uma passagem, em dinheiro, para o próximo voo para Tóquio. Em Tóquio, comprei outra passagem em dinheiro, e em 20 de maio cheguei a Hong Kong, cidade onde o mundo pela primeira vez ouviu falar de mim.

26. HONG KONG

O profundo apelo psicológico dos jogos, que são, na verdade, só uma série de desafios cada vez mais difíceis, é a crença de que podemos ganhar. Em nenhum lugar isso é mais claro para mim que no caso do Cubo Mágico, que realiza uma fantasia universal: se você se esforçar bastante e tentar todas as possibilidades, tudo que parece embaralhado e incoerente por fim entrará em posição e ficará perfeitamente alinhado; que a engenhosidade humana é suficiente para transformar o sistema mais defeituoso e caótico em algo lógico e ordenado, no qual cada face do espaço tridimensional brilha com perfeita uniformidade.

Eu tinha um plano – na verdade, tinha vários – no qual um único erro significaria ser pego, mas não fui; eu consegui sair da NSA, consegui sair do país. Ganhei o jogo. Por todos os ângulos que eu podia imaginar, a parte difícil havia acabado. Mas minha imaginação não havia sido boa o bastante, porque os jornalistas que eu chamara para me conhecer não apareciam. Ficavam adiando, dando pretextos e se desculpando.

Eu sabia que Laura Poitras – a quem eu já havia enviado alguns documentos e a promessa de muitos mais – estava pronta para decolar de algum ponto de Nova York a qualquer momento, mas ela não iria sozinha. Ela estava tentando fazer Glenn Greenwald se comprometer, tentando convencê-lo a comprar um notebook novo com o qual não entraria na internet. Tentando fazê-lo instalar programas de criptografia para podermos nos comunicar melhor. E lá estava eu, em Hong Kong, observando as horas passarem no relógio, o calendário marcando os dias, suplicando, implorando: "Por favor, venham antes que a NSA perceba que eu estou longe do trabalho há tempo demais". Era difícil pensar em tudo que eu havia feito e enfrentar a perspectiva de ser deixado plantado em Hong Kong. Tentei sentir compaixão por aqueles jornalistas que pareciam ocupados demais, ou nervosos demais, para concluir seus planos de viagem; mas, então, eu me lembrava de que apenas uma pequena parte do material pelo qual eu estava arriscando tudo chegaria ao público se a polícia chegasse primeiro. Pensava em minha família e em Lindsay, e em como havia sido tolo por ter colocado minha vida nas mãos de pessoas que nem sabiam meu nome.

Fiz de meu quarto no Mira Hotel uma trincheira. Eu havia escolhido esse hotel devido a sua localização central, em um movimentado distrito comercial e de negócios. Coloquei a placa *Não perturbe* na maçaneta da porta para que o serviço de limpeza não entrasse. Durante dez dias não saí do quarto, com medo de dar a um espião estrangeiro a oportunidade de entrar e revistar o local. Sendo as apostas tão altas, a única coisa que eu podia fazer era esperar. Transformei o quarto no centro de operações de um pobre homem, o coração invisível da rede de túneis criptografados de internet, por meio dos quais eu mandava pedidos cada vez mais estridentes aos ausentes emissários de nossa imprensa livre. Então, eu ficava à janela esperando uma resposta, olhando o belo parque que eu nunca visitaria. Quando Laura e Glenn por fim chegaram, eu comi tudo que havia no cardápio do serviço de quarto.

Isso não quer dizer que eu fiquei sentado durante aquela semana e meia escrevendo mensagens. Eu também tentei organizar o último resumo que daria – lendo o arquivo, pensando em como melhor explicar seu conteúdo para os jornalistas no tempo extremamente limitado que teríamos. Esse era um problema interessante: como expressar tudo da maneira mais convincente a pessoas estranhas à área técnica, que quase certamente tendiam a duvidar do fato de que o governo dos EUA estava vigiando o mundo e dos métodos que usava para isso. Eu criei glossários de termos técnicos como "metadados" e "carregador de comunicação". Criei glossários de acrônimos e abreviações: CCE, CSS, DNI, NOFORN. Tomei a decisão de explicar não por meio de tecnologias e sistemas, e sim de programas de vigilância – essencialmente, por meio de histórias, em uma tentativa de falar a língua deles. Mas eu não conseguia decidir que histórias apresentar primeiro, e continuava as embaralhando, tentando colocar os piores crimes na melhor ordem.

Eu tinha que achar um jeito de ajudar Laura e Glenn a entender em poucos dias pelo menos um pouco do que eu levara anos para decifrar. E também havia outra coisa: eu teria que ajudá-los a entender quem eu era e por que havia decidido fazer aquilo.

Por fim, Glenn e Laura apareceram em Hong Kong no dia 2 de junho. Quando foram me encontrar no Mira, acho que ficaram desapontados, pelo menos inicialmente. Eles até disseram isso; ou Glenn disse. Ele estava esperando alguém mais velho, que fumava um cigarro atrás do outro, tinha câncer terminal e uma consciência pesada. Glenn não entendia como uma pessoa tão jovem – ele ficava perguntando minha idade – não só tinha acesso a documentos tão sigilosos, como também estava tão disposto a jogar sua vida fora. De minha parte, eu não sabia como eles poderiam esperar alguém de barba grisalha, dadas minhas instruções de como me encontrar: vão a certa sala tranquila ao lado do restaurante do hotel, que tem um sofá de couro falso de crocodilo, e procurem um sujeito com um Cubo Mágico na mão. O engraçado é que eu originalmente me preocupei em usar esse clichê de espião, mas o cubo era a única coisa que eu havia levado comigo que seria único e identificável a distância. E também me ajudou a disfarçar o estresse por esperar pelo que eu temia ser uma surpresa com algemas na mão.

Esse estresse alcançaria visivelmente seu pico mais ou menos dez minutos depois, quando levei Laura e Glenn a meu quarto – 1014, no décimo andar. Glenn mal teve a chance de guardar seu smartphone no frigobar, a meu pedido, quando Laura começou a reorganizar os móveis e a ajustar as luzes do quarto. Então, ela pegou sua câmera de vídeo digital. Embora houvéssemos concordado, por meio de um e-mail criptografado, que ela poderia filmar nosso encontro, eu não estava preparado para a realidade.

Nada poderia ter me preparado para o momento em que ela apontou a câmera para mim, esparramado em minha cama desfeita em um quarto bagunçado do qual eu não havia saído nos últimos dez dias. Acho que todo mundo já passou por uma experiência assim: quanto mais consciente você é de estar sendo filmado, mais constrangido você fica. A mera consciência de que alguém está, ou pode estar, apertando o Rec em seu smartphone e apontando para você pode causar estranheza, mesmo que esse alguém seja um amigo. Embora hoje quase todas as minhas interações ocorram via câmera, ainda não sei bem qual experiência considero mais alienante:

se é me ver no filme ou ser filmado. Eu tento evitar o primeiro, mas evitar o último agora é difícil para todos.

Em uma situação que já era de alta intensidade, fiquei paralisado. A luz vermelha da câmera de Laura, assim como a mira de um franco-atirador, ficava me fazendo lembrar que a qualquer momento a porta poderia ser derrubada e eu seria engolido para sempre. E, quando eu não estava pensando nisso, pensava em como seria essa filmagem quando fosse passada no tribunal. Percebi que havia muitas coisas que eu deveria ter feito, como vestir roupas mais legais e fazer a barba. Pratos e lixo haviam se acumulado por todo o quarto. Havia recipientes de *noodles* e hambúrgueres meio comidos, pilhas de roupa suja e toalhas úmidas no chão.

Foi uma dinâmica surrealista. Além de nunca ter conhecido um cineasta antes de ser filmado por uma, eu nunca havia me reunido com um jornalista antes de servir como sua fonte. A primeira vez que falei em voz alta sobre o sistema de vigilância em massa do governo dos EUA, foi para todos que tivessem conexão com a internet. No entanto, independentemente de eu estar amarrotado e abalado, as filmagens de Laura foram indispensáveis, porque mostravam ao mundo exatamente o que estava acontecendo naquele quarto de hotel, de uma forma que o papel de um jornal jamais conseguiria. As filmagens que ela fez durante os dias que passamos em Hong Kong não podem ser distorcidas. Sua existência é um tributo não só a seu profissionalismo como documentarista, mas também a sua visão.

Passei a semana entre 3 e 9 de junho enclausurado naquele quarto com Glenn e seu colega do *The Guardian*, Ewen MacAskill, que se juntou a nós um pouco mais tarde naquele primeiro dia. Conversamos bastante, falamos dos programas da NSA, enquanto Laura filmava. Em contraste com os dias frenéticos, as noites eram vazias e desoladas; Glenn e Ewen se retiravam a seu próprio hotel, o vizinho W, para transformar suas descobertas em reportagens. Laura desaparecia para editar suas filmagens e fazer sua própria reportagem com Bart Gellman, do *The Washington Post*, que não foi até Hong Kong, mas trabalhou remotamente com os documentos que recebeu dela.

Eu dormia – ou tentava –, ou ligava a TV, encontrava um canal em inglês como a BBC ou a CNN, e assistia à reação internacional. Em 5 de junho, o *The Guardian* publicou a primeira matéria de Glenn, sobre a ordem judicial do PISA que autorizava a NSA a coletar informações de cada telefonema dos clientes da Verizon, empresa de telecomunicações estadunidense. Em 6 de junho, foi publicada a matéria de Glenn sobre o PRISM, praticamente ao mesmo tempo que outra semelhante no *The Washington Post*, de Laura e Bart. Eu sabia, e acho que todos nós sabíamos, que quanto mais matérias saíssem, mais facilmente eu seria identificado, especialmente porque o escritório onde eu trabalhava havia começado a me mandar e-mails pedindo informações sobre minha situação e eu não respondia. Mas, apesar de Glenn, Ewen e Laura terem sido infalivelmente solidários a minha situação bomba-relógio, nunca deixaram que seu desejo de servir à verdade fosse influenciado por isso. E seguindo o exemplo deles, eu também não.

O jornalismo, assim como os documentários, pode revelar muita coisa. É interessante pensar sobre o que um veículo de mídia é forçado a omitir, tanto por convenção quanto por tecnologia. A prosa de Glenn, especialmente no *The Guardian*, era focada nos fatos, despojada da paixão obstinada que define sua personalidade. A prosa de Ewen refletia mais plenamente seu caráter: sincera, agradável, paciente e justa. Enquanto isso, Laura, que via tudo, mas raramente era vista, tinha uma reserva onisciente e uma inteligência sardônica – um mestre metade espião, metade artista.

Conforme as revelações iam abrangendo todos os canais de TV e sites, foi ficando claro que o governo dos Estados Unidos estava usando toda sua maquinaria para identificar a fonte. Também ficou claro que quando a identificassem, usariam o rosto que encontrassem – meu rosto – para evitar ter que prestar contas; em vez de abordar as revelações, eles impugnariam a credibilidade e a motivação do vazador. Portanto, eu tinha que tomar a iniciativa antes que fosse tarde demais. Se eu não explicasse minhas ações e intenções, o governo o faria, e de uma maneira que desviaria o foco de seus erros.

A única esperança que eu tinha de reagir era me apresentar primeiro e me identificar. Eu daria à mídia os detalhes pessoais suficientes para satisfazer sua crescente curiosidade, além de uma nítida declaração de que não era eu o importante, e sim a subversão da democracia dos EUA. E então, eu desapareceria tão depressa quanto aparecera. Pelo menos esse era o plano.

Ewen e eu decidimos que ele escreveria uma matéria sobre minha carreira na CI, e Laura sugeriu fazer uma declaração em vídeo para sair com a reportagem no *The Guardian*. No vídeo, eu assumiria a responsabilidade direta e única como fonte da matéria sobre a vigilância global em massa. Mas, apesar de Laura ter filmado durante a semana toda (muitas tomadas fariam parte de seu documentário de longa-metragem *Citizenfour*), nós não tínhamos tempo para repassar tudo que ela havia filmado e procurar trechos em que eu falasse de forma coerente e fazendo contato visual. Então, ela propôs minha primeira declaração gravada, que começou a filmar ali mesmo; aquela que começa com "Meu nome é Ed Snowden. Tenho 29 anos de idade".

Olá, mundo.

Eu nunca me arrependi de abrir a cortina e revelar minha identidade, mas gostaria de tê-lo feito com uma dicção melhor e também um plano melhor para o que viria a seguir. Na verdade, eu não tinha plano nenhum. Não havia pensado muito na resposta à pergunta sobre o que fazer depois que o jogo acabasse, especialmente porque ganhar no fim era muito improvável. Só o que eu queria era divulgar os fatos ao mundo; descobri que ao colocar os documentos ao alcance do público, eu estava essencialmente me colocando a sua mercê. Nenhuma estratégia de saída poderia ser a única, porque fosse qual fosse o próximo passo que eu houvesse premeditado, correria o risco de enfraquecer as divulgações.

Se eu houvesse feito acordos prévios para ir a um país específico em busca de asilo, por exemplo, teria sido chamado de agente estrangeiro desse país. E se eu voltasse a meu país, o melhor que poderia esperar era ser preso ao desembarcar e acusado sob a Lei de Espionagem. Isso me daria direito a um show de julgamento, privado de defesa significativa, uma farsa na qual a discussão dos fatos mais importantes seria proibida.

O principal impedimento para a justiça era uma grande falha na lei; uma falha proposital, criada pelo governo. Alguém em minha posição nem sequer poderia argumentar no tribunal que as revelações feitas aos jornalistas eram benéficas para a sociedade. Mesmo agora, anos após o fato, eu não teria permissão para argumentar que as reportagens baseadas em minhas divulgações levaram o Congresso a mudar certas leis relativas à vigilância, ou convenceram os tribunais a derrubar certo programa de vigilância em massa por ser ilegal, ou influenciaram o procurador-geral e o presidente dos Estados Unidos a admitir que o debate sobre a vigilância em massa era crucial para o público, e que acabaria fortalecendo o país. Todas essas alegações seriam consideradas não apenas irrelevantes, como também inadmissíveis no tipo de processo que eu enfrentaria se voltasse para casa. A única coisa que meu governo teria que provar no tribunal era que eu divulgara informações confidenciais para jornalistas, fato indiscutível. É por isso que quem afirma que eu devo voltar aos Estados Unidos para ser julgado está essencialmente dizendo que tenho que voltar para ser condenado, e a sentença seria, assim como teria sido antes, certamente cruel. A pena pela divulgação de documentos ultrassecretos, seja para espiões estrangeiros ou jornalistas nacionais, é de até dez anos por documento.

A partir do momento em que o vídeo de Laura sobre mim foi postado no site do *The Guardian,* em 9 de junho, passei a ficar marcado. Havia um alvo em minhas costas. Eu sabia que as instituições que eu envergonhei não descansariam até que pusessem um saco em minha cabeça e algemassem meus membros. E até então – e talvez até depois disso –, eles acossariam meus entes queridos e depreciariam meu caráter, fuçando em todos os aspectos de minha vida e carreira em busca de informação (ou oportunidades de desinformação) com que me conspurcar. Eu já estava familiarizado com esse processo, tanto por ter lido exemplos confidenciais dentro da CI como por ter estudado os casos de outros denunciantes e vazadores. Eu conhecia as histórias de heróis como Daniel Ellsberg e Anthony Russo e os mais recentes oponentes do sigilo do governo, como Thomas Tamm, advogado do Gabinete de Política e Análise de Inteligência do Departamento de Justiça, que serviu de fonte para muitas matérias sobre escutas telefônicas sem ordem judicial em meados dos anos 2000. Havia também Drake, Binney, Wiebe e Loomis, os sucessores da era digital de Jerry Fellwock, que em 1971 revelaram à imprensa a existência da até então desconhecida NSA, o que fez que a Comissão Church no Senado (precursora da atual Senate Select Committee on Intelligence (Seleta Comissão de Inteligência do Senado) tentasse garantir que o escopo da agência se limitasse à coleta de informações estrangeiras, e não de sinais domésticos. E havia a soldado do Exército dos EUA Chelsea Manning, que pelo delito de expor os crimes de guerra dos Estados Unidos foi levada à corte marcial e condenada a 35 anos de prisão, dos quais cumpriu sete. A sentença só foi reduzida depois que surgiu um clamor internacional por conta do tratamento que ela recebeu durante o confinamento na solitária.

Todas essas pessoas, tendo sido presas ou não, encontraram algum tipo de reação, na maioria das vezes severa e derivada do mesmo abuso que eu havia acabado de ajudar a expor: vigilância. Se alguma vez expressaram raiva em uma comunicação privada, eram descontentes; se já haviam consultado um psiquiatra ou um psicólogo, ou apenas procurado livros sobre assuntos relacionados em uma biblioteca, eram mentalmente doentes; se haviam se embriagado uma vez, eram alcoólatras. Se haviam tido um caso extraconjugal, diziam que eram pervertidos sexuais. Não foram poucos que perderam suas casas e foram à falência. É mais fácil para uma instituição macular uma reputação que se comprometer substantivamente com uma dissidência de princípios – para a CI, é só uma questão de consultar os arquivos, amplificar as evidências disponíveis, e onde não existam evidências, simplesmente fabricá-las.

Tão certo como eu estava da indignação de meu governo, também estava certo do apoio de minha família e de Lindsay, que eu tinha certeza de que iria entender – talvez não perdoar, mas entender – o contexto de meu comportamento recente. Senti conforto ao recordar o amor deles; isso me ajudou a lidar com o fato de que não havia mais nada que eu pudesse fazer, mais nenhum plano. Eu só podia estender a crença que tinha em minha família e Lindsay e transformá-la na fé talvez idealista em meus concidadãos, na esperança de que uma vez que estivessem cientes do escopo completo da vigilância em massa dos EUA, se mobilizassem e clamassem por justiça. Eles teriam o poder de buscar justiça para si mesmos, e, consequentemente, meu destino seria decidido. Esse foi o último salto de fé, de certa forma: dificilmente eu poderia confiar em alguém, mas tive que confiar em todos.

Poucas horas depois do vídeo do *The Guardian*, um dos leitores regulares de Glenn em Hong Kong o procurou e se ofereceu para me pôr em contato com Robert Tibbo e Jonathan Man, dois advogados locais que se ofereceram para assumir meu caso. Foram eles os homens que me ajudaram a sair do Mira quando a imprensa por fim me localizou e cercou o hotel. Para efeitos de distração, Glenn saiu pela porta da frente, onde foi imediatamente cercado por câmeras e microfones. Enquanto isso, eu saí por uma das muitas outras saídas do Mira, que se conectavam a um shopping por meio de uma passarela.

Uma coisa de que eu gosto em Robert é que ser seu cliente é ser seu amigo para o resto da vida. Ele é um idealista, um cruzado, um incansável defensor das causas perdidas. Mas ainda mais impressionante que seu exercício da advocacia foi sua criatividade em encontrar casas seguras. Enquanto os jornalistas vasculhavam cada hotel 5 estrelas em Hong Kong, ele me levou a um dos bairros mais pobres da cidade e me apresentou a outros clientes seus, alguns dos quase 12 mil refugiados esquecidos em Hong Kong – sob pressão chinesa, a ilha mantinha uma taxa de aprovação de 1% para pedidos de residência permanente. Eu não citaria seus nomes, mas como eles corajosamente se identificaram na imprensa, vou citá-los: Vanessa Mae Bondalian Rodel, das Filipinas; Ajith Pushpakumara, Supun Thilina Kellapatha e Nadeeka Dilrukshi Nonis, do Sri Lanka.

Essas pessoas infalivelmente amáveis e generosas surgiram cheias de graça caridosa. A solidariedade que demonstraram não era política; era humana, e estarei para sempre em dívida para com eles. Para eles, não importava quem eu era, nem que perigos eles poderiam ter de enfrentar por me ajudar; só importava que havia uma pessoa necessitada. Eles sabiam muito bem o que significava ser forçado a fugir de uma ameaça mortal; sobreviveram a provações que iam muito além de qualquer coisa que eu já houvesse encarado, e tomara que nunca precise encarar: foram torturados pelos militares, estuprados, abusados sexualmente. Eles deixaram um estranho exausto entrar em suas casas, e quando viram meu rosto na TV, não hesitaram. Sorriram e aproveitaram a oportunidade para reafirmar sua hospitalidade.

Embora seus recursos fossem limitados – Supun, Nadeeka, Vanessa e duas menininhas moravam em um apartamento em ruínas, apertado, menor que meu quarto no Mira –, compartilhavam comigo tudo que tinham, e incansáveis, recusavam com tanta convicção minhas ofertas de reembolsá-los que eu tive de esconder dinheiro no quarto para fazê-los aceitar. Eles me alimentaram, deixaram que tomasse banho, que dormisse, e me protegeram. Eu nunca serei capaz de explicar o que significava receber tanto de quem tem tão pouco, ser aceito por eles sem julgamento enquanto eu ficava empoleirado nos cantos como um gato de rua tentando pegar o Wi-Fi de hotéis distantes com uma antena especial que encantava as crianças.

Suas boas-vindas e amizade foram um presente; para o mundo, a existência dessas pessoas é um presente. E por isso me dói que mesmo depois de tantos anos, os casos de Ajith, Supun, Nadeeka e sua filha ainda estejam pendentes. A admiração que sinto por essas pessoas só se compara ao ressentimento que sinto em relação aos burocratas de Hong Kong, que continuam a lhes negar a dignidade básica do asilo. Se pessoas tão decentes e altruístas como essas não são consideradas merecedoras da proteção do Estado, é porque o próprio Estado é indigno. Mas o que me dá esperança é que, assim que este livro foi para a gráfica, Vanessa e sua filha receberam asilo no Canadá. Aguardo ansiosamente o dia em que poderei visitar todos os meus velhos amigos de Hong Kong em suas novas casas, onde quer que estejam, para podermos fazer lembranças novas e mais felizes juntos, em liberdade.

Em 14 de junho, o governo dos EUA fez uma queixa secreta contra mim, sob a Lei de Espionagem, e em 21 de junho solicitou formalmente minha extradição. Eu sabia que era hora de partir. Também era meu 30º aniversário.

Assim que o Departamento de Estado dos EUA enviou sua solicitação, meus advogados receberam uma resposta para meu pedido de ajuda ao Alto Comissariado das Nações Unidas para os Refugiados: não havia nada que pudessem fazer por mim. O governo de Hong Kong, sob pressão chinesa ou não, resistia a qualquer esforço da ONU para me conceder proteção internacional em seu território e, além disso, afirmava que teria primeiro que analisar as reivindicações de meu país natal. Em outras palavras, Hong Kong estava me dizendo para ir para casa e tratar com a ONU da prisão. Eu não só estava sozinho, como também não era bem-vindo. Se eu fosse sair livremente, teria de ser imediatamente. Limpei bem meus 4 notebooks e destruí a chave criptográfica, o que significava que eu não conseguiria mais acessar nenhum documento, mesmo que fosse forçado a isso. Então, pus na mala as poucas roupas que eu tinha e parti. Não havia segurança para mim no Porto Perfumado.

27. MOSCOU

Para um país costeiro no extremo noroeste da América do Sul, a meio globo de distância de Hong Kong, o Equador está no meio de tudo: não é por acaso que seu nome é República do Equador. A maioria dos meus compatriotas estadunidenses diria corretamente que é um país pequeno, e alguns podem até saber que foi historicamente oprimido. Mas são ignorantes se acham que é tranquilo. Quando Rafael Correa se tornou presidente, em 2007, como parte de uma onda dos chamados líderes democráticos socialistas que varreram as eleições no final dos anos 1990 e início dos 2000 na Bolívia, Argentina, Brasil, Paraguai e Venezuela, ele deu início a uma série de políticas destinadas a se opor e a reverter os efeitos do imperialismo estadunidense na região. Uma dessas medidas, refletindo a experiência anterior do presidente Correa como economista, foi o anúncio de que o Equador consideraria sua dívida nacional ilegítima – tecnicamente, seria classificada como dívida odiosa, que é uma dívida nacional contraída por um regime despótico ou por políticas comerciais imperialistas despóticas. O pagamento de uma dívida odiosa não é compulsório. Com esse anúncio, Correa libertou seu povo de décadas de servidão econômica; mas fez muitos inimigos entre a classe de financistas que dirigem grande parte da política externa dos EUA.

O Equador, pelo menos em 2013, tinha uma crença arduamente conquistada na instituição do asilo político. Mais notoriamente, a embaixada equatoriana em Londres havia se tornado, sob Correa, o refúgio seguro e reduto de Julian Assange, do WikiLeaks. Eu não queria morar em uma embaixada, talvez porque já houvesse trabalhado em uma. Mas meus advogados de Hong Kong concordaram que, dadas as circunstâncias, o Equador parecia ser o país mais propenso a defender meu direito a asilo político, e o provavelmente menos intimidado pela pressão hegemônica que governava seu hemisfério. Minha equipe crescente, mas *ad hoc*, de advogados, jornalistas, tecnólogos e ativistas concordava. Minha esperança era conseguir chegar ao Equador propriamente dito.

Como meu governo decidira me processar sob a Lei de Espionagem, fui acusado de um crime político, ou seja, um crime cuja vítima é o próprio Estado, e não uma pessoa. Segundo o Direito Internacional Humanitário, os acusados assim geralmente estão isentos de extradição, porque a acusação de criminalidade política é, na maioria das vezes, uma tentativa autoritária de reprimir a dissidência legítima. Em tese, isso significa que os delatores do governo devem ser protegidos contra a extradição em quase todo o mundo. Na prática, claro, esse quase nunca é o caso, especialmente quando o governo que se percebe prejudicado é o dos Estados Unidos – que alega promover a democracia no exterior, mas mantém secretamente frotas de aeronaves privadas dedicadas àquela forma de extradição ilegal conhecida como rendição, ou, como todo mundo diz, sequestro.

A equipe que cuidava de meu caso entrou em contato com oficiais de todo lado, desde a Islândia até a Índia, perguntando se eles respeitariam a proibição de extradição de criminosos políticos, e se não interfeririam em minhas potenciais viagens. Logo ficou evidente que até mesmo as democracias mais avançadas tinham medo de incorrer na ira do governo dos EUA. Expressavam sua solidariedade, mas relutavam a oferecer garantias não oficiais. O denominador comum dos conselhos que recebi foi pousar apenas em países que não praticavam a extradição e evitar toda rota que cruzasse o espaço aéreo de qualquer país com um histórico de cooperação ou deferência para com os militares dos EUA. Uma autoridade da França sugeriu que as chances de um trânsito bem-sucedido poderiam aumentar significativamente se eu recebesse um *laissez-passer*, um documento de viagem unidirecional reconhecido pela ONU, normalmente emitido para garantir a passagem segura dos refugiados que cruzam as fronteiras. Mas conseguir um desses não era tão fácil assim.

Foi aí que entrou Sarah Harrison, jornalista e editora do WikiLeaks. Ela foi imediatamente para Hong Kong quando ouviu a notícia de que um estadunidense havia desmascarado um sistema global de vigilância em massa. Graças a sua experiência com o site e particularmente com o destino de Assange, ela estava pronta para me oferecer os melhores conselhos do mundo sobre asilo. Ajudou o fato de ela também ter conexões familiares com a comunidade jurídica de Hong Kong.

As pessoas sempre atribuíram motivos egoístas ao desejo de Assange de me ajudar, mas eu acredito que ele estava genuinamente interessado em uma coisa acima de tudo: ajudar-me a não ser capturado. O fato de isso irritar o governo dos Estados Unidos era apenas um bônus para ele, um benefício auxiliar, não o objetivo. É verdade que Assange às vezes era egoísta, vaidoso, mal-humorado e até ameaçador – depois de um grande desentendimento um mês depois de nossa primeira conversa por mensagem, nunca mais falei com ele –, mas ele também se considera sinceramente um lutador na histórica batalha pelo direito do público de saber – uma batalha que ele fará de tudo para vencer. É por essa razão que considero reducionista demais interpretar sua ajuda como um mero exemplo de intriga ou autopromoção. Creio que mais importante para ele foi a oportunidade de estabelecer um contraexemplo ao caso da fonte mais famosa do Exército dos EUA, a soldado raso Chelsea Manning, cuja sentença de 35 anos de prisão foi historicamente sem precedentes e um dissuasor monstruoso para delatores em todos os lugares. Embora eu nunca tenha sido, nem nunca seria, uma fonte para Assange, minha situação deu a ele uma chance de corrigir um erro. Não havia nada que ele pudesse ter feito para salvar Manning, mas, por meio de Sarah, Assange parecia determinado a fazer tudo que pudesse para me salvar.

Inicialmente, fiquei desconfiado do envolvimento de Sarah. Mas Laura me disse que ela era séria, competente, e o mais importante, independente: uma das poucas pessoas no WikiLeaks que ousava discordar abertamente de Assange. Apesar de minha cautela, eu estava em uma posição difícil, e como Hemingway escreveu certa vez, a única maneira de tornar as pessoas confiáveis é confiando nelas.

Laura me informou da presença de Sarah em Hong Kong apenas um dia antes de ela se comunicar comigo por um canal criptografado, o que aconteceu um ou dois dias antes de eu a conhecer pessoalmente – perdoe-me se eu estiver meio confuso em relação às datas: foi uma sucessão de dias frenéticos. Aparentemente, Sarah já havia aterrissado em Hong Kong como um turbilhão. Ela não era advogada, mas tinha profundo conhecimento sobre a área, o que chamarei de nuances interpessoais, ou suboficiais, de evitar a extradição. Ela se reuniu com advogados de direitos humanos de Hong Kong para buscar opiniões independentes, e eu fiquei profundamente impressionado com seu ritmo e com sua circunspecção. Suas conexões por meio do WikiLeaks e a extraordinária coragem do cônsul equatoriano de Londres, Fidel Narvaez, produziram em conjunto um *laissez-passer* em meu nome. Esse *laissez-passer*, que deveria me levar ao Equador, havia sido emitido pelo cônsul em caráter de emergência, uma vez que não tínhamos tempo para que o governo de seu país o aprovasse formalmente. No momento em que teve o documento em mãos, Sarah contratou uma van para nos levar ao aeroporto.

Foi assim que a conheci: em movimento. Gostaria de poder dizer que ofereci minha gratidão assim que nos conhecemos, mas a primeira coisa que eu disse foi:

"Quando foi a última vez que você dormiu?"

Sarah estava tão esfarrapada e desgrenhada quanto eu. Ela olhou pela janela, como se tentasse lembrar a resposta, mas apenas balançou a cabeça:

"Não sei."

Nós dois estávamos ficando gripados, e nossa conversa cautelosa era pontuada por espirros e tosse. Segundo Sarah, sua motivação para me apoiar era a lealdade para com sua consciência, e não exigências ideológicas de seu patrão. Sem dúvida, seus princípios pareciam menos influenciados pela oposição ferrenha de Assange ao poder central do que por sua própria convicção de que muito do que se passava por jornalismo contemporâneo servia aos interesses do governo, em vez de desafiá-los. Enquanto nos dirigíamos ao aeroporto, enquanto fazíamos o check-in, enquanto passávamos pelo controle de passaportes para o primeiro de 3 voos, fiquei esperando que ela me pedisse algo – qualquer coisa, nem que fosse só uma declaração sobre Assange, ou que citasse o nome de sua organização. Mas ela não pediu nada; só compartilhou de bom grado sua opinião de que eu era um tolo por acreditar que os conglomerados de mídia guardariam o portão entre o público e a verdade. Por esse exemplo de conversa direta, e por muitos outros, sempre admirei a honestidade de Sarah.

Estávamos viajando para Quito, no Equador, via Moscou, Havana e Caracas por uma simples razão: era a única rota segura disponível. Não havia voos diretos para Quito partindo de Hong Kong, e todos os outros voos com conexão passavam pelo espaço aéreo dos EUA. Eu estava preocupado com a enorme escala na Rússia – teríamos de esperar quase vinte horas para a partida do voo para Havana –, mas meu medo principal era, na verdade, a próxima etapa da viagem, porque ir da Rússia para Cuba significava passar pelo espaço aéreo da OTAN. Particularmente, não me agradava sobrevoar um país como a Polônia, que durante toda a minha vida havia feito de tudo para agradar o governo dos EUA, inclusive hospedando *Black Sites* da CIA, onde meus antigos colegas da CI haviam submetido prisioneiros a interrogatórios aprimorados – outro eufemismo da era Bush para "tortura".

Afundei o chapéu até cobrir os olhos para evitar ser reconhecido, e Sarah foi me guiando. Ela pegou meu braço e me levou até o portão, onde esperamos o embarque. Era o último momento que ela tinha para desistir.

"Você não precisa fazer isso", falei.

"Fazer o quê?"

"Proteger-me assim."

Sarah ficou rígida.

"Vamos esclarecer uma coisa", disse ela ao embarcarmos. "Eu não estou protegendo você. Ninguém pode protegê-lo. Eu estou aqui para dificultar que alguém interfira; para me certificar de que todos se comportem da melhor maneira possível."

"Então, você é minha testemunha", concluí.

Ela deu um leve sorriso irônico.

"Alguém tem de ser a última pessoa a ver você vivo. Pode muito bem ser eu."

Embora os 3 pontos onde eu achava que mais provavelmente seríamos parados já houvessem ficado para trás (check-in, controle de passaportes e portão de embarque), eu não me sentia seguro no avião. Não queria relaxar. Peguei a poltrona da janela e Sarah se sentou ao meu lado para me encobrir da visão dos passageiros da fileira ao lado. Depois de um tempo que pareceu uma eternidade, as portas da cabine foram fechadas, o *finger* foi afastado e por fim o avião começou a se mover. Mas, pouco antes de chegar à pista, parou bruscamente. Fiquei nervoso. Pressionando a aba de meu chapéu contra o vidro, esforcei-me para captar o som das sirenes ou o piscar de luzes azuis. Parecia que eu estava jogando o jogo da espera de novo – uma espera que não acabava. Até que, de repente, o avião começou a rodar de novo e virou, e percebi que estávamos já bem longe, na linha de decolagem.

Meu ânimo se elevou com as rodas, mas era difícil acreditar que já estivesse fora da linha de fogo. Uma vez no ar, soltei os dedos que apertavam minhas coxas e senti uma necessidade de tirar meu Cubo Mágico da sorte de dentro da mochila. Mas eu sabia que não podia, porque nada me tornaria mais visível. Então, eu me recostei, puxei o chapéu para baixo de novo e mantive os olhos semicerrados fixos no mapa que havia na tela do encosto da frente, rastreando a rota pixelizada pela China, Mongólia e

Rússia – nenhum dos quais estaria especialmente disposto a fazer favores ao Departamento de Estado dos EUA. Mesmo assim, não havia como prever o que o governo russo faria depois que desembarcássemos, além de nos arrastar para uma inspeção para que pudessem vasculhar meus notebooks limpos e a mochila vazia. O que me dava esperança de que nos pouparia de um tratamento mais invasivo era que o mundo inteiro estava de olho em nós, e os advogados – meus e do WikiLeaks – estavam cientes de nosso itinerário.

Só quando entramos no espaço aéreo chinês foi que percebi que não conseguiria descansar enquanto não perguntasse para Sarah com todas as letras:

"Por que você está me ajudando?"

Com voz neutra, como se tentasse conter suas emoções, ela disse que queria que eu tivesse um resultado melhor. Não disse qual resultado melhor, nem melhor que o de quem, e eu considerei sua resposta um sinal de discrição e respeito.

Senti-me seguro, pelo menos o suficiente para por fim dormir um pouco.

Nós pousamos em Sheremetievo no dia 23 de junho para uma escala de vinte horas, mas que já se arrasta há mais de seis anos. O exílio é uma escala sem fim.

Na CI, e na CIA em particular, recebemos bastante treinamento para não arrumar problemas na alfândega. Você tem de pensar em como se veste, em como age. Tem de pensar nas coisas que leva na bolsa e nos bolsos e no que elas dizem sobre você. Seu objetivo é ser a pessoa mais sem graça da fila, com o rosto mais perfeitamente esquecível. Mas nada disso adianta quando o nome que consta de seu passaporte está em todos os noticiários.

Eu entreguei minha cadernetinha azul ao sujeito mal-humorado na cabine de controle de passaportes, que o observou e vasculhou as páginas. Sarah estava atrás de mim. Eu havia prestado atenção no tempo que as pessoas a nossa frente levavam para ser liberadas, e nós estávamos demorando muito mais. Então, o sujeito pegou o telefone, resmungou algumas palavras em russo e quase imediatamente – muito depressa mesmo – dois seguranças engravatados se aproximaram. Já deviam estar à espera. O policial da frente pegou minha caderneta azul com o homem da cabine e se inclinou para perto de mim, dizendo:

"Há um problema com seu passaporte. Por favor, venha comigo."

Sarah imediatamente deu um passo à frente e falou rapidamente em inglês:

"Eu sou a assessora jurídica dele. Aonde quer que ele vá, eu vou. Segundo o..."

Mas, antes que ela pudesse citar os convênios relevantes da ONU e as convenções de Genebra, o oficial ergueu a mão e olhou para a fila. Disse:

"*Okay*, claro. Acompanhe-nos."

Não sei se o segurança entendeu o que ela disse; ou simplesmente não queria fazer uma cena.

Eu achei que nos levariam a uma sala especial para uma inspeção, mas os dois seguranças nos levaram depressa a um dos luxuosos *lounges* executivos de Sheremetievo – como uma área vip para a classe executiva ou primeira classe, onde havia apenas alguns passageiros visivelmente se regozijando em suas poltronas chiques. Conduzidos, Sarah e eu passamos por eles e por um corredor que levava a um tipo de sala de reuniões cheia de homens vestidos de cinza sentados ao redor de uma mesa. Eram meia dúzia, com corte de cabelo militar. Um estava sentado separadamente, com uma caneta na mão. Era quem tomava notas; uma espécie de secretário, imaginei. Havia uma pasta na sua frente que continha um bloco de papel. Na capa da pasta havia uma insígnia monocromática; eu não precisava saber russo para entender o que era: uma espada e um escudo, o símbolo do maior serviço de inteligência da Rússia, o Serviço de Segurança Federal (FSS). Como o FBI nos Estados Unidos, o FSS existe não apenas para espionar e investigar, mas também para fazer prisões.

Ao centro da mesa sentava-se um homem idoso, de terno mais elegante que o dos outros, e seu cabelo branco brilhava como um halo de autoridade. Com um movimento autoritário de mão e um sorriso que o distinguia como um experiente oficial de caso – ou seja lá qual for o termo equivalente em russo de CO –, indicou a Sarah e a mim que nos sentássemos diante dele. Os serviços de inteligência do mundo todos estão cheios desses atores que vão testando diversas emoções até obterem a resposta que desejam.

Ele limpou a garganta e, em um inglês decente, fez comigo o que a CIA chama de *cold pitch*, que é basicamente uma oferta de um serviço de inteligência estrangeiro que pode ser resumida como "venha trabalhar para nós". Em troca de cooperação, os estrangeiros oferecem favores, que podem ser qualquer coisa, desde maços de dinheiro até um vale-saída-da--cadeia, para praticamente qualquer coisa, desde fraude até assassinato. O problema, claro, é que os estrangeiros sempre esperam em troca algo de valor igual ou maior. Mas essa transação nunca começa de forma clara e inequívoca. Pensando bem, é engraçado que o termo seja formado pela palavra *cold* (frio), uma vez que a pessoa que faz isso sempre começa calorosa, com sorrisos, leveza e palavras solidárias.

Eu sabia que tinha que o interromper. Se você não interromper imediatamente um agente de inteligência estrangeiro, não faz diferença se recusa a oferta, porque ele pode destruir sua reputação simplesmente vazando uma gravação que mostra você avaliando a proposta. Portanto, enquanto o homem se desculpava por nos incomodar, imaginei dispositivos ocultos nos gravando e tentei escolher as palavras com cuidado:

"Veja, eu entendo quem você é e o que significa isto", falei. "Por favor, deixe-me ser claro: não tenho intenção de cooperar com vocês. Não vou cooperar com nenhum serviço de inteligência. Não tenho a intenção de parecer desrespeitoso, mas esta não será esse tipo de reunião. Se quiser revistar minha bolsa, aqui está", e apontei para ela debaixo de minha cadeira. "Mas garanto que não há nada que o possa ajudar."

Enquanto eu falava, o rosto do homem foi mudando. Ele se fez de magoado.

"Não, nós nunca faríamos isso", disse ele. "Por favor, acredite, só queremos ajudá-lo."

Sarah limpou a garganta e interveio:

"É muito gentil de sua parte, mas espero que entenda que só o que queremos é pegar nosso voo de conexão."

Por um breve instante, a mágoa fingida do homem se tornou irritação.

"Você é advogada dele?"

"Sou sua assessora jurídica", respondeu Sarah.

O homem perguntou a mim:

"Então, você não pretende ficar na Rússia?"

"Não."

"E posso perguntar aonde está tentando ir? Qual é seu destino final?"

"Quito, Equador. Via Caracas, via Havana", respondi, mesmo sabendo que ele já sabia a resposta.

Ele certamente tinha uma cópia de nosso itinerário, uma vez que Sarah e eu havíamos viajado de Hong Kong pela Aeroflot, a companhia aérea russa.

Até esse momento, eu e ele estávamos seguindo o mesmo roteiro de inteligência; mas, então, a conversa mudou de rumo.

"Você não ouviu dizer?", disse ele, levantando-se e olhando para mim como se estivesse me dando a notícia da morte de um parente meu. "Receio informar que seu passaporte não é válido."

Fiquei tão surpreso que gaguejei.

"Lamento, mas não acredito nisso."

O homem se inclinou sobre a mesa e disse:

"Não, é verdade. Pode acreditar. Foi uma decisão de seu ministro John Kerry. Seu passaporte foi cancelado por seu governo e os serviços aéreos foram instruídos a não permitir que você viaje."

Eu tinha certeza de que era um truque, mas não sabia com qual propósito.

"Dê-nos um minuto", pedi.

Mas antes mesmo que eu pudesse perguntar algo, Sarah tirou o notebook da bolsa e entrou no Wi-Fi do aeroporto.

"Claro, você vai verificar", disse o homem, e se voltou para seus colegas conversando amigavelmente com eles em russo, como se tivesse todo o tempo do mundo.

Estava em todos os sites que Sarah consultou; após a notícia de que eu havia deixado Hong Kong, o Departamento de Estado dos EUA anunciara o cancelamento de meu passaporte. Havia revogado meu documento enquanto eu estava no ar.

Eu não podia acreditar: meu próprio governo havia me prendido na Rússia. Esse movimento do Departamento de Estado podia ter sido apenas o resultado de um procedimento burocrático – quando se está tentando pegar um fugitivo, alertar a Interpol e cancelar o passaporte é um procedimento operacional padrão. Mas, no fim das contas, era uma autoderrota, pois os EUA estavam entregando à Rússia uma enorme propaganda vitoriosa.

"É verdade", disse Sarah, sacudindo a cabeça.

"Então, o que você vai fazer?", perguntou o homem, dando a volta na mesa e se colocando ao nosso lado.

Antes que eu pudesse tirar o salvo-conduto equatoriano do bolso, Sarah disse:

"Lamento, mas terei de aconselhar Mr. Snowden a não responder a mais nenhuma pergunta."

O homem apontou para mim e disse:

"Venha comigo."

Fez um gesto para que eu o seguisse até o final da sala, onde havia uma janela. Fui e parei ao lado dele, olhado para fora. Cerca de 3 ou 4 andares abaixo, ficava a rua, onde estava o maior aglomerado de mídia que eu já havia visto, um monte de repórteres empunhando câmeras e microfones.

Era um espetáculo impressionante, talvez coreografado pelo FSS, talvez não; provavelmente meio a meio. Quase tudo na Rússia é meio a meio. Mas, pelo menos, eu soube por que Sarah e eu havíamos sido levados a essa sala.

Voltei a minha cadeira, mas não me sentei.

O homem à janela se voltou para me encarar e disse:

"A vida de uma pessoa em sua situação pode ser muito difícil sem amigos para ajudar."

Ele deixou as palavras se prolongarem no ar.

Lá vem a solicitação direta, pensei.

"Haveria alguma informação, talvez, algo pequeno que você possa compartilhar conosco?", disse.

"Vamos nos virar sozinhos", falei.

Sarah se levantou.

O homem suspirou. Voltou-se, murmurou algo em russo, e seus companheiros se levantaram e saíram.

"Espero que não se arrependa de sua decisão", disse, olhando para mim.

Então, fez uma leve reverência e saiu, momento em que dois funcionários da administração do aeroporto entraram.

Exigi que me deixassem ir até o portão de embarque para Havana, mas eles me ignoraram. Por fim, enfiei a mão no bolso e brandi o salvo-conduto equatoriano, mas também ignoraram.

Enfim, ficamos presos no aeroporto durante quarenta bíblicos dias e noites. No decorrer desses dias, pedi asilo político a um total de 27 países. Mas nenhum estava disposto a resistir à pressão estadunidense; alguns países recusaram e outros declararam que não podiam sequer analisar meu pedido enquanto eu não chegasse a seu território – coisa que era impossível. Por fim, o único chefe de Estado que se mostrou solidário a minha causa foi o Burger King, que nunca me negou um Whopper (sem tomate e cebola).

Logo minha presença no aeroporto se tornou um espetáculo global. Os russos acabaram achando isso um incômodo. Em 1º de julho, depois de participar do Fórum de Países Exportadores de Gás, o presidente da Bolívia, Evo Morales, partiu de outro aeroporto de Moscou, Vnukovo, em seu avião estatal boliviano. O governo dos EUA, suspeitando que eu estava a bordo por conta de expressões de solidariedade de Morales, pressionou os governos da Itália, da França, da Espanha e de Portugal a impedir que o avião acessasse seu espaço aéreo, e conseguiu desviá-lo para Viena, na Áustria. Ele ficou retido lá, foi revistado, e só pôde seguir viagem depois que não encontraram nenhum vestígio de mim. Isso foi uma alarmante violação de soberania, que provocou a censura da ONU. O incidente foi uma afronta à Rússia, que não foi capaz de garantir a passagem segura de um chefe de Estado visitante de volta para casa. E confirmou para a Rússia e para mim que qualquer voo que os EUA suspeitassem que estava me abrigando correria o mesmo risco de ser desviado e retido.

O governo russo deve ter achado que aquilo teria sido melhor sem mim e o sem enxame da mídia entupindo o maior aeroporto do país. No dia 1º de agosto, concedeu-me asilo temporário. Sarah e eu fomos autorizados a deixar Sheremetievo, mas, mais tarde, só um de nós voltou para casa. O tempo que passamos juntos serviu para nos unir como amigos pelo resto da vida. Eu sempre serei grato pelas semanas que ela passou ao meu lado, por sua integridade e coragem.

28. DOS DIÁRIOS DE LINDSAY MILLS

Eu estava muito longe de casa, e meus pensamentos eram consumidos por Lindsay. Tenho sido cauteloso para contar sua história – o que aconteceu com ela uma vez que eu parti: os interrogatórios do FBI, a vigilância, a atenção da imprensa, o assédio on-line, a confusão e a mágoa, a raiva e a tristeza. Por fim, percebi que a própria Lindsay deveria relatar esse período. Ninguém mais viveu a experiência e, mais que isso, ninguém mais tem o direito. Por sorte, Lindsay mantinha um diário desde a adolescência, onde registrava sua vida e esboçava sua arte. E ela gentilmente me deixou incluir algumas páginas aqui. Nas entradas a seguir, todos os nomes foram alterados (exceto os da família), alguns erros de digitação foram corrigidos e algumas frases foram reformuladas. Fora isso, tudo aconteceu assim desde o momento em que saí do Havaí.

22 de maio de 2013
Parei no K-Mart para comprar um *lei*,* para tentar dar as boas-vindas a Wendy com um espírito de *aloha*; mas estou puta da vida. Ed passou semanas planejando a visita de sua mãe; foi ele que a convidou. Achei que ele estaria em casa quando eu acordasse hoje. Na viagem do aeroporto a Waipahu, Wendy estava preocupada. Ela não está acostumada a ver o

---
* Colar de flores havaiano. (N.T.)

filho ter que viajar de uma hora para outra. Tentei lhe dizer que isso é normal. Mas era normal quando morávamos no exterior, não no Havaí, e não me lembro de nenhuma outra vez que Ed tenha viajado sem manter contato. Fomos comer em um lugar legal para nos distrairmos e Wendy comentou que achava que Ed estava de licença médica. Não fazia sentido para ela que ele fosse chamado para trabalhar estando de licença médica. Assim que chegamos a casa, Wendy foi para a cama. Chequei meu celular e vi que tinha 3 chamadas perdidas de um número desconhecido e outra de um número internacional longo, mas nenhuma mensagem de voz. Pesquisei o longo número estrangeiro. Ed deve estar em Hong Kong.

24 de maio de 2013
Wendy ficou em casa sozinha o dia todo, com os pensamentos girando em círculos em seu cérebro. Fico chateada por ela, e só consigo me consolar pensando em como Ed se viraria se tivesse de entreter minha mãe sozinho. Durante o jantar, Wendy ficou me perguntando sobre a saúde de Ed, o que, em minha opinião, é compreensível, dado seu próprio histórico de epilepsia. Ela disse que tem medo de que ele tenha tido outro ataque, e então, começou a chorar; e eu comecei a chorar também. Só então percebi que estou preocupada também. Mas em vez de epilepsia, estou pensando: e se ele estiver tendo um caso? Quem é ela? Estou tentando encarar essa visita e me divertir. Ir até a Ilha do Havaí ver o Kilauea, o vulcão, conforme o planejado. Quando Wendy for embora, vou reavaliar as coisas.

3 de junho de 2013
Levei Wendy ao aeroporto para voltar a Maryland. Ela não queria voltar, mas precisa trabalhar. Eu a levei até onde pude e a abracei. Não queria soltá-la. Então, ela pegou a fila para passar pela segurança. Cheguei a casa e descobri que o status de Ed no Skype havia mudado para: "Desculpe, mas eu tinha de fazer isso". Não sei quando ele mudou. Pode ter sido hoje, pode ter sido mês passado. Acabei de olhar o Skype e percebi, e sou louca o suficiente para pensar que ele está me mandando uma mensagem.

7 de junho de 2013
Acordei com um telefonema de uma agente especial da NSA, Megan Smith, pedindo que eu ligasse de volta para falar sobre Ed. Ainda estou mal, com febre. Tive de deixar o carro na oficina, e Tod me deu uma carona de volta em sua Ducati. Quando chegamos a minha rua, vi um veículo branco oficial na entrada da garagem e agentes do governo conversando

com nossos vizinhos. Eu nem conheço os vizinhos. Não sei por que, mas meu primeiro impulso foi dizer a Tod para seguir reto. Abaixei a cabeça para fingir que estava procurando algo na bolsa. Fomos ao Starbucks, onde Tod apontou em um jornal algo sobre a NSA. Tentei ler as manchetes, mas minha paranoia estava me enlouquecendo. Era por isso que a SUV branca estava à minha porta? Era a mesma SUV que estava no estacionamento do Starbucks? Eu deveria estar escrevendo essas coisas? Fui para casa de novo, e a SUV havia ido embora. Tomei uns remédios e me dei conta de que não havia comido. No meio do almoço, uns policiais apareceram na janela da cozinha. Eu os ouvi dizer no rádio que havia alguém dentro da residência. Esse alguém a quem eles se referiam era eu. Abri a porta da frente para dois agentes e um oficial da HPD.* Eram assustadores. O policial da HPD vasculhou a casa enquanto a agente Smith me perguntava sobre Ed, que deveria ter voltado ao trabalho dia *31* de maio. O oficial da HPD disse que era suspeito quando um local de trabalho relata o desaparecimento de alguém antes de seu cônjuge ou sua namorada. Ele me olhava como se eu houvesse matado Ed. Estava vasculhando a casa em busca de seu corpo. A agente Smith perguntou se podia ver todos os computadores da casa, e fiquei com raiva. Respondi que arranjasse um mandado. Eles saíram de casa, mas acamparam na esquina.

San Diego, 8 de junho de 2013
Tive medo que a TSA não me deixasse sair da ilha. No aeroporto, as TVs estavam cheias de notícias sobre a NSA. Já a bordo do avião, mandei um e-mail à agente Smith e ao detetive de pessoas desaparecidas da HPD dizendo que minha avó ia fazer uma cirurgia cardíaca, e que isso exigia que eu ficasse fora da ilha durante algumas semanas. A cirurgia está programada só para o fim do mês, e na Flórida, não em San Diego, mas essa era a única desculpa em que eu pude pensar para chegar ao continente. Era melhor que dizer que eu só precisava estar com minha melhor amiga, Sandra, e também que era aniversário dela. Quando as rodas deixaram o solo, caí em um momentâneo coma de alívio. Quando cheguei, estava com uma febre violenta. Sandra foi me buscar. Eu não lhe contei nada porque minha paranoia estava fora de controle, mas ela sabia que algo estava acontecendo, que eu não estava indo vê-la só por causa de seu aniversário. Ela me perguntou se Ed e eu havíamos terminado. Eu respondi que talvez.

---

* Departamento de Polícia do Havaí. (N. A.)

9 de junho de 2013
Recebi um telefonema de Tiffany. Ela perguntou como eu estava e disse que estava preocupada comigo. Não entendi. Ela ficou quieta. Então, ela perguntou se eu havia visto os noticiários. Disse que Ed havia feito um vídeo que estava na página inicial do The Huffington Post. Sandra conectou seu notebook à TV de tela plana. Esperei calmamente que o vídeo de doze minutos do YouTube carregasse. E então, lá estava ele. Real. Vivo. Fiquei chocada. Ele estava magro, mas parecia seu eu de sempre. O velho Ed, confiante e forte. Como ele era antes desse último ano difícil. Esse era o homem que eu amava, não o fantasma frio e distante com quem eu estava morando nos últimos tempos. Sandra me abraçou e eu não sabia o que dizer. Ficamos em silêncio. Fomos de carro até o churrasco de aniversário dela, na casa de seus primos, naquela bela colina ao sul da cidade, bem na fronteira mexicana. Um lugar lindo, mas eu não podia ver quase nada. Eu estava entrando em colapso; não sabia nem como começar a analisar a situação. Chegamos e fomos recebidas por rostos amigos que não tinham ideia do que eu estava passando por dentro. Ed, o que você fez? E agora? Eu mal ouvia toda aquela conversa fiada da festa. Meu telefone estava explodindo de ligações e mensagens. Papai. Mamãe. Wendy. Voltei do churrasco para San Diego dirigindo o Durango do primo de Sandra, pois minha amiga precisa dele esta semana para fazer a mudança. No caminho, uma SUV preta oficial nos seguiu, e um carro da polícia rebocou o carro de Sandra, no qual havíamos ido para o churrasco. Continuei dirigindo o Durango, esperando saber para onde estava indo, porque meu celular estava morto por causa de tantas ligações.

10 de junho de 2013
Eu sabia que Eileen* era importante na política local, mas não sabia que também era uma maldita gângster. Ela está cuidando de tudo. Enquanto esperávamos que seus contatos recomendassem um advogado, recebi uma ligação do FBI. Era um agente chamado Chuck Landowski, que me perguntou o que eu estava fazendo em San Diego. Eileen mandou eu desligar. Ele ligou de novo e eu atendi, embora Eileen tenha dito para eu não atender. O agente Chuck disse que não queria aparecer ali na casa sem avisar, por isso estava ligando "por cortesia", para nos dizer que os agentes estavam chegando. Eileen parecia ligada no 220. Ela é durona, é incrível. Mandou eu deixar meu celular na casa, pegamos o carro dela e

---

* Mãe de Sandra. (N. A.)

saímos para pensar. Eileen recebeu uma mensagem de uma amiga dela recomendando um advogado, um sujeito chamado Jerry Farber, e ela me entregou seu celular e me fez ligar para ele. Uma secretária atendeu; eu disse que meu nome era Lindsay Mills e que era namorada de Edward Snowden e precisava de um advogado. A secretária disse "Oh, vou transferir você agora mesmo". Foi engraçado ouvir o reconhecimento em sua voz.

Jerry atendeu e perguntou como poderia me ajudar. Falei sobre as ligações do FBI e ele pediu o nome do agente, para poder falar com os federais. Enquanto esperávamos o retorno de Jerry, Eileen sugeriu que comprássemos telefones descartáveis, um para usar com a família e os amigos, e outro para usar com Jerry. Depois dos telefones, Eileen perguntou em que banco eu tinha conta. Fomos de carro até a agência mais próxima e ela me fez tirar todo meu dinheiro imediatamente, para o caso de os federais congelarem minhas contas. Tirei todas as economias de minha vida, divididas entre cheques administrativos e dinheiro. Eileen insistiu para que eu dividisse o dinheiro assim, e eu só segui suas instruções. O gerente do banco me perguntou para que eu precisava de todo esse dinheiro, e eu disse: "Para viver". Na verdade, eu queria dizer "Cale a boca!", mas achei que, se fosse educada, ele não acharia estranho. Eu estava com medo de que as pessoas me reconhecessem, pois meu rosto estava aparecendo ao lado de Ed nos noticiários. Quando saímos do banco, perguntei a Eileen como ela havia se tornado uma especialista no que fazer quando se está com problemas. Ela respondeu, muito tranquila: "Como mulher, você aprende essas coisas. Tipo, você sempre tira o dinheiro do banco quando vai se divorciar". Compramos comida vietnamita e voltamos para a casa de Eileen; comemos no chão, sentadas no corredor do andar de cima. Eileen e Sandra ligaram os secadores de cabelo para fazer barulho e conversaram em sussurros, para evitar que fôssemos ouvidas.

Jerry, o advogado, ligou e disse que precisávamos nos encontrar com o FBI hoje. Eileen me levou ao escritório dele; no caminho, percebeu que estávamos sendo seguidas. Não fazia sentido; estávamos indo falar com os federais, mas eles também estavam atrás de nós, em duas SUVs e um Honda Accord sem placas. Eileen achou que talvez eles não fossem do FBI. Achou que talvez fossem de outra agência, ou até mesmo um governo estrangeiro, tentando me sequestrar. Começou a dirigir depressa e erraticamente, tentando despistá-los, mas, cada vez que chegávamos a um semáforo, ele ficava vermelho. Eu disse que ela estava maluca, que tinha que desacelerar. Havia um agente à paisana na porta do prédio de Jerry; dava para ver isso em seu rosto. Pegamos o elevador e, quando a porta se abriu, 3 homens nos esperavam: 2 eram agentes, o outro era Jerry. Ele foi o único que trocou um aperto de mãos comigo. Jerry disse a Eileen que ela não poderia entrar na sala, que ligaria quando terminássemos.

Eileen insistiu em esperar. Ela se sentou no saguão com o semblante de quem está pronta para esperar um milhão de anos. A caminho da sala de reuniões, Jerry me chamou de lado e disse que havia negociado imunidade limitada; eu disse que isso não tinha sentido, e ele não discordou. Ele disse para eu não mentir e que, quando eu não soubesse o que dizer, deveria dizer "Não sei" e deixá-lo falar. O agente Mike tinha um sorriso meio gentil demais, ao passo que o agente Leland ficava olhando para mim como se eu fosse uma cobaia e ele estivesse estudando minhas reações. Ambos me assustaram. Começaram com perguntas sobre mim, tão básicas que era como se estivessem tentando me mostrar que já sabiam tudo a meu respeito. Claro que sabiam. É o que Ed sempre diz: o governo sempre sabe de tudo.

Fizeram-me falar sobre os últimos dois meses, duas vezes, e então, quando acabei a linha do tempo, o agente Mike me pediu para começar tudo de novo, desde o começo. Eu perguntei: "Começo de quê?"; ele disse: "Conte-me como vocês se conheceram".

11 de junho de 2013
Saí do interrogatório exausta, tarde da noite, sabendo que teria mais dias de interrogatórios pela frente. Eles não disseram quantos, exatamente. Eu e Eileen fomos encontrar Sandra para jantarmos em algum lugar, e ao deixar o centro da cidade, notamos que ainda estávamos sendo seguidas. Eileen tentou despistá-los acelerando e cometendo infrações de novo, mas eu implorei para ela parar. Eu achava que ela dirigir assim só me faria parecer pior, suspeita. Mas Eileen é uma mamãe ursa teimosa. No estacionamento do restaurante, Eileen bateu na janela dos veículos de vigilância e gritou que eu estava cooperando e que não havia motivo para eles me seguirem. Foi meio constrangedor, como quando uma mãe defende o filho na escola, mas eu fiquei especialmente impressionada. É preciso ter coragem para ir até o carro de agentes federais e gritar com eles. Sandra estava sentada a uma mesa nos fundos; nós fizemos os pedidos e conversamos sobre a exposição na mídia. Eu estava em todos os noticiários.

Na metade do jantar, dois homens se aproximaram de nossa mesa. Um sujeito alto com boné de beisebol e suspensórios, e seu parceiro, vestido como se estivesse indo para a balada. O sujeito alto se identificou como agente Chuck, o que havia me ligado antes. Pediu para falar comigo sobre a conduta na direção quando acabássemos de comer. No momento em que ele disse isso, decidi que já havíamos acabado. Os agentes estavam na frente do restaurante. O agente Chuck me mostrou seu distintivo e disse que seu principal objetivo era me proteger. Disse que poderia haver ameaças contra minha vida. Deu um tapinha na jaqueta e disse que se houvesse algum perigo, ele daria conta, porque era da equipe armada. Foi uma postura muito machista, ou uma tentativa de me fazer confiar nele, colocando-me em uma posição vulnerável. Ele disse que eu seria vigiada/seguida pelo FBI 24 horas por dia, sete dias por semana, no futuro previsível, e que a maneira imprudente de Eileen dirigir não seria tolerada. Disse que os agentes nunca devem falar com seus suspeitos, mas que ele achara que, dadas as circunstâncias, tinha de levar a equipe nessa direção, para a segurança de todos. Ele me entregou um cartão de visitas com seus contatos e disse que ficaria estacionado a noite toda em frente à casa de Eileen, para eu ligar se precisasse dele, ou de alguma coisa, por qualquer motivo. Ele disse que eu era livre para ir aonde quisesse (*sem dúvida*, pensei), mas que sempre que planejasse ir a algum lugar, deveria lhe mandar uma mensagem. Ele disse: "Uma comunicação aberta tornará tudo mais fácil". E disse: "Se você nos avisar, será muito mais seguro, eu garanto".

16 de junho de 2013–18 de junho 2013
Não escrevo há dias. Estou com tanta raiva que tenho que respirar fundo e descobrir de quem e de que exatamente, porque é tudo muito confuso. Malditos federais! Interrogatórios exaustivos, em que me tratam como se eu fosse culpada, e me seguem a todos os lugares; mas, o pior é que eles quebraram minha rotina. Normalmente, eu ia para a floresta e fotografava ou escrevia, mas agora tenho espectadores, uma equipe de vigilância, aonde quer que eu vá. É como se tirassem minha energia, meu tempo e meu desejo de escrever, como se eles houvessem tirado o último pouquinho de privacidade que eu tinha. Preciso relembrar tudo que aconteceu. Primeiro, eles me mandaram levar meu notebook e copiaram o HD. Devem ter colocado um monte de *bugs* também. Eles tinham todos os meus e-mails e bate-papos impressos, e ficavam lendo as coisas que escrevi para Ed, e as coisas que ele escreveu para mim, e exigindo que eu as explicasse. O FBI acha que tudo é um código. Com certeza, assim, no vácuo, as mensagens de qualquer um parecem estranhas. Mas é assim que as pessoas que estão juntas há oito anos se comunicam! Parece que eles nunca tiveram um relacionamento! Eles faziam perguntas para tentar

me exaurir emocionalmente, para que, quando voltássemos à linha do tempo, minhas respostas mudassem. Eles não aceitam que eu não sei de nada. Enfim, ficamos voltando à linha do tempo, dessa vez com transcrições de todos os meus e-mails e bate-papos e minha agenda on-line, tudo impresso diante de nós. Eu esperava que esses homens do governo entendessem que Ed sempre foi reservado em relação a seu trabalho, e que eu tive que aceitar esse sigilo para ficar com ele; mas eles não entendem. Eles se recusam a entender. Depois de um tempo, acabei chorando, e a sessão terminou antes. Os agentes Mike e Leland se ofereceram para me dar uma carona para a casa de Eileen, e antes de eu ir embora, Jerry me chamou de lado e disse que o FBI parecia compreensivo. "Eles parecem gostar de você, especialmente Mike". Mas ele me disse para ter cuidado e não ser muito casual na volta para casa. "Não responda a nenhuma pergunta deles". Assim que partimos, Mike disse: "Tenho certeza de que Jerry lhe disse para não responder a nenhuma pergunta minha, mas eu só tenho duas. Ele me disse que havia uma aposta no escritório do FBI em San Diego. Aparentemente, os agentes haviam apostado quanto tempo levaria para a mídia descobrir minha localização. O vencedor ganharia um martíni. Mais tarde, Sandra disse que tinha suas dúvidas. "Conhecendo os homens", disse, "com certeza a aposta é sobre outra coisa".

19 de junho de 2013–20 de junho de 2013
Enquanto o resto do país está lidando com o fato de sua privacidade estar sendo violada, a minha era tirada de mim em um nível totalmente novo. Ambas as coisas graças a Ed. Odeio ter de mandar a Chuck atualizações de movimento, e me odeio por não ter coragem de não as mandar. O pior foi quando, uma noite, eu mandei a atualização de movimento; estava saindo para me encontrar com Sandra. Só que me perdi no caminho, e não queria parar e pedir ajuda aos agentes que me seguiam. Então, fiquei dirigindo em círculos. Comecei a pensar que talvez eles houvessem grampeado o carro de Eileen, de modo que comecei a falar em voz alta no carro, achando que talvez eles pudessem me ouvir. Eu não estava falando, estava praguejando contra eles. Eu tive que pagar Jerry e depois só conseguia pensar em quanto dinheiro de impostos estava sendo desperdiçado para ficar me seguindo até o escritório de meu advogado e a academia. Depois dos dois primeiros dias de reuniões, acabaram as únicas roupas decentes que eu tinha, então fui à Macy's. Os agentes me seguiram por todo o departamento feminino. Fiquei me perguntando se eles entrariam no provador também e me diriam: "Essa ficou boa, essa não, verde não combina com você". Na entrada do provador,

havia uma TV sintonizada no noticiário, e eu fiquei paralisada quando o locutor disse "a namorada de Edward Snowden". Saí do provador e parei em frente à TV. Fiquei vendo minhas fotos passando. Peguei meu celular e cometi o erro de pesquisar meu nome. Muitos comentários me rotulando de *stripper* ou prostituta. Eu não sou nada disso. Assim como os federais, as pessoas já haviam decidido quem eu era.

22 de junho de 2013–24 de junho de 2013
Os interrogatórios acabaram, por ora. Mas ainda estou sendo seguida. Saí de casa, feliz por poder voltar ao ar no estúdio de tecido acrobático. Cheguei ao estúdio, mas não consegui encontrar vaga na rua; mas meus acompanhantes conseguiram. Eles tiveram de sair da vaga quando eu continuei rodando, então, voltei e roubei o lugar deles. Falei com Wendy por telefone; nós duas dissemos que por mais que Ed houvesse nos magoado muito, ele havia feito a coisa certa ao tentar garantir que, quando ele partisse, estivéssemos juntas. Foi por isso que ele a convidou a ir a nossa casa e insistiu tanto nisso. Ele queria que estivéssemos juntas no Havaí quando ele fosse a público, para que pudéssemos ter a companhia uma da outra e nos dar força e conforto. É muito difícil ficar com raiva de alguém que você ama. E é ainda mais difícil ficar com raiva de alguém que você ama e respeita por ter feito a coisa certa. Wendy e eu choramos e depois ficamos em silêncio. Acho que nós tivemos o mesmo pensamento ao mesmo tempo: como podemos falar como pessoas normais se estão ouvindo todas as nossas ligações?

25 de junho de 2013
De Los Angeles para Honolulu. Peruca ruiva para ir ao aeroporto, para passar pela segurança e durante o voo todo. Sandra foi junto. Almoçamos uma comida nojenta antes do voo, na praça de alimentação. Mais TVs sintonizadas na CNN, ainda mostrando Ed, e ainda surreal – o que é o novo real para todos, acho. Recebi uma mensagem do agente Mike dizendo que eu e Sandra o encontraríamos no portão 73. Sério? Ele veio de San Diego para Los Angeles? O portão 73 estava isolado com fita amarela e vazio. Mike estava sentado esperando por nós em uma das fileiras de cadeiras. Cruzou as pernas para mostrar que tinha uma pistola no tornozelo. Mais uma maldita intimidação machista. Ele estava com a papelada para eu assinar para que o FBI liberasse as chaves do carro de Ed para mim no Havaí. Disse que dois agentes nos esperariam em Honolulu com as chaves. Outros agentes estariam conosco no voo. Ele pediu desculpas por não ir pessoalmente. Que nojo!

29 de junho de 2013
Dias encaixotando a casa toda, com apenas pequenas interrupções do FBI e mais formulários para eu assinar. É uma tortura olhar tudo; encontrar todas essas pequenas coisas que me fazem lembrar dele. Pareço uma louca, limpando e depois olhando para o lado dele da cama. Mas o mais frequente é eu encontrar o que está faltando; o que o FBI levou. Tecnologia, sim, mas também livros. O que eles deixaram para trás foram pegadas, marcas nas paredes e poeira.

30 de junho de 2013
Bazar no jardim em Waipahu. Três homens responderam ao anúncio de Sandra: "A melhor oferta leva tudo". Foram vasculhar a vida de Ed; seu piano, guitarra, anilhas. Tudo com que eu não suportaria viver, ou que não poderia mandar para o continente por falta de recursos. Os homens encheram uma picape com o máximo que puderam e voltaram para uma segunda rodada. Para minha surpresa, e acho que para surpresa de Sandra também, não fiquei muito incomodada ao vê-los vasculhando as coisas. Mas, quando eles foram embora, da segunda vez, senti falta de tudo.

2 de julho de 2013
Tudo foi enviado hoje, exceto os futons e o sofá, que vou abandonar. Tudo que restou das coisas de Ed depois que o FBI invadiu a casa coube em uma caixa de papelão pequena. Algumas fotos e suas roupas, muitas meias sem par. Nada que pudesse ser usado como prova no tribunal, somente evidências de nossa vida juntos. Sandra levou fluido de isqueiro e a lixeira de metal ao pátio coberto. Joguei ali todas as coisas de Ed, as fotos e as roupas, acendi um fósforo e o larguei dentro. Sandra e eu ficamos sentadas enquanto tudo queimava e a fumaça subia para o céu. O brilho e a fumaça me fizeram lembrar da viagem que fiz com Wendy até o Kilauea, o vulcão na Ilha do Havaí. Isso foi há pouco mais de um mês, mas parece que se passaram anos. Como poderíamos saber que nossa vida estava prestes a entrar em erupção? Que o vulcão Ed destruiria tudo? Mas eu me lembro do guia no Kilauea dizendo que os vulcões são destrutivos só no curto prazo. No longo prazo, eles movem o mundo. Criam ilhas, esfriam o planeta e enriquecem o solo. Sua lava flui descontrolada e depois esfria e endurece. As cinzas que lançam no ar se espalham em forma de minerais, que fertilizam a terra e fazem a nova vida crescer.

29. AMOR E EXÍLIO

Se em algum ponto de sua jornada neste livro você se deteve em um termo que queria esclarecer ou investigar mais, e o digitou em um mecanismo de busca – e se esse termo foi suspeito, tipo XKEYSCORE, por exemplo –, parabéns: você está no sistema, vítima de sua curiosidade.

Mas, mesmo que você não tenha pesquisado nada na internet, não demoraria muito para que um governo interessado descobrisse que você está lendo este livro. No mínimo, não demoraria muito para descobrir que você o possui, mesmo que o tenha baixado ilegalmente, ou comprado o livro físico pela internet, ou em uma loja de tijolo e argamassa mesmo, com cartão de crédito.

Só o que você queria era ler, fazer parte daquele ato humano mais intensamente íntimo, a união das mentes por meio da linguagem. Mas isso foi mais que suficiente. Seu desejo natural de se conectar com o mundo era tudo de que ele precisava para conectar seu ser vivo a uma série de identificadores exclusivos e globais, como seu e-mail, seu telefone e o endereço de IP do seu computador. Ao criar um sistema de abrangência mundial que rastreava esses identificadores em todos os canais disponíveis de comunicações eletrônicas, a CI estadunidense adquiriu o poder de registrar e armazenar, eternamente, os dados de sua vida.

E isso foi só o começo. Porque, uma vez que as agências de espionagem dos Estados Unidos provaram a si mesmas que era possível coletar de forma passiva todas as suas comunicações, elas também começaram a adulterá-las. Ao envenenar as mensagens que você recebia com fragmentos de códigos de ataque, ou *exploits*, elas desenvolveram a capacidade de obter mais do que suas palavras. Passaram a ser capazes de obter o controle total de seu dispositivo, incluindo a câmera e o microfone. Isso significa que, se você está lendo isso agora – esta frase – em qualquer tipo de dispositivo eletrônico moderno, como um smartphone ou um tablet, elas podem acompanhá-lo e *ler você*. Elas podem dizer com que rapidez ou lentidão você vira as páginas, e se você lê os capítulos de forma consecutiva ou fica pulando de um lado para o outro. E elas suportarão com prazer olhar para suas narinas e observar você mexer os lábios enquanto lê, contanto que recebam os dados que desejam e que permitam identificá-lo.

Esse é o resultado de duas décadas de inovação descontrolada – o produto final de uma classe política e profissional que sonha ser seu mestre. Não importa o lugar, não importa o tempo, e não importa o que você faça, sua vida agora se tornou um livro aberto.

Como a vigilância em massa era, por definição, uma presença constante na vida diária, eu queria que os perigos que ela representava e o dano que já causara fossem uma presença constante também. Por meio de minhas divulgações à imprensa, eu queria tornar esse sistema conhecido, fazer de sua existência um fato que meu país e o mundo não poderiam ignorar. Nos anos que se passaram desde 2013, a conscientização cresceu, tanto em escopo quanto em sutileza. Mas, nessa era de mídias sociais, temos sempre que recordar: só a consciência não é suficiente.

Nos Estados Unidos, as primeiras matérias da imprensa sobre as divulgações deram início a uma conversa nacional, como admitiu o próprio presidente Obama. Embora eu apreciasse isso, lembro-me de desejar que ele percebesse que o que tornava a coisa nacional, o que a tornava uma conversa, era que pela primeira vez o público estadunidense era bem informado o suficiente para ter voz.

As revelações de 2013 inflamaram particularmente o Congresso; as duas casas deram início a múltiplas investigações sobre os abusos da NSA. Essas investigações concluíram que a agência havia repetidamente mentido sobre a natureza e a eficácia de seus programas de vigilância em massa, inclusive para os mais altos legisladores do Comitê de Inteligência.

Em 2015, um tribunal federal de apelações ditou sentença no caso *ACLU versus Clapper*, um processo que contesta a legalidade do programa de coleta de registros telefônicos da NSA. O tribunal decidiu que o programa da NSA havia violado inclusive os frouxos padrões do Patriot Act, e, além disso, provavelmente era inconstitucional. A decisão focou a interpretação da NSA da Seção 215 do Patriot Act, que permitia ao governo exigir de terceiros qualquer coisa tangível que considerasse relevante para a inteligência estrangeira e investigações sobre terrorismo. Na opinião do tribunal, a definição do governo de relevante era tão expansiva que chegava a ser praticamente sem sentido. Chamar alguns dados coletados de relevantes simplesmente porque poderiam vir a sê-lo em algum ponto amorfo no futuro era sem precedentes e injustificado. A recusa do tribunal em aceitar a definição do governo fez que não poucos acadêmicos jurídicos interpretassem que tal decisão lançava dúvidas sobre a legitimidade de todos os programas governamentais de coleta de informações em massa com base nessa doutrina de relevância futura. Baseando-se nessa opinião, o Congresso aprovou a Lei de Liberdade dos EUA, que emendava a Seção 215 explicitamente proibindo a coleta em massa de registros telefônicos dos estadunidenses. No futuro, esses registros permaneceriam onde estavam originalmente, sob o controle privado das operadoras de telefonia, e o governo teria que os solicitar formal e especificamente, com um mandado do FISC em mãos, se quisesse acessá-los.

ACLU versus Clapper foi uma vitória notável, sem dúvida. Um precedente crucial foi estabelecido. O tribunal declarou que o público estadunidense tinha legitimidade: os cidadãos dos EUA tinham o direito de se levantar diante de um tribunal e desafiar o sistema governamental oficialmente secreto de vigilância em massa. Mas como os inúmeros outros casos que resultaram das divulgações continuam seguindo seus caminhos lentos e deliberados pelos tribunais, fica cada vez mais claro para mim que a resistência legal estadunidense à vigilância em massa era apenas a fase beta do que deveria ser um movimento internacional de oposição, totalmente implementado tanto nos governos quanto no setor privado.

A reação dos tecnocapitalistas às revelações foi imediata e contundente, provando, mais uma vez, que com riscos extremos surgem aliados improváveis. Os documentos revelaram uma NSA tão determinada a perseguir toda e qualquer informação que considerasse estar sendo deliberadamente escondida dela que prejudicou os protocolos básicos de criptografia da internet, tornando os registros financeiros e médicos dos cidadãos, por exemplo, mais vulneráveis, e prejudicando as empresas cujos clientes lhes confiavam esses dados confidenciais. Em resposta, a Apple adotou uma forte criptografia padrão para seus iPhones e iPads, e a Google seguiu o exemplo para seus produtos Android e Chromebooks. Mas talvez a mudança mais importante do setor privado tenha ocorrido quando empresas do mundo todo mudaram suas plataformas de sites, substituindo o http (Hypertext Transfer Protocol) pelo criptografado https (o S significa segurança), o que ajuda a impedir a interceptação do tráfego da Web por terceiros. O ano de 2016 foi um marco na história da tecnologia, o primeiro desde a invenção da internet no qual a maior parte do tráfego da Web era criptografado.

Sem dúvida, a Internet é mais segura agora do que era em 2013, especialmente por causa do súbito reconhecimento global da necessidade de ferramentas e aplicativos criptografados. Eu participei do design e da criação de alguns, por meio de meu trabalho à frente da Freedom of the Press Foundation, uma organização sem fins lucrativos dedicada a proteger e empoderar o jornalismo de interesse público no novo milênio. Uma parte importante da proposta da organização é preservar e fortalecer os direitos da Primeira e da Quarta Emendas por meio do desenvolvimento de tecnologias de criptografia. Para esse fim, a FPF dá suporte financeiro à Signal, uma plataforma de mensagens de texto e chamadas criptografadas criada pela Open Whisper Systems, e desenvolve o SecureDrop (originalmente programado pelo falecido Aaron Swartz), um sistema de envio de código aberto que permite às organizações de mídia aceitar de forma segura documentos de delatores anônimos e outras fontes. Hoje, o SecureDrop está disponível em 10 idiomas e é usado por mais de 70 organizações de mídia em todo o mundo, incluindo o *The New York Times*, o *Washington Post*, o *The Guardian* e o *The New Yorker*.

Em um mundo perfeito – ou seja, em um mundo que não existe –, leis já seriam suficientes para tornar essas ferramentas obsoletas. Mas, no único mundo que temos, elas nunca foram tão necessárias. Uma mudança na lei é infinitamente mais difícil de se conseguir que uma mudança em um padrão tecnológico, e enquanto a inovação jurídica ficar para trás, as instituições de inovação tecnológica tentarão abusar dessa disparidade para promover seus interesses. Cabe aos desenvolvedores independentes de hardwares e softwares de código aberto fecharem essa lacuna fornecendo as vitais proteções das liberdades civis que a lei talvez não possa ou não queira garantir.

Em minha situação atual, tenho que recordar constantemente o fato de que a lei é específica de um país, ao passo que a tecnologia não. Cada nação tem seu próprio código legal, mas o código de computador é o mesmo. A tecnologia atravessa fronteiras e carrega quase todos os passaportes. Com o passar dos anos, tornou-se cada vez mais evidente para mim que uma reforma legislativa sobre o regime de vigilância do país em que nasci não necessariamente ajudaria um jornalista ou um dissidente no país que é meu exílio, mas um smartphone criptografado poderia ajudar.

Internacionalmente, minhas divulgações ajudaram a reavivar os debates sobre vigilância em lugares com longas histórias de abusos. Os países cujos cidadãos mais se opunham à vigilância em massa estadunidense eram aqueles cujos governos mais haviam colaborado com ela, desde as nações da Aliança Cinco Olhos (especialmente o Reino Unido, cujo GCHQ continua sendo o principal parceiro da NSA) até os países da União Europeia. A Alemanha, que fez muito para superar seu passado nazista e comunista, fornece o principal exemplo dessa disjunção. Seus cidadãos e legisladores ficaram chocados ao saber que a NSA estava supervisionando as comunicações alemãs e que chegou a pôr o smartphone da chanceler Angela Merkel na mira. Ao mesmo tempo, o BND, a principal agência de inteligência alemã, havia colaborado com a NSA em diversas operações, inclusive realizando por procuração certas iniciativas de vigilância que a NSA não podia ou não queria empreender sozinha.

Quase todos os países do mundo se viram em uma situação semelhante: seus cidadãos indignados e seu governo cúmplice. Deixa de ser, efetivamente, uma democracia, todo governo eleito que dependa da vigilância para manter o controle de uma cidadania que considera tal vigilância um anátema para a democracia. Essa dissonância cognitiva em escala geopolítica ajudou a trazer as preocupações individuais com a privacidade de volta ao diálogo internacional dentro do contexto dos direitos humanos.

Pela primeira vez desde o fim da Segunda Guerra Mundial, os governos liberais-democratas no mundo todo passaram a discutir a privacidade como o direito natural e inato de todo homem, mulher e criança. Ao fazer isso, recordavam a Declaração Universal dos Direitos Humanos das Nações Unidas de 1948, cujo artigo 12º declara: "Ninguém sofrerá intromissões arbitrárias na sua vida privada, na sua família, no seu domicílio ou na sua correspondência, nem ataques à sua honra e reputação. Contra tais intromissões ou ataques, toda a pessoa tem direito à proteção da lei". Como todas as declarações da ONU, esse ambicioso documento nunca foi exequível, mas pretendia inculcar uma nova base para as liberdades civis transnacionais em um mundo que havia acabado de sobreviver a atrocidades nucleares e tentativas de genocídio e enfrentava um excesso sem precedentes de refugiados e apátridas.

A UE, ainda sob influência desse idealismo universalista do pós-guerra, tornou-se o primeiro organismo transnacional a colocar esses princípios em prática, estabelecendo uma nova diretiva que busca padronizar as denúncias em todos os Estados membros, juntamente com uma estrutura legal padronizada para proteção da privacidade. Em 2016, o Parlamento da UE aprovou o Regulamento Geral de Proteção de Dados (GDPR), o esforço mais significativo já feito para prevenir as incursões da hegemonia tecnológica – que a UE tende a considerar, não injustamente, como uma extensão da hegemonia estadunidense.

O GDPR trata os cidadãos da União Europeia, a quem chama de pessoas naturais, como sendo também sujeitos de dados – isto é, pessoas que geram dados pessoalmente identificáveis. Nos EUA, os dados em geral são considerados propriedade de quem os coleta. Mas, para a UE, os dados são propriedade da pessoa que representam, o que permite tratar nossa condição de sujeitos de dados como merecedora de proteção das liberdades civis.

O GDPR é, sem dúvida, um grande avanço legal, mas até seu transnacionalismo é muito provincial: a internet é global. Nossa condição de pessoa natural nunca será, legalmente, sinônimo de sujeito de dados, até porque a primeira vive em um lugar de cada vez, ao passo que a segunda vive em muitos lugares simultaneamente.

Hoje, não importa quem você seja, ou onde esteja fisicamente, você também está em outro lugar, no exterior – vários eus perambulando pelas trilhas dos sinais, sem nenhum país para chamar de seu, mas obedecendo às leis de todas as nações por onde passa. Os registros de uma vida vivida em Genebra residem no Beltway. As fotos de um casamento em Tóquio estão em lua de mel em Sydney. Os vídeos de um funeral em Varanasi estão no iCloud da Apple, que está parcialmente localizado em meu estado natal, Carolina do Norte, e parcialmente espalhado pelos servidores parceiros da Amazon, Google, Microsoft e Oracle, em toda a UE, Reino Unido, Coreia do Sul, Cingapura, Taiwan e China.

Nossos dados vagam por todo lado. Nossos dados vagam sem parar.

Nós começamos a gerar esses dados antes de nascer, quando as tecnologias nos detectam no útero, e eles continuarão a proliferar mesmo depois que morrermos. Naturalmente, nossas memórias criadas conscientemente, os registros que escolhemos guardar, compreendem apenas uma parte da informação que foi extraída de nossa vida – a maioria inconscientemente, ou sem nosso consentimento – pela vigilância de empresas e do governo. Somos as primeiras pessoas na história do planeta para quem isso é verdade, as primeiras pessoas a carregar o fardo da imortalidade dos dados, do fato de que nossos registros coletados podem ter uma existência eterna. É por isso que temos um dever especial; precisamos garantir que esses registros de nosso passado não possam ser usados contra nós ou nossos filhos.

Hoje, a liberdade que chamamos de privacidade está sendo defendida por uma nova geração. Não nascida ainda do 11 de Setembro, essa geração passou a vida inteira sob o espectro onipresente dessa vigilância. Esses jovens que não conheceram outro mundo se dedicaram a imaginar um, e sua criatividade política e sua ingenuidade tecnológica me dão esperança.

Ainda assim, se não agirmos para recuperar nossos dados agora, nossos filhos podem não ser capazes de fazê-lo. Então, eles e seus filhos também ficarão presos – cada geração sucessiva forçada a viver sob o espectro de dados da anterior, sujeita a uma agregação maciça de informações cujo potencial de controle social e manipulação humana excede não apenas as restrições da lei, mas os limites da imaginação.

Quem pode prever o futuro? Quem ousaria? A resposta para a primeira pergunta é ninguém, e para a segunda, todos, especialmente todos os governos e empresas privadas do planeta. É para isso que nossos dados são usados. Os algoritmos analisam os padrões de comportamento estabelecidos a fim de extrapolar comportamentos futuros, um tipo de profecia digital que é só um pouco mais precisa que métodos analógicos como a quiromancia. Uma vez que você analisa os mecanismos técnicos por meio dos quais se calcula a previsibilidade, passa a entender que essa ciência é, de fato, anticientífica e fatalmente errônea: a previsibilidade é, na verdade, manipulação. Um site que diz que, como você gostou deste livro, talvez também goste de livros de James Clapper ou Michael Hayden, não está dando um palpite com conhecimento de causa, e sim usando um mecanismo de coerção sutil.

Não podemos permitir que nos usem dessa maneira, que nos usem contra o futuro. Não podemos permitir que nossos dados sejam usados para nos vender as coisas que não devem ser vendidas, como o jornalismo. Se permitirmos, receberemos apenas o jornalismo que quisermos, ou o jornalismo que os poderosos quiserem que tenhamos, não a conversa coletiva honesta e necessária. Não podemos deixar que o deus-vigilância seja usado para calcular nossas pontuações de cidadania ou para prever nossa atividade criminosa; para nos dizer que tipo de educação podemos ter, ou que tipo de emprego podemos ter, ou se podemos ter educação ou emprego; para nos discriminar com base em nosso histórico financeiro, legal e médico, isso para não dizer nossa etnia ou raça, que são constructos que os dados geralmente presumem ou impõem. E quanto aos nossos dados mais íntimos, nossa informação genética: se permitirmos que ela seja usada para nos identificar, será usada para nos vitimizar, inclusive para nos modificar – para refazer a essência de nossa humanidade à imagem da tecnologia que busca seu controle.

Claro, tudo isso já aconteceu.

Exílio: não se passou um dia sequer desde 1º de agosto de 2013 sem que eu me lembrasse que exílio era o que meu eu adolescente usava para se referir a ficar off-line. O Wi-Fi caiu? Exílio. Estou fora do alcance do sinal? Exílio. Esse eu que costumava dizer isso agora me parece tão jovem... tão distante.

Quando as pessoas me perguntam como é minha vida agora, costumo responder que é muito parecida com a delas, pois passo muito tempo em frente ao computador – lendo, escrevendo, interagindo. De um lugar que a imprensa gosta de descrever como local não revelado – que é apenas o apartamento de 2 quartos que alugo em Moscou –, eu subo em palcos pelo mundo falando para o público formando por estudantes, acadêmicos, legisladores e tecnólogos sobre a proteção das liberdades civis no mundo digital.

Alguns dias eu faço reuniões virtuais com meus colegas do Conselho da Freedom of the Press Foundation, ou converso com minha equipe jurídica europeia, liderada por Wolfgang Kaleck, no Centro Europeu de Direitos Humanos e Constitucionais. Outros dias, só pego alguma coisa no Burger King – eu sei a quem dar minha lealdade – e jogo jogos que tive de piratear porque não posso mais usar cartões de crédito. Um ponto fixo de minha existência é meu check-in diário com meu advogado, confidente e conselheiro estadunidense Ben Wizner na ACLU. Ele tem sido meu guia para o mundo como ele é, e tolera minhas reflexões sobre como o mundo deveria ser.

Essa é minha vida. Ficou significativamente melhor no inverno congelante de 2014, quando Lindsay veio me ver – foi a primeira vez que a vi desde o Havaí. Tentei não ter grandes expectativas, porque eu sabia que não merecia uma chance; a única coisa que eu merecia era um tapa na cara. Mas, quando eu abri a porta de seu quarto de hotel, ela pousou a mão em meu rosto e eu disse que a amava.

"Shhhhh", disse ela, "eu sei".

Nós nos abraçamos em silêncio, e cada respiração era como a promessa de recuperar o tempo perdido.

A partir daquele momento, meu mundo era o dela. Antes, eu me satisfazia ficando dentro de casa – na verdade, essa já era minha preferência antes de eu estar na Rússia –, mas Lindsay era insistente: ela nunca havia ido à Rússia, então, seríamos turistas juntos. Meu advogado russo, Anatoly Kucherena, que me ajudou a conseguir asilo no país – foi o único advogado que teve a brilhante ideia de aparecer no aeroporto com um tradutor –, é um homem culto e engenhoso, e provou ser tão hábil em conseguir ingressos para a ópera em cima da hora quanto é para cuidar de meus problemas legais. Ele me ajudou a conseguir dois lugares nos camarotes do Teatro Bolshoi, e então, Lindsay e eu nos vestimos e fomos. Mas, tenho de admitir que eu estava cauteloso. Havia muitas pessoas, todo mundo espremido em um hall. Lindsay podia sentir meu crescente desconforto. Quando as luzes se apagaram e a cortina se ergueu, ela se inclinou, cutucou minhas costelas e sussurrou:

"Nenhuma dessas pessoas está aqui por sua causa. Estão aqui para ver o espetáculo."

Lindsay e eu também fomos a alguns museus de Moscou. A Galeria Tretyakov contém uma das mais ricas coleções de pinturas de ícones ortodoxos russos. Em minha cabeça, os artistas que faziam essas pinturas para a igreja eram terceirizados, por isso normalmente não podiam assinar as obras – ou preferiam não assinar. O tempo e a tradição que deram origem a essas obras não deram muito reconhecimento à realização individual. Quando Lindsay e eu paramos em frente a um dos ícones, uma jovem turista, adolescente, subitamente parou diante de nós. Não foi a primeira vez que fui reconhecido em público, mas, dada a presença de Lindsay, certamente essa corria o risco de ser a mais digna de uma manchete. Em inglês, com sotaque alemão, a garota perguntou se poderia tirar uma selfie conosco. Não sei bem o que justifica minha reação – talvez fosse o jeito tímido e educado de perguntar da alemã, ou talvez fosse a presença "viva e deixe viver" de Lindsay, que sempre melhora meu ânimo –, mas, sem hesitação, pela primeira vez, concordei. Lindsay sorriu quando a garota posou entre nós e tirou uma foto. Então, depois de algumas palavras gentis de apoio, ela foi embora.

Eu arrastei Lindsay para fora do museu um instante depois. Tinha medo de que, se a garota colocasse a foto nas mídias sociais, passássemos a ser foco de atenção indesejada. Agora, sei que fui um tolo por pensar isso. Procurei furiosamente na internet, mas a foto não apareceu.

Nem nesse dia nem no seguinte. Pelo que posso dizer, ela nunca foi compartilhada; só guardada como uma lembrança particular de um momento pessoal.

Sempre que saio, tento mudar um pouco minha aparência. Às vezes me livro da barba, às vezes uso óculos diferentes. Eu nunca gostei do frio, até que percebi que um chapéu e um cachecol proporcionam o anonimato mais conveniente e discreto do mundo. Eu mudo o ritmo de minha caminhada, e ao contrário do sábio conselho de minha mãe, não olho para os lados quando atravesso a rua, e é por isso que nunca fui captado por nenhuma câmera de segurança automotiva, que são onipresentes aqui. Quando passo por edifícios equipados com CFTV, fico de cabeça baixa, para que ninguém me veja como eu normalmente sou visto on-line: de frente. Antes, eu ficava preocupado com o ônibus e o metrô, mas, hoje em dia, todo mundo está ocupado demais olhando seus celulares para prestar atenção em mim. Quando ando de táxi, ele me pega em uma parada de ônibus ou metrô, a alguns quarteirões de onde moro, e me deixa em um endereço a poucos quarteirões de meu destino.

Hoje, estou percorrendo o caminho mais longo desta vasta cidade estranha tentando encontrar rosas. Rosas vermelhas, brancas, até violeta. Qualquer flor que eu possa encontrar. Não sei o nome de nenhuma delas em russo. Apenas grunho e aponto.

O russo de Lindsay é melhor que o meu. Ela também ri mais e é mais paciente, generosa e gentil.

Hoje à noite, vamos comemorar nosso aniversário de casamento. Lindsay se mudou para cá há três anos, e há dois nos casamos.

AGRADECIMENTOS

Em maio de 2013, quando estava sentado naquele quarto de hotel em Hong Kong imaginando se algum jornalista apareceria, eu nunca havia me sentido tão sozinho. Seis anos depois, vejo-me em uma situação totalmente oposta, após ter sido bem recebido em uma extraordinária e crescente tribo global de jornalistas, advogados, tecnólogos e defensores dos direitos humanos para com quem tenho uma dívida incalculável. Na conclusão de um livro, é tradição que um autor agradeça às pessoas que ajudaram a torná-lo possível, e eu, sem dúvida, pretendo fazer isso aqui; mas, dadas as circunstâncias, eu seria negligente se não agradecesse também às pessoas que ajudaram a tornar minha vida possível, defendendo minha liberdade, e, especialmente, trabalhando de forma incessante e abnegada para proteger nossas sociedades abertas, bem como as tecnologias que nos trouxeram até aqui e que unem todo o mundo.

Nos últimos nove meses, Joshua Cohen me ensinou a escrever, ajudando a transformar minhas reminiscências desconexas e manifestos encapsulados em um livro do qual espero que ele possa se orgulhar.

Chris Parris-Lamb mostrou ser um agente perspicaz e paciente, enquanto Sam Nicholson forneceu correções e apoio astutos e esclarecedores, bem como toda a equipe no Metropolitan, de Gillian Blake a Sara Bershtel, Riva Hocherman e Grigory Tovbis.

O sucesso dessa equipe é um testemunho do talento de seus membros e do homem que a montou – Ben Wizner, meu advogado e, tenho a honra de dizer, meu amigo. Na mesma linha, gostaria de agradecer a minha equipe internacional de advogados, que trabalhou com afinco para me manter livre. Também gostaria de agradecer a Anthony Romero, diretor da ACLU, que abraçou minha causa em um momento de considerável risco político para a organização, juntamente com os outros funcionários da ACLU que me ajudaram ao longo dos anos, incluindo Bennett Stein, Nicola Morrow, Noa Yachot e Daniel Kahn Gillmor.

Além disso, gostaria de agradecer o trabalho de Bob Walker, Jan Tavitian e sua equipe do American Program Bureau, que me permitiram ganhar a vida divulgando minha mensagem a novos públicos no mundo todo.

Trevor Timm e meus colegas da Freedom of the Press Foundation forneceram o espaço e os recursos para eu retornar a minha verdadeira paixão, a engenharia para o bem social. Sou especialmente grato ao ex-gerente de operações da FPF, Emmanuel Morales, e ao atual membro da diretoria, Daniel Ellsberg, que deu ao mundo o modelo de sua integridade e a mim o calor e a franqueza de sua amizade.

Este livro foi escrito usando software livre e de código aberto. Gostaria de agradecer ao Projeto Qubes, ao Projeto Tor e à Free Software Foundation.

Meu primeiro contato de como era escrever com um prazo a cumprir veio dos mestres Glenn Greenwald, Laura Poitras, Ewen Macaskill e Bart Gellman, cujo profissionalismo tem por base uma integridade apaixonada. Sendo editado agora, vejo com novos olhos seus editores, que não permitiram ser intimidados e assumiram os riscos que davam sentido a seus princípios.

Minha mais profunda gratidão é reservada a Sarah Harrison.

E meu coração pertence a minha família, estendida e imediata; a meu pai, Lon; a minha mãe, Wendy; e a minha brilhante irmã, Jessica.

O único jeito de terminar este livro é como comecei: com uma dedicatória a Lindsay, cujo amor dá vida ao exílio.

SOBRE O AUTOR

Edward Snowden nasceu em Elizabeth City, Carolina do Norte, e cresceu à sombra de Fort Meade. Engenheiro de sistemas por formação, serviu como oficial da Agência Central de Inteligência e trabalhou para a Agência Nacional de Segurança como terceirizado. Recebeu inúmeros prêmios por seu serviço público, incluindo o Right Livelihood Award, o German Whistleblower Prize, o Ridenhour Prize for Truth-Telling e a medalha Carl von Ossietzky da Liga Internacional de Direitos Humanos. Atualmente, é presidente do conselho diretor da Freedom of the Press Foundation.

**Acreditamos
nos livros**

Este livro foi composto em Fairfield LT Std
e impresso pela Gráfica Santa Marta para a
Editora Planeta do Brasil em setembro de 2019.